ANGIE THOMAS

Angie Thomas est née et vit à Jackson, dans le Mississipi. Rappeuse quand elle était adolescente, elle est désormais diplômée officiellement en Écriture créative et officieusement en Hip hop.
The Hate U Give est son premier roman. Best seller du *New York Times* dès sa parution, il a été salué par la critique et récompensé de plusieurs prix prestigieux : finaliste du National Book Award et de la médaille Carnegie, lauréat du William C. Morris Award et du Michael L. Printz Honor, enfin lauréat du tout premier Walter Dean Myers Grant qui promeut la diversité dans la littérature jeunesse et jeune adulte.

ANGIE THOMAS

THE HATE U GIVE

LA HAINE QU'ON DONNE

Traduit de l'anglais (États-Unis) par Nathalie Bru

Pour ma grand-mère
Qui m'a montré qu'il pouvait y avoir
de la lumière dans les ténèbres

L'édition originale de ce livre a été publiée pour la première fois en anglais aux États-Unis par Balzer + Bray, une maison de HarperCollins Publishers, 195 Broadway, New York, NY 10007, sous le titre *The Hate U Give*.

25, avenue Pierre-de-Coubertin, 75013 Paris, France
Loi n° 49-956 du 16 juillet 1949 sur les publications destinées à la jeunesse, modifiée par la loi n° 2011-525 du 17 mai 2011

ISBN : 978-2-09-257673-1 – Dépôt légal : avril 2018

PREMIÈRE PARTIE

LE JOUR DES FAITS

UN

Je n'aurais pas dû venir à cette fête.

Je ne suis même pas sûre d'être à ma place, ici. Pas que je me prenne pour une bourge, ni rien. Mais il y a juste des endroits où ça ne suffit pas d'être moi. Aucune version de moi ne convient. La soirée de Spring Break de Big D est un de ces endroits.

Je me faufile entre les corps en sueur pour suivre Kenya. Les boucles de ses cheveux rebondissent sur ses épaules. Un fin brouillard qui sent la beuh plane dans la pièce, et le sol vibre avec la musique. Un rappeur invite les gens à danser le Nae Nae et tout le monde décline sa propre version dans un flot de « hey ! hey ! ». Gobelet au-dessus de la tête, Kenya avance en dansant. Entre la musique à fond qui me file mal au crâne et la beuh qui me donne la nausée, ce sera un exploit si je traverse la salle sans renverser mon verre.

On émerge de la foule. La maison de Big D est blindée

de monde. J'avais entendu dire que la terre entière se pressait à ses fêtes de Spring Break – enfin, la terre entière… à part moi… – mais merde, je ne m'attendais quand même pas à ça. Je me sens trop basique avec ma queue-de-cheval, au milieu de toutes ces filles aux cheveux colorés, bouclés, lissés, tissés. Les mecs avec leur pantalon sous les fesses et leurs plus belles pompes se déhanchent tellement près des filles qu'il faudrait presque leur filer des capotes. Grandma dit toujours que le printemps, c'est la saison des amours. Si le printemps à Garden Heights n'apporte pas toujours l'amour, il promet quand même des bébés pour l'hiver. Ça ne m'étonnerait pas d'apprendre qu'il y en a plein qui ont été conçus à la soirée de Big D. Il l'organise toujours le dernier vendredi des vacances, parce qu'il faut le samedi pour récupérer et le dimanche pour se repentir.

– Wesh, arrête de me suivre et va danser, Starr ! me lance Kenya. Les gens, ils disent déjà que tu te la pètes.

– Ah ouais ? Et c'est quoi qui leur fait dire ça ? Je savais pas que les gens à Garden Heights savaient lire dans les pensées.

Ni qu'on me connaissait autrement que comme « la fille à Big Mav qui bosse à l'épicerie ». Je prends une gorgée de mon verre, que je recrache aussitôt. Je me doutais qu'il n'y aurait pas que des fruits dans ce punch, mais c'est beaucoup trop fort pour moi. Plutôt appeler ça de l'alcool pur que du punch. Je pose mon gobelet sur une table basse et j'ajoute :

– Ils me tuent les gens, de croire qu'ils savent ce qu'il y a dans ma tête.

– Eh, je te le dis, c'est tout. Depuis que t'es dans ce bahut, tu snobes tout le monde.

Ça fait six ans que j'y ai droit, depuis que mes parents m'ont inscrite à Williamson, dans le privé.

– Lâche-moi, sérieux, je marmonne.

– Et puis si tu pouvais éviter de te fringuer comme…

Elle me dévisage des baskets au sweat à capuche XXL.

– … ça. Dis donc, ça serait pas le sweat à mon frère ?

Notre frère. Kenya et moi partageons un grand frère, Seven. Mais on n'est pas de la même famille, elle et moi. Elle a la même mère que lui, et moi le même père. Je sais, c'est ouf.

– Ouais, c'est à lui.

– C'est bien ce qui me semblait. Tu sais ce qu'ils disent d'autre, les gens ? Y'en a qui croient que t'es ma meuf.

– J'ai l'air d'en avoir quelque chose à foutre de ce qu'ils pensent, les gens ?

– Non ! Et c'est ça le problème !

– Azy, lâche-moi Kenya.

Si j'avais su qu'en la suivant à cette fête, j'allais devoir me taper un épisode de *Relooking Extrême*, je serais restée chez moi devant des rediffusions du *Prince de Bel-Air*[1]. Elles sont confortables mes Jordan, et en plus elles sont neuves. Tout le monde ne peut pas en dire autant. Le sweat est trop grand, mais c'est comme ça que je les aime. En plus, si je le rabats sur mon nez, je ne sens plus l'odeur de la beuh.

– Bon, ben moi je vais pas jouer la baby-sitter toute la nuit,

---

1. Cette série des années 1990 met en scène Will, incarné par Will Smith, qui quitte son quartier défavorisé pour emménager dans un quartier huppé de Los Angeles et avoir plus de chances de s'en sortir. (Toutes les notes sont de la traductrice.)

alors tu ferais bien de te bouger le cul, dit Kenya en promenant son regard sur la pièce.

Elle pourrait être mannequin, pour être tout à fait honnête. Une peau noire et parfaite – jamais je ne lui ai vu un bouton d'acné –, des yeux marron en amande, des longs cils pas achetés au supermarché, grande en plus, mais moins maigre que ces squelettes dans les défilés. Et elle ne porte jamais deux fois la même tenue. Son père, King, fait ce qu'il faut pour ça.

À Garden Heights, je ne traîne quasiment qu'avec Kenya – difficile de se faire des amis quand on va au bahut à quarante-cinq minutes d'ici et qu'on est coincée au magasin familial après le lycée. Avec elle, c'est facile à cause de notre lien avec Seven. Mais parfois, elle fait n'importe quoi. Toujours à chercher la merde et à menacer de faire venir son père pour tabasser quelqu'un. En plus, il le ferait, mais j'aimerais bien qu'elle arrête de la ramener juste pour le plaisir de sortir son joker. Parce que moi aussi, je pourrais sortir le mien, après tout. Tout le monde sait qu'il ne faut pas chercher la merde à mon père, Big Mav, et encore moins à ses gamins. Et pourtant, je ne m'amuse pas à aller foutre le bordel à droite à gauche.

Comme ce soir chez Big D, avec Kenya qui regarde mal Denasia Allen. Je ne me souviens pas de grand-chose sur Denasia, à part qu'elle et Kenya se détestent depuis le CM1. Ce soir, Denasia danse avec un mec à l'autre bout de la pièce sans s'occuper de personne. Mais où qu'on aille, Kenya la repère et la fusille du regard. Et le problème avec ces regards, c'est qu'à un moment donné, on les sent, et ça pousse à chercher la merde ou à se faire emmerder.

– Oh ! Je peux pas la blairer, siffle Kenya entre ses dents. Tu sais quoi ? L'autre jour, j'étais devant elle dans la queue à la cafète et elle parlait à quelqu'un derrière. Elle a pas dit mon nom, mais je sais qu'elle parlait de moi, elle disait que j'avais essayé de pécho DeVante.

– Sérieux ?

Je lui dis ce qu'elle attend.

– Ouais ouais, confirme-t-elle. Alors que je le kiffe pas, t'as vu.

– Je sais.

En vrai ? DeVante, je ne sais pas qui c'est.

– Alors t'as fait quoi ?

– Je me suis retournée, tu crois quoi ? Et là, je lui ai balancé : c'est quoi ton problème ? Et tu sais ce qu'elle m'a sorti du coup, la vieille meuf ? « Je parlais pas de toi. » Wesh, c'est ça, bien sûr qu'elle parlait de moi et elle le savait, en plus. Starr, t'es trop chanceuse de pas avoir à gérer des pétasses comme asse dans ton bahut de Blancs.

Non, mais j'hallucine. Cinq minutes plus tôt, je faisais ma princesse parce que j'étais à Williamson. Et maintenant, j'ai de la chance ?

– Y'en a aussi, des pétasses, dans mon bahut, tu peux me croire. La pétasserie est universelle.

– On va s'occuper d'elle, soir ce, tu vas voir.

Le sale regard de Kenya atteint des sommets. Denasia le sent et plante ses yeux dans ceux de Kenya.

– Eh ouais, renchérit Kenya, comme si Denasia pouvait l'entendre.

– Attends, je l'interromps. *On* va s'occuper d'elle ? C'est pour ça que tu m'as suppliée de venir ?

Elle ose prendre un air vexé.

– Genre t'avais mieux à faire ! Ou d'autres gens à voir. Je te rends service, là, Starr.

– Sérieux, Kenya ? Tu sais que j'ai des potes, en vrai ?

Excédée, elle fait rouler ses yeux dans leurs orbites. Complètement. Pendant quelques secondes, on ne voit plus que le blanc.

– Les petites bourges de ton bahut, ça compte pas.

– C'est pas des bourges et elles comptent.

Enfin, je crois. Entre Maya et moi, c'est cool. Avec Hailey, ces derniers temps, je ne sais pas trop.

– Et putain, si me traîner dans une embrouille, c'est ta façon de m'aider à me faire des potes, non merci. C'est toujours le drame avec toi.

– Starr, s'te plééééé !

Elle fait traîner le « plaît » le plus longtemps possible. Trop.

– Voilà comment je vois le truc, m'explique-t-elle. On attend qu'elle s'éloigne de DeVante, d'accord ? Et puis, on…

Je jette un œil sur l'écran de mon téléphone qui vibre contre ma cuisse. Depuis que je ne décroche plus quand il appelle, Chris m'envoie des messages.

On peut parler ?

Je voulais pas que ça tourne comme ça.

Bien sûr que non. Il voulait que ça tourne complètement différemment hier, et c'est ça le problème. Je remets le téléphone dans ma poche. Sans trop savoir ce que je vais lui répondre, mais je verrai ça plus tard.

– Kenya ! crie quelqu'un.

Une grosse métisse avec un lissage japonais s'avance vers nous à travers la foule. Un grand mec, crête afro décolorée, la talonne. Ils enlacent Kenya l'un après l'autre et lui disent à quel point elle est canon. Moi, pendant ce temps, je suis transparente.

– Pourquoi que tu m'as pas dit que tu venais, meuf ? s'exclame la fille avant de fourrer son pouce dans sa bouche.

À force, ça lui a donné des dents de lapin.

– On aurait pu venir ensemble, elle ajoute.

– Nan, meuf. Fallait que je passe prendre Starr, répond Kenya. On est venues à pied.

Et tout d'un coup, ils me remarquent, plantée là à moins de vingt centimètres de Kenya.

Le mec me mate vite fait des pieds à la tête, les yeux plissés. Il fronce les sourcils à peine un quart de seconde, mais ça ne m'échappe pas.

– T'es pas la fille à Big Mav qui bosse au magasin ?

Je l'avais dit : les gens font comme si c'était le nom sur mes papiers.

– Si, je réponds.

– Oh ! s'exclame la fille. Je savais bien que je t'avais déjà vue quelque part. On était en CE2 ensemble. Avec Mme Bridges. J'étais assise derrière toi.

– Oh.

C'est là que je suis censée la reconnaître, je le sais. Mais non. Kenya avait sans doute raison – en vrai, je snobe tout le monde. Ils me disent quelque chose, mais on ne retient pas vraiment les noms et les histoires des gens en mettant leurs courses dans des sacs.

Je peux toujours mentir.

– Ah ouais, je me souviens.

– Yo meuf, arrête de faire genre, intervient le mec. Pourquoi tu mens ?

– *Why you always lying* ? entonnent Kenya et la fille d'une seule voix, façon Robert Lavelle, le chanteur de Next.

Le mec se joint à elles et tous les trois éclatent de rire.

– Bianca, Chance, soyez cool, là, dit Kenya. C'est la première soirée de Starr. Ses darons la laissent jamais sortir.

Je lui lance un regard oblique.

– Si, je vais à des soirées.

– Ah ouais ? Vous l'avez déjà vue à des teufs dans le coin ? lance Kenya.

– Non !

– Et voilà ! Et non, Starr, les petites fêtes péraves dans les banlieues bourges, ça compte pas.

Chance et Bianca ricanent. J'aimerais que mon sweat à capuche m'avale.

– Je parie qu'ils prennent de la MD et tout, pas vrai ? me demande Chance. Les Blancs ils surkiffent les cachetons.

– Et Taylor Swift, renchérit Bianca, sans sortir son pouce de sa bouche.

Pas tout à fait faux, mais je ne leur dirai pas.

– Nan, en vrai, elles sont grave bien, leurs soirées, je réponds. Un jour, y'a un mec qu'a fait venir J. Cole en concert privé pour son anniversaire.

– Sérieux ? s'exclame Chance. Azy, meuf, la prochaine fois, tu m'invites ! Je veux bien aller m'enjailler avec des babtous, moi !

– Bref, lance Kenya. On parlait d'aller faire sa fête à Denasia. La pute là-bas qui danse avec DeVante.

– C'te pauvre meuf, fait Bianca. Tu sais qu'elle dit des saloperies sur toi, hein ? Pendant le cours de M. Donald la semaine dernière, Aaliyah m'a dit…

Chance lève les yeux au ciel.

– Donald, trop l'horreur !

– T'as juste le seum parce qu'il t'a foutu dehors, remarque Kenya.

– Ben ouais !

– Bref, Aaliyah m'a dit… recommence Bianca.

De nouveau, je suis perdue au milieu de ces profs et de ces élèves que je ne connais pas. Je ne peux rien dire. Pas grave, de toute façon : je suis invisible.

Je me sens souvent comme ça par ici.

Pendant qu'ils se plaignent de Denasia et de leurs profs, j'entends que Kenya propose d'aller se chercher un autre verre, et tous les trois s'éloignent sans moi.

Tout d'un coup, je suis Ève dans le jardin d'Éden après qu'elle a croqué la pomme – je me rends compte que je suis nue. Je suis toute seule à une soirée où je ne suis même pas censée être, où je ne connais pour ainsi dire personne. Et la seule fille que je connais vient de me laisser tomber.

Ça fait des semaines que Kenya me supplie de l'accompagner. Je savais que je serais super mal à l'aise, mais chaque fois que je refusais, elle me rétorquait que je me croyais « trop bien pour une teuf à Garden Heights ». J'en ai eu marre d'entendre ces conneries, alors j'ai décidé de lui prouver qu'elle avait tort. Le truc, c'est que seul Jésus Noir aurait pu convaincre mes parents de me laisser venir. Et maintenant, c'est le même Jésus Noir qui va devoir me porter secours s'ils apprennent que je suis là.

Les gens me regardent genre « c'est qui l'autre, là-bas, debout toute seule contre le mur comme une conne ? » Je glisse les mains dans mes poches. Tant que je la joue cool et que je reste à l'écart, ça devrait aller. L'ironie, n'empêche, c'est qu'à Williamson, je n'ai pas besoin de « la jouer cool » – je suis cool par défaut parce que presque personne n'est noir. À Garden Heights, être cool, ça se mérite, c'est bien plus difficile que d'acheter des Jordan rétro le jour de leur sortie.

C'est drôle n'empêche : pour les Blancs, être noir c'est la classe jusqu'au jour où c'est la poisse.

– Starr ! s'exclame une voix que je connais bien.

Les flots de fêtards s'écartent devant lui comme devant un Moïse à peau d'ébène. Les mecs tapent dans sa main, les filles tendent le cou pour l'apercevoir. Il me sourit, et ses fossettes foutent aussitôt en l'air son petit côté gangster.

Khalil est beau gosse, pas moyen de le dire autrement. Et je prenais des bains avec lui. Mais rien de tordu ni de cochon là-dedans, juste des bains il y a longtemps, quand on gloussait tous les deux parce qu'il avait un zizi et que moi j'avais ce que sa grand-mère appelait une zizette. Mais ça n'avait rien de pervers, je le jure.

Il me prend dans ses bras. Il sent le savon et le talc pour bébé.

– Ça va, cousine ? On te voit plus. (Il me libère.) Tu donnes de nouvelles à personne. T'étais passée où ?

– En cours et au basket, je lui dis. Mais je suis toujours au magasin. C'est toi qu'on voit plus nulle part.

Ses fossettes disparaissent. Il s'essuie le nez comme chaque fois qu'il s'apprête à mentir.

– Ouais, j'ai des trucs à faire.

Évidemment. Les Jordan toutes neuves, le tee-shirt blanc impeccable, les diamants à ses oreilles. Quand on a grandi à Garden Heights, on sait de quels « trucs » il s'agit.

Putain. J'aimerais qu'il n'ait rien à voir avec ce genre de trucs, lui, encore moins que n'importe qui d'autre. Je ne sais pas si j'ai envie de fondre en larmes ou de le frapper.

Mais quand il me regarde comme ça avec ses yeux noisette, j'ai du mal à me mettre en colère. J'ai de nouveau dix ans, on est dans le sous-sol de l'église du Temple du Christ pour l'étude biblique pendant les vacances et il m'embrasse. Mon premier baiser. Tout d'un coup, je me souviens de mon sweat à capuche, de mon air débraillé… et que j'ai un copain. Même si je ne décroche plus quand il appelle et ne réponds plus à ses SMS, Chris est toujours mon copain et je ne veux pas que ça change.

– Comment va ta grand-mère ? Et Cameron ?

– Grand-mère est malade mais ça va.

Khalil boit un coup avant d'ajouter :

– Ils lui ont trouvé un cancer ou une merde comme ça.

– Oh… Désolée, K.

– Ouais, elle fait de la chimio. Mais tout ce qui l'inquiète c'est la perruque. (Il rit faiblement, sans que ses fossettes apparaissent.) Elle va s'en tirer.

C'est plus une prière qu'une prédiction.

– Ta mère te file un coup de main avec Cameron ?

– Sacrée Starr, toujours à chercher le bon côté des gens. Bien sûr que non, elle aide pas.

– Eh, c'était juste une question. Elle est passée au magasin l'autre jour. Elle a l'air d'aller mieux.

– Pour l'instant, répond Khalil. Elle dit qu'elle essaie de décrocher, mais c'est comme d'hab. Elle va tenir quelques semaines, puis elle décidera qu'elle veut y goûter une dernière fois et elle replongera. Mais je te dis, ça va, Cameron aussi, grand-mère aussi. (Il hausse les épaules.) C'est tout ce qui compte.

– Ouais, je réponds, tout en me souvenant des soirées passées avec lui sur la véranda de sa maison, à attendre sa mère.

Que ça lui plaise ou pas, pour lui aussi elle compte.

La musique change, Drake prend la relève dans les enceintes. Je bats la mesure du menton et rappe à mi-voix. Tout le monde danse et braille « *started from the bottom, now we're here* ». Il y a des jours, c'est vrai, on est au fond du trou à Garden Heights, mais, tous, on se dit que ça pourrait être pire.

Khalil me regarde, un sourire tente sa chance sur ses lèvres. Mais il secoue la tête.

– Tu kiffes encore Drake avec ses chansons de chouineur, j'y crois pas !

Je prends un air stupéfait.

– Laisse mon chéri tranquille !

– Ton chérinunuche. « *Baby you my everything, you all I ever wanted* », gémit Khalil.

Je lui donne un coup d'épaule et il renverse son verre en éclatant de rire.

– Arrête, tu sais que je l'imite bien ! « Oh, bébé, t'es tout pour moi, je veux rien d'autre que toi. »

Je lui fais un doigt. Il m'envoie un smack. Des mois qu'on ne s'est pas vus et tout reprend comme avant, comme si de rien n'était.

Khalil attrape une serviette en papier sur la table basse et essuie les gouttes d'alcool tombées sur ses Jordan – des Retro 3. Elles sont sorties il y a quelques années, mais elles sont canon. Elles coûtent dans les trois cents dollars, et encore, si on trouve un vendeur sur eBay qui ne s'est pas enflammé. Chris a trouvé : vu que je fais une pointure enfant, j'ai eu les miennes pour cent cinquante seulement. Grâce à mes petits pieds, Chris et moi on peut assortir nos baskets. Ouais, on est ce genre de couple et on est grave cool. Et quand il arrêtera de faire n'importe quoi, ça sera juste parfait.

– Trop classe tes pompes, je dis à Khalil.

– Merci.

Il les astique énergiquement avec la serviette. Je fais la grimace. À chaque mouvement de sa main, la chaussure m'appelle à l'aide. Sans déconner : chaque fois qu'une basket est mal nettoyée, un chaton meurt.

– Khalil, je lui dis, prête à lui arracher la serviette. Soit tu frottes doucement dans un sens puis dans l'autre, soit tu tapotes. Faut pas faire comme ça. Sérieux.

Il lève les yeux vers moi.

– D'accord, Professeur Sketba.

Il se met à tapoter. Merci Jésus Noir.

– Vu que c'est toi qui m'as fait renverser mon verre, dit-il, c'est toi qui devrais nettoyer.

– OK, ça fera soixante dollars.

– Soixante ? il s'écrie en se redressant.

– Bah ouais. Et si elles avaient des semelles transparentes, ça serait quatre-vingt-dix.

Celles-là sont une plaie à nettoyer.

– Les kits de nettoyage sont pas donnés, et puis si tu peux te payer cette paire, c'est que t'as du fric.

Khalil finit son verre comme si je n'avais rien dit et marmonne :

– Putain, c'est fort cette merde.

Il pose le gobelet sur la table basse et ajoute :

– Et dis à ton daron que je vais l'appeler. Y'a des trucs que je veux lui dire.

– Quel genre de trucs ?

– Des trucs de grands.

– Ouais, parce que t'es un grand, toi.

– Cinq mois, deux semaines et trois jours plus vieux que toi. (Il me décoche un clin d'œil.) J'ai pas oublié.

Soudain, des voix crient plus fort que la musique. Les jurons volent dans tous les sens.

D'abord je me dis que Kenya est allée faire sa fête à Denasia comme promis. Mais les voix sont plus graves que les leurs.

Pow ! Un coup de feu. Je me baisse.

Pow! Un deuxième. La foule se rue vers la sortie. Goulot d'étranglement: ça se bat et ça jure encore plus.

Khalil me prend par la main.

– Viens.

Il y a trop de monde, et beaucoup trop de cheveux bouclés pour que je puisse espérer retrouver Kenya.

– Mais… et Kenya? je dis.

– Oublie, on se casse!

Il m'entraîne, écarte les gens sur notre passage et leur marche sur les pieds. Rien que ça, ça pourrait nous valoir des balles. Je cherche Kenya parmi les visages paniqués, mais toujours rien. Je n'essaie pas de savoir qui a été touché ni par qui. Moins on en sait, moins on risque de devenir une balance.

Dehors les voitures s'éloignent en trombe et les gens se barrent en courant, partout où ça ne tire pas. Khalil m'amène vers une Chevrolet Impala garée sous la faible lumière d'un réverbère. Il ouvre la portière côté conducteur et me pousse dedans. Je rampe jusqu'au siège passager. On démarre dans un crissement de pneus, laissant le chaos dans les rétroviseurs.

– Faut toujours que ça merde, marmonne-t-il. Chaque fois qu'il y a une soirée, y'a quelqu'un qui se fait buter.

On dirait mes parents. C'est exactement pour ça qu'ils ne me « laissent jamais sortir » comme dit Kenya. En tout cas, pas à Garden Heights.

J'envoie un message à Kenya, en espérant qu'elle va bien. Ces balles n'étaient sans doute pas pour elle, mais les balles vont où ça leur chante.

Kenya ne tarde pas à me répondre.

Sa va.

Je vois la slp. Je V m'occupé d'elle.

T ou ?

Je rêve ou quoi ? On vient de frôler la mort et elle, elle veut se battre ? Pas question de répondre à ces conneries.

L'Impala de Khalil est pas mal. Ce n'est pas la frime comme les voitures de certains autres mecs. Je n'ai pas vu de jantes avant de monter, et le cuir de la banquette avant est déchiré. Mais l'intérieur vert citron bien kitsch montre qu'elle a quand même été customisée à un moment donné.

Je tripote une fente de la banquette.

– Qui s'est fait descendre, à ton avis ?

Khalil sort sa brosse à cheveux de la boîte à gants.

– Un King Lord sans doute, dit-il en lissant son dégradé. Y'a des Garden Disciples qui sont arrivés en même temps que moi. Ça pouvait que partir en live.

J'acquiesce du menton. Depuis deux mois, Garden Heights est le champ de bataille d'une guerre de territoires à la con. Je suis née « reine » parce que mon père était un King Lord. Mais quand il a lâché le gang, j'ai perdu mon privilège. J'ai beau avoir grandi là-dedans, je ne comprendrai jamais qu'on se batte pour des rues qui n'appartiennent à personne.

Khalil laisse tomber la brosse dans la portière et met la radio à fond : un vieux morceau de rap que papa écoute en boucle. Je fronce les sourcils.

– Pourquoi t'écoutes toujours ces vieux trucs ?

– Oh, déconne pas ! Tupac, c'était le maître !

– Ouais, y'a vingt ans.

– Nan, même encore. Genre, écoute ça.

Il pointe un doigt sur moi, ce qui veut dire qu'il est sur le point de se lancer dans un de ses discours philosophiques.

– Tupac disait que le nom de son groupe « *Thug Life* », la vie de gangsta, ça voulait dire « *The Hate U Give Little Infants Fucks Everybody* », la haine qu'on donne aux bébés fout tout le monde en l'air.

Je hausse les sourcils.

– Quoi ?

– Écoute bien. *The Hate U* – « *you* », mais avec la lettre U – *Give Little Infants Fucks Everybody*. T-H-U-G-L-I-F-E. Ce qui veut dire que ce que la société nous fait subir quand on est gamins lui pète ensuite à la gueule. Tu piges ?

– Merde. Ouais.

– Tu vois ? Je t'avais dit que c'était toujours le boss.

Il secoue la tête en rythme et rappe avec la musique. Maintenant, je me demande ce que lui il fait pour « foutre tout le monde en l'air ». Vu ce que j'imagine, j'espère que je me trompe. Mais je dois l'entendre de sa bouche.

– Alors, c'est quoi ces trucs de grands dont tu parlais ? je lui demande. Il y a quelques mois, papa m'a dit que tu lui avais donné ta démission. Je t'ai pas revu depuis.

Il se cale plus près du volant.

– Où tu veux que je te pose, chez toi ou au magasin ?

– Khalil…

– Chez toi ou au magasin ?

– Si tu fourgues ce machin…

– T'occupe, Starr ! Stresse pas pour moi. Je fais ce que j'ai à faire.

– Mytho. Tu sais que mon père t'aiderait.

Il s'essuie le nez avant de mentir.

– J'ai pas besoin d'aide, de personne, d'accord ? Et ce petit boulot au salaire minimum que ton père m'a filé a rien changé. J'en ai eu marre de choisir entre la bouffe et l'électricité.

– Je croyais que ta grand-mère bossait.

– Avant ouais. Mais elle est malade. Ces clowns pour qui elle bosse à l'hosto, ils ont dit qu'ils la soutiendraient. Deux mois après, elle pouvait plus assurer au taf, parce qu'avec la chimio, t'as plus la force qu'il faut pour tirer les poubelles. Ils l'ont virée. (Il secoue la tête.) C'est drôle, hein ? L'hosto l'a virée parce qu'elle était malade.

Il n'y a pas un bruit dans l'Impala à part Tupac qui demande « *who do you believe in ?* » En qui est-ce que je crois ? Je ne sais pas.

Mon téléphone vibre de nouveau, sans doute Chris qui me demande pardon ou Kenya qui veut du renfort contre Denasia. Mais non, un message de mon frère s'affiche sur l'écran en lettres majuscules. Je ne sais pas pourquoi il écrit comme ça. Sans doute qu'il pense m'intimider. Sérieux, ça me soûle.

T OU ?

VS AVEZ PAS INTERET A ETRE A CETTE RESSOI TOI ET KENYA

J'AI ENTENDU QUE QQUN C FAIT BUTER

Une seule chose est pire que des parents protecteurs : les grands frères protecteurs. Même Jésus Noir ne peut rien pour moi contre Seven.

Khalil me lance un regard de côté.

– Seven, hein ?

– Comment tu sais ?

– Parce que t'as toujours l'air de vouloir cogner dans quelque chose quand c'est lui. Tu te souviens de ce jour à ton anniversaire où il arrêtait pas de te dire à quoi tu dois rêver ?

– Et j'ai mis ma main sur sa bouche pour le faire taire.

– Et Natasha s'est vénère contre toi parce que t'avais dit à son « amoureux » de se la fermer, enchaîne Khalil en riant.

Je lève les yeux au ciel.

– Elle me mettait trop le seum d'être à fond sur Seven comme ça. La moitié du temps, je me disais qu'elle venait me voir juste pour lui.

– Nan, c'était parce que t'avais tous les *Harry Potter*. Comment on se faisait appeler déjà ? Le gang des sweats à capuche. Plus soudés que…

– Les narines de Voldemort. On était trop des losers avec ça !

– Ouais, hein ?

On se marre, mais il manque quelque chose. Il manque quelqu'un. Natasha.

Khalil regarde la route.

– Tu sais que ça fait six ans, c'est dingue, hein ?

Un bruit de sirène nous fait sursauter, et des gyrophares bleus dansent dans le rétroviseur.

DEUX

L'année de mes douze ans, mes parents ont eu deux conversations avec moi.

La première, c'était sur les choux et les roses. Sauf que bon, je n'ai pas vraiment eu droit aux choux et aux roses. Ma mère, Lisa, est infirmière, et elle m'a expliqué ce qui rentrait où et comment, et ce qui ne devait rentrer ni là ni n'importe où ailleurs jusqu'à ce que je sois grande. De toute façon, à l'époque, j'étais loin d'imaginer que quelque chose pouvait rentrer où que ce soit. Entre la sixième et la cinquième, à l'âge où les seins de toutes les autres filles commençaient à pousser, j'étais aussi plate devant que derrière.

La deuxième conversation, c'était pour m'expliquer quoi faire si un flic me contrôlait.

Ça a énervé maman qui a dit à papa que j'étais trop jeune pour ça. Il a répondu qu'il n'y avait pas d'âge pour être arrêtée ou se faire descendre.

« Starr-Starr, tu fais tout ce qu'ils te disent de faire. Garde tes mains en évidence. Ne fais pas de mouvement brusque. Ne parle que si on te pose une question. »

J'ai compris que c'était vraiment sérieux. Vu que je ne connaissais personne de plus grande gueule que papa, s'il me disait de me taire, je devais me taire.

J'espère que quelqu'un a eu la même conversation avec Khalil.

Il jure dans sa barbe, baisse le son et se range sur le bas-côté. On est dans Carnation Street, la plupart des maisons sont abandonnées et la moitié des réverbères cassés. Personne à la ronde à part nous et le flic.

Khalil coupe le moteur.

– Il veut quoi, ce blaireau ?

L'agent se gare et se met en pleins phares. Je cligne des paupières pour ne pas être aveuglée.

Je me souviens d'autre chose que m'a dit papa. « Si t'es pas seule, t'as plus qu'à espérer que l'autre a rien sur lui, sinon ils vous embarqueront tous les deux. »

– K, t'as rien, hein ? je demande.

Il observe le flic dans le rétroviseur extérieur.

– Nan.

Le flic approche côté conducteur et frappe à la vitre. Khalil la baisse. Comme si on n'était pas déjà assez aveuglés, l'autre nous braque sa lampe torche dessus.

– Permis de conduire, carte grise et assurance.

Khalil enfreint une règle – il ne fait pas ce que demande le flic :

– Pourquoi vous nous contrôlez ?

– Permis de conduire, carte grise, et assurance.

– Je vous demande pourquoi vous nous contrôlez.

– Khalil, je gémis. Fais ce qu'il te dit.

Khalil sort son portefeuille en grommelant. L'agent suit ses mouvements avec la lampe torche.

J'ai le cœur qui bat à tout rompre, mais les ordres de papa résonnent dans ma tête : « Regarde bien la gueule du flic. Si t'arrives à te souvenir de son matricule, c'est encore mieux. »

Je profite du moment où la lampe torche est braquée sur les mains de Khalil pour déchiffrer le numéro sur sa plaque : cent quinze. Il est blanc, entre trente-cinq et quarante ans, cheveux châtains coupés en brosse et une fine cicatrice au-dessus de la lèvre supérieure.

Khalil lui tend ses papiers.

Cent-Quinze y jette un œil.

– D'où vous venez, tous les deux ?

– *Nunya*, répond Khalil, ce qui veut dire *none of your business* – pas vos affaires. Pourquoi vous me contrôlez ?

– Ton feu arrière est cassé.

– Alors vous me la mettez, l'amende, ou quoi ? demande Khalil.

– Tu sais quoi, petit malin ? Descends de la voiture.

– Sérieux, collez-moi juste mon amende…

– Descends de la voiture, j'ai dit ! Mains en l'air, que je les voie bien.

Khalil sort, les mains en l'air. Cent-Quinze le tire par le bras et le plaque contre la portière arrière.

J'essaie de retrouver ma voix.

– Il ne voulait pas…

– Les mains sur le tableau de bord ! aboie l'agent dans ma direction. On ne bouge pas !

J'obéis, mais mes mains tremblent trop pour ne pas bouger.

Il le fouille de haut en bas.

– OK, le mariol, voyons un peu ce que t'as sur toi aujourd'hui.

– Vous trouverez rien, fait Khalil.

Cent-Quinze le fouille deux fois de plus. Rien.

– Reste là, dit-il à Khalil. Et toi…

Il se baisse à hauteur de la vitre :

– … tu bouges pas.

Je n'arrive même pas à hocher la tête pour acquiescer.

L'agent retourne à sa voiture.

Mes parents ne m'ont pas appris à craindre la police, juste à me comporter intelligemment quand j'ai affaire à elle. Ils m'ont dit que ce n'est pas malin de profiter de ce qu'un flic a le dos tourné pour bouger.

C'est ce que fait Khalil. Il retourne à sa portière.

Ce n'est pas malin de faire un geste brusque.

C'est ce que fait Khalil. Il ouvre la portière.

– Ça va, Starr ?

Pow !

Une. Le corps de Khalil sursaute. Du sang gicle de son dos. Il s'agrippe à la portière pour ne pas tomber.

Pow !

Deux. Khalil a le souffle coupé.

Pow !

Trois. Khalil me fixe, abasourdi.

Il s'effondre.

J'ai dix ans, et je revois Natasha s'écrouler.

Un cri strident me monte des tripes, explose dans ma gorge et monopolise la moindre petite parcelle de moi pour se faire entendre.

L'instinct me dit de ne pas bouger, mais tout le reste me pousse à me pencher pour voir comment va Khalil. Je saute de l'Impala et me précipite côté conducteur. Khalil regarde vers le ciel, comme s'il espérait y voir Dieu. Il a la bouche ouverte, on dirait qu'il veut crier. Je crie assez fort pour nous deux.

« Non, non, non ! » C'est tout ce qui sort de ma bouche ; comme un enfant qui ne connaîtrait que ce mot. Sans trop savoir comment, je me retrouve à genoux à côté de lui. Ma mère m'a dit un jour qu'en cas de blessure par balles, il fallait essayer d'arrêter l'hémorragie, mais il y a tellement de sang. Trop de sang.

– Non, non, non !

Khalil ne bouge pas. Il ne dit rien. Il ne me regarde même pas. Son corps se raidit, et il s'en va. J'espère qu'il voit Dieu.

Quelqu'un d'autre crie.

Je cligne des paupières pour voir à travers mes larmes. C'est l'agent cent quinze. Il braque sur moi le flingue qui vient de tuer mon pote.

Je lève les mains en l'air.

TROIS

Ils laissent le corps de Khalil au milieu de la rue, comme si c'était une pièce à conviction. Les gyrophares des voitures de police et des ambulances illuminent tout Carnation Street. Les badauds s'attroupent sur le côté, essaient de voir ce qui s'est passé.

– Merde, frère, dit un type. Ils l'ont buté !

La police demande à la foule de se disperser. Personne n'écoute.

Vu que les secouristes ne peuvent rien pour Khalil, ils me font monter à l'arrière d'une ambulance comme si j'avais besoin d'aide. Avec tous ces gyrophares, on dirait qu'un projecteur est braqué sur moi. Les gens tendent le cou pour m'apercevoir. Mais je n'ai rien de spécial. J'ai la gerbe.

Les flics fouillent la voiture. J'essaie de leur dire d'arrêter. S'il vous plaît, mettez quelque chose sur son corps. S'il vous plaît, fermez-lui les yeux. S'il vous plaît, fermez-lui la bouche.

Laissez sa voiture tranquille. Ne prenez pas sa brosse à cheveux. Mais les mots ne sortent pas.

Cent-Quinze est assis sur le trottoir, la tête dans les mains. Les autres agents lui tapotent l'épaule en lui disant que tout va bien se passer.

Ils finissent par couvrir Khalil d'un drap. Il n'arrive pas à respirer là-dessous. Moi non plus je n'y arrive pas.

Je ne peux pas.

Respirer.

Je suffoque.

Suffoque.

Suffoque.

– Starr ?

Des yeux marron aux longs cils apparaissent devant moi. Ils sont pareils que les miens.

Je n'ai pas pu dire grand-chose aux flics, mais j'ai quand même réussi à leur donner le nom de mes parents et leur numéro.

– Allez, me dit papa. Viens, on s'en va.

J'ouvre la bouche pour répondre. C'est un sanglot qui sort.

Quelqu'un pousse papa, et maman me prend dans ses bras. Elle me frotte le dos et me chuchote des trucs qui ressemblent à des mensonges.

– Ça va aller, mon bébé, ça va aller.

On reste comme ça longtemps. Papa finit par nous aider à descendre de l'ambulance. Il me prend dans ses bras pour former comme un bouclier et me protéger des regards curieux, avant de m'emmener à son 4x4 Chevrolet garé plus loin dans la rue.

Il se met au volant. Un feu de signalisation éclaire un instant son visage, révélant sa mâchoire crispée. Ses veines palpitent sur son crâne lisse.

Maman porte ses sabots, ceux avec les canards en plastique dessus. Elle a fait des heures supp aux urgences ce soir. Elle s'essuie les yeux plusieurs fois, en pensant sans doute à Khalil ou à moi qui aurait pu être à sa place, étalée dans la rue.

Mon ventre se noue. Tout ce sang. Le sien. J'en ai sur les mains, sur le sweat de Seven, sur mes baskets. Il y a une heure, on rigolait ensemble, on avait plein de choses à se raconter. Et maintenant, tout ce sang.

Je sens ma salive, chaude dans ma bouche. Mon ventre se noue encore plus. J'ai un haut-le-cœur.

Maman lève les yeux vers moi dans le rétroviseur.

– Maverick, gare-toi !

Je me jette sur la portière et je l'ouvre sans attendre qu'il soit complètement arrêté. J'ai l'impression de me vider de tout ce qu'il y a en moi, sans rien contrôler.

Maman accourt vers moi. Elle écarte mes cheveux et me frotte le dos.

– Mon pauvre bébé…

À la maison, elle m'aide à me déshabiller. Le sweat de Seven et mes Jordan disparaissent dans un sac-poubelle noir.

Je me glisse dans un bain brûlant et je frotte. Je frotte autant que je peux pour enlever le sang de Khalil. Puis papa me porte jusqu'à mon lit et maman me caresse les cheveux pour m'endormir.

Les cauchemars me réveillent, encore et encore. Maman me rappelle qu'il faut que je respire, comme quand j'avais encore de l'asthme. Elle est sans doute restée avec moi toute la nuit, parce que chaque fois que je me réveille, je la trouve assise sur mon lit.

Sauf cette fois. Là, elle est partie. Les murs bleu électrique de ma chambre me font cligner des yeux. Le réveil annonce cinq heures du matin. Mon corps est tellement habitué à se réveiller à cinq heures qu'il s'en fout des samedis.

Je contemple les étoiles phosphorescentes au plafond, en essayant de me repasser le film d'hier soir. Des images de la soirée me reviennent. Les coups de feu. Cent-Quinze qui nous fait signe de nous ranger sur le bas-côté. Le premier *pow!* résonne dans mes oreilles. Le deuxième. Le troisième.

Je suis dans mon lit. Khalil est à la morgue.

Natasha aussi s'est retrouvée là-bas. C'était il y a six ans mais je n'ai rien oublié. Je passais un coup de balai à l'épicerie pour me faire un peu d'argent de poche et me payer ma première paire de Jordan quand Natasha a déboulé comme une furie. Rondouillette (sa mère lui disait que c'était des rondeurs de bébé), la peau sombre, des tresses toujours au top. Je rêvais d'avoir les mêmes.

« Starr, la borne d'incendie dans Elm Street a pété ! »

On avait un parc aquatique gratuit. Je me souviens d'avoir supplié papa du regard. Il m'a autorisée à y aller à condition d'être rentrée dans une heure.

Je crois bien que je n'avais jamais vu d'eau jaillir aussi haut que ce jour-là. Presque tout le quartier avait déboulé.

On s'amusait, c'est tout. J'ai été la seule à remarquer la voiture.

Un bras tatoué à la vitre de la portière arrière, armé d'un Glock. Les gens qui se mettent à courir. Mais pas moi. Mes pieds ont fusionné avec le trottoir. Natasha barbotait dans l'eau, toute contente. Et puis…

Pow ! Pow ! Pow !

J'ai plongé dans un rosier. Quand je me suis relevée, quelqu'un criait « Appelez les secours ! » J'ai cru un instant que c'était pour moi, parce que j'avais du sang sur mon tee-shirt. Des griffures d'épines, rien de grave. Natasha par contre… son sang se mélangeait à l'eau et on ne voyait plus que la rivière rouge qui coulait dans la rue.

Elle avait l'air effrayée. On avait dix ans, on ne savait pas ce qui se passait après la mort. Je ne sais toujours pas en vrai, mais elle, si. Elle n'a pas eu le choix, même si elle n'en avait pas envie.

Évidemment qu'elle n'en avait pas envie. Et Khalil non plus.

La porte de ma chambre s'entrouvre en grinçant et la tête de maman apparaît. Elle essaie de sourire.

– Tiens, tiens, regardez qui est réveillée !

Elle reprend lourdement sa place sur le bord du lit et pose la main sur mon front, comme si j'avais de la fièvre. Elle s'occupe de tellement d'enfants malades que c'est un automatisme.

– Comment tu te sens, Miam ?

Ce surnom. Mes parents prétendent qu'à peine sevrée du biberon, je croquais dans tout ce que je trouvais. Même si je n'ai plus autant d'appétit, ils aiment toujours autant m'appeler comme ça.

– Crevée, je réponds.

Ma voix est plus rauque que d'habitude.

– Je veux rester au lit, je lui dis.

– Je sais, mon bébé, mais je ne veux pas que tu restes seule.

Pourtant, je n'ai envie que de ça : être seule. Elle me regarde, mais j'ai l'impression qu'elle me voit comme j'étais avant : une petite fille avec une queue-de-cheval et une dent de traviole qui se prenait pour une des Super Nanas du dessin animé. Son regard est bizarre, mais il me fait aussi un peu l'effet d'une couverture où me blottir.

– Je t'aime, elle me dit.

– Moi aussi, je t'aime, maman.

Elle se lève et me tend la main.

– Allez, viens grignoter un bout.

On s'avance lentement vers la cuisine. Un tableau du Jésus Noir sur la croix est accroché dans le couloir, à côté d'une photo de Malcolm X tenant un fusil. Grandma râle toujours de voir les deux images sur le même mur.

On habite dans son ancienne maison. Elle l'a donnée à mes parents quand mon oncle Carlos, le frère aîné de maman, l'a installée chez lui, dans son immense villa en banlieue. Ça n'a jamais plu à oncle Carlos que Grandma vive seule à Garden Heights, surtout parce que les vieux se font apparemment plus souvent cambrioler que les autres. Sauf que Grandma, elle ne se trouve pas vieille. Alors elle ne voulait pas partir, même après s'être fait voler sa télé. Elle disait qu'aucun voyou ne la chasserait de chez elle. Mais un mois plus tard, oncle Carlos et tante Pam ont prétendu avoir besoin de quelqu'un pour s'occuper des enfants. Et comme Grandma est convaincue que tante Pam « est incapable de nourrir ces pauvres bébés comme il faut », elle a fini par céder. Cela dit, avec l'odeur de pot-pourri incrustée dans les murs, le papier peint à fleurs et les touches de rose dans presque toutes les pièces, Grandma est toujours un peu avec nous.

Papa et Seven sont dans la cuisine en train de discuter. Ils se taisent quand on entre.

– Salut, mon bébé.

Papa se lève et vient m'embrasser sur le front.

– Bien dormi ?

– Ouais, je mens pendant qu'il me fait asseoir.

Seven regarde sans rien dire. Maman ouvre la porte du frigo, couverte de flyers de livreurs de pizzas et de magnets en forme de fruits.

– Tu veux du bacon avec ta dinde, ou comme d'habitude, Miam ?

– Comme d'habitude.

Je suis étonnée qu'elle me donne le choix. On n'a jamais de porc à la maison. Même si on n'est pas musulmans. Plutôt genre des « chrétulmans ». Maman a rejoint l'Église du Temple du Christ quand elle était encore dans le ventre de Grandma. Papa croit en Jésus Noir mais il préfère appliquer le programme en dix points des Black Panthers que les dix commandements. Il est d'accord avec certains trucs de la Nation de l'Islam, mais savoir qu'ils ont peut-être assassiné Malcolm X l'empêche d'adhérer complètement.

– Du cochon dans ma maison ? grogne-t-il en s'asseyant à côté de moi.

Seven, en face de lui, le regarde avec un sourire narquois. Ensemble, ils me rappellent ces avis de recherche, ceux où il y a deux photos : la personne jeune et, à côté, le même visage artificiellement vieilli. En ajoutant Sekani, mon petit frère, on a trois fois la même tête : à huit, dix-sept et trente-six ans. Visage mince, peau sombre, sourcils épais et de longs cils presque féminins. Avec ses dreadlocks, Seven a assez de cheveux pour faire deux perruques : une pour le crâne chauve de papa et l'autre pour les cheveux courts de Sekani.

Pour obtenir le marron moyen de ma peau à moi, Dieu a dû mélanger le teint de mes deux parents dans un seau à peinture. J'ai hérité des cils de papa – et malheureusement aussi de ses sourcils. Mis à part ça, c'est surtout de ma mère que je tiens avec mes grands yeux marron et mon front un peu trop haut.

Maman se glisse derrière Seven avec le bacon et lui pose la main sur l'épaule.

– Merci d'être venu garder ton frère hier soir pour qu'on puisse…

Elle s'interrompt, mais le souvenir de ce qui s'est passé reste là, en suspens. Elle se racle la gorge.

– C'était gentil de ta part.

– Pas de souci. Fallait que je prenne l'air de toute façon.

– King a passé la nuit chez toi ? demande papa.

– Il a pris racine, ouais. Iesha parle de devenir une famille et…

– C'est ta mère, fils, l'interrompt papa. Tu l'appelles pas comme un adulte par son prénom.

– En même temps, il faut bien qu'il y ait un adulte sous leur toit, commente maman.

Elle sort une poêle et crie vers le couloir :

– Sekani, je ne le répéterai plus. Si tu veux passer le week-end chez Carlos, tu ferais bien de te lever ! Tu vas me mettre en retard !

Donc elle doit rattraper la nuit dernière en travaillant de jour.

– Tu sais bien comment ça va se passer, papa, dit Seven. Il va la tabasser, elle le foutra dehors. Et puis il reviendra en disant qu'il a changé. Sauf que cette fois, je le laisserai pas lever la main sur moi.

– Tu peux toujours venir t'installer ici, dit papa.

– Je sais, mais je peux pas laisser Kenya et Lyric toutes seules. Ce connard est assez dingue pour les frapper aussi. Il en a rien à foutre que ce soient ses filles.

– D'accord, dit papa, tu lui adresses pas la parole, à lui. Et s'il lève la main sur toi, tu me laisses gérer.

Seven acquiesce d'un signe de tête, et puis il me regarde. Il ouvre la bouche et reste comme ça un petit moment avant de dire :

– Je suis désolé pour hier soir, Starr.

Quelqu'un accepte enfin de voir le nuage noir qui plane sur la cuisine, ce qui bizarrement revient à me voir moi.

– Merci, je réponds, même si ça fait bizarre de dire ça.

Ce n'est pas moi qu'il faut plaindre, c'est la famille de Khalil.

On n'entend plus que les grésillements du bacon dans la poêle. C'est comme si j'avais un autocollant « fragile » collé sur le front qui les empêche de parler pour éviter de me briser.

Mais il n'y a rien de pire que le silence.

– Je t'avais pris ton sweat à capuche, je marmonne.

Je dis ça comme j'aurais dit autre chose, mais c'est mieux que rien.

– Le bleu. Maman a dû le jeter. Le sang de Khalil… (Je déglutis.) Il y avait son sang dessus.

– Oh….

Pendant une minute, personne ne prononce un autre son. Maman se tourne vers la poêle.

– C'est insensé… elle dit d'une voix étranglée. C'était juste un enfant.

Papa secoue la tête.

– Il a jamais fait de mal à personne, ce gamin. Il méritait pas ça.

– Pourquoi ils l'ont buté ? demande Seven. Il les a menacés ou quoi ?

– Non, je réponds doucement.

Je ne décolle pas les yeux de la table. Je sens leurs regards sur moi.

– Il a rien fait. On a rien fait. Khalil était même pas armé.

Papa laisse échapper un lent soupir.

– Quand les gens vont apprendre ça, ils vont péter un câble.

– Tout le quartier en parle déjà sur Twitter, dit Seven. Je l'ai vu hier soir.

– Ils ont mentionné ta sœur ? demande maman.

– Non. Juste des RIP Khalil, *fuck the police,* ce genre de truc. Je crois pas qu'ils sont au courant des détails.

– Qu'est-ce qui va m'arriver quand ça sortira ? je demande.

– Qu'est-ce que tu veux dire, mon bébé ? fait maman.

– À part le flic, il n'y avait que moi. Et vous savez bien ce qui se passe avec ce genre de truc. Ça finit aux infos nationales. Les gens reçoivent des menaces de mort, les flics les harcèlent et tout.

– Je laisserai pas faire, dit papa. Personne ici laissera faire ça. On laissera rien passer.

Il regarde maman et Seven.

– Y'a personne qui doit savoir que Starr était là-bas.

– Même pas Sekani ? demande Seven.

– Non, répond maman. C'est mieux comme ça. On va juste se taire pour le moment.

J'ai déjà vu ça des tonnes de fois : un Noir se fait descendre juste parce qu'il est noir et tout part en vrille. J'ai tweeté avec le hashtag RIP, partagé des images sur Tumblr, et signé toutes les pétitions qui passaient. J'ai toujours dit que si ça arrivait à quelqu'un sous mes yeux, j'ouvrirais ma gueule en grand, je mettrais le monde entier au courant.

Et ben voilà, j'y suis. Mais j'ai trop peur pour parler.

Je veux rester chez moi et regarder *Le Prince de Bel-Air*. Ma série préférée. Je crois que je connais tous les épisodes par cœur. C'est trop drôle, et puis c'est comme si je voyais des bouts de ma vie à la télé. Je me reconnais même dans le générique. Deux membres d'un gang sont venus semer la pagaille dans mon quartier et ils ont tué Natasha. Mes parents ont flippé : ils ne m'ont pas envoyée chez mon oncle et ma tante dans les beaux quartiers, mais ils m'ont inscrite dans une école privée pour les bourges.

Le seul truc, c'est que j'aimerais pouvoir être aussi à l'aise à Williamson que Will Smith arrive à l'être à Bel-Air.

J'ai aussi envie de rester chez moi pour rappeler Chris, depuis ce qui s'est passé hier soir, je me sens conne de lui en vouloir. Ou bien je pourrais appeler Hailey et Maya, les filles qui d'après Kenya ne comptent pas comme des copines. Je crois que je comprends pourquoi elle dit ça, vu que je ne les invite jamais. Mais pourquoi je le ferais ? Elles habitent dans des mini-châteaux et moi dans une mini-maison.

J'ai fait l'erreur de les inviter à dormir quand j'étais en cinquième. Maman devait nous laisser nous vernir les ongles, on allait faire nuit blanche et se gaver de pizzas. Ça aurait dû être aussi génial que les week-ends chez Hailey qu'on organise toujours de temps en temps. J'avais aussi invité Kenya, pour pouvoir enfin traîner avec les trois à la fois.

Sauf qu'Hailey n'est pas venue. Son père ne voulait pas qu'elle passe la nuit dans « le ghetto ». J'ai entendu mes parents en parler. Maya est venue par contre, mais elle a finalement appelé ses parents pour qu'ils viennent la chercher. Il y avait eu un *drive-by* – des coups de feu tirés depuis une voiture – et le bruit lui a fait peur.

Ce jour-là, j'ai compris que Williamson et Garden Heights étaient deux mondes différents et qu'il ne fallait pas les mélanger.

Aujourd'hui, peu importe ce que j'ai envie de faire de toute façon : mes parents ont déjà tout prévu. Maman m'annonce que je vais passer la journée à l'épicerie avec papa. Avant de partir bosser, Seven vient me trouver dans sa chambre avec son uniforme du magasin Best Buy – polo et pantalon en toile – et il me prend dans ses bras.

– Je t'aime, il me dit.

C'est exactement pour ça que je déteste quand quelqu'un meurt. Les gens font des trucs qu'ils ne font pas d'habitude. Même maman me serre plus fort contre elle, avec plus de pitié que quand c'est « juste comme ça ». Sekani, par contre, me pique du bacon dans mon assiette, espionne mon téléphone et me marche sur le pied exprès en se levant de table. Je l'adore.

Je sors un bol de croquettes et je donne les restes de bacon à notre pitbull, Brickz. Papa lui a choisi ce nom parce qu'il a toujours été lourd comme une brique. En me voyant, Brickz se met à sauter partout et à tirer sur sa chaîne. Et quand je suis assez près, il se jette sur mes jambes et manque de me faire tomber.

– Couché ! je crie.

Il s'aplatit sur l'herbe et me regarde en gémissant, avec son air de chien battu. La version Brickz d'une excuse.

Je sais que les pitbulls peuvent être agressifs, mais Brickz est généralement doux comme un bébé. Un gros bébé. Sauf si quelqu'un essaie d'entrer chez nous. Dans ce cas, plus de bébé Brickz.

Pendant que je lui remplis un bol d'eau, papa cueille du chou vert dans son potager. Puis des roses grosses comme ma main. Il y passe des heures tous les soirs, à planter, sarcler, discuter avec ses plantes. Il dit qu'un beau jardin a besoin d'une belle conversation.

À peu près une demi-heure plus tard, on est dans son 4x4,

vitres baissées. À la radio, Marvin Gaye chante *What's going on?* Le jour n'est pas encore complètement levé, on aperçoit à peine le soleil qui filtre entre les nuages, et il n'y a presque personne dehors. Si tôt le matin, on entend distinctement le grondement des semi-remorques sur l'autoroute.

Papa fredonne avec Marvin, mais il serait incapable de tenir la note même si elle lui tendait la main. Il porte un maillot des Lakers, l'équipe de basket de Los Angeles. Ses bras sont couverts de tatouages. Un portrait de moi bébé me sourit, gravé là pour l'éternité avec en légende : « une raison de vivre, une raison de mourir ». Seven et Sekani sont sur son autre bras avec le même texte. Des lettres d'amour toutes simples.

– Tu veux qu'on parle un peu d'hier soir ? demande-t-il.

– Non.

– D'accord. Quand tu voudras, hésite pas…

Une autre lettre d'amour toute simple.

On tourne dans Marigold Avenue, où Garden Heights se réveille. Des femmes coiffées de foulards à fleurs sortent de la laverie, chargées de grands paniers de linge. M. Reuben ôte les chaînes du rideau de son restaurant. Son neveu Tim, le cuistot, se frotte les yeux adossé au mur, encore à moitié endormi. Mme Yvette entre dans son salon de beauté en bâillant. Il y a de la lumière chez Top Shelf Spirits and Wine, mais le magasin d'alcool reste éclairé de jour comme de nuit.

Papa se gare devant Carter's Grocery, l'épicerie familiale. Il l'a achetée l'année de mes neuf ans, quand l'ancien propriétaire, M. Wyatt, a quitté le quartier pour aller passer ses journées à mater les jolies filles à la plage. (C'est lui qui le dit, pas moi.) M. Wyatt a été le seul à accepter d'engager papa à sa sortie de prison, et plus tard, il lui a dit qu'il ne ferait confiance à personne d'autre pour reprendre son magasin.

Comparée au supermarché Walmart à l'est du quartier, notre épicerie est minuscule. Avec les grilles en métal blanc devant la porte et la vitrine, on dirait une prison.

M. Lewis, le coiffeur d'à côté, attend devant, bras croisés sur son gros ventre. Il pose les yeux sur papa et fronce les sourcils.

Papa soupire.

– C'est parti.

On sort de la voiture. M. Lewis a beau avoir une afro en bataille, il reste un des meilleurs coiffeurs de Garden Heights, le *hi-top fade* de Sekani en est la preuve. Son ventre l'empêche de voir ses pieds et, depuis la mort de sa femme, personne ne lui dit que ses pantalons sont trop courts et ses chaussettes parfois dépareillées. Aujourd'hui, par exemple, une est rayée et l'autre écossaise.

– Avant, le magasin ouvrait à cinq heures cinquante-cinq tapantes, grommelle-t-il. Cinq heures cinquante-cinq.

Il est six heures cinq.

Papa déverrouille la porte.

– Je sais, monsieur Lewis, mais je vous ai dit, je suis pas Wyatt.

– Ah ça c'est sûr ! D'abord vous enlevez ses photos – qui se permet de remplacer le révérend King par un inconnu !

– Huey Newton n'est pas un inconnu.

– Mais ce n'est pas le révérend King ! Et puis vous engagez des voyous. J'ai entendu dire que ce Khalil s'était fait tuer hier soir. C'était sans doute un dealer.

Le regard de M. Lewis glisse du maillot de basket de papa vers ses tatouages.

– Je me demande bien qui lui a donné l'idée.

Papa serre les dents.

– Starr, allume la cafetière pour M. Lewis, tu veux bien ?

Histoire qu'il se barre vite fait, je me dis, finissant la phrase de papa à sa place.

J'appuie sur le bouton de la cafetière en libre-service sur le comptoir, que Huey Newton surveille depuis sa photo, le poing levé comme un révolutionnaire, façon *black power*.

Je suis censée remplacer le filtre et remettre du café et de l'eau, mais pour avoir mentionné Khalil, M. Lewis aura du café de la veille.

Il part en clopinant dans les allées se chercher un roulé au miel, une pomme et du fromage de tête. Il me tend le roulé au miel.

– Réchauffe-le, petite. Mais pas trop !

Je le laisse dans le micro-ondes jusqu'à ce que l'emballage gonfle et éclate. Dès que je l'ai sorti, M. Lewis croque dedans.

– C'est beaucoup trop chaud !

Il mâche et souffle en même temps.

– Tu l'as laissé trop longtemps. J'aurais pu me brûler la bouche !

Quand M. Lewis s'en va, papa me fait un clin d'œil.

Les clients habituels se succèdent, comme Mme Jackson, qui tient à acheter ses légumes à papa et à personne d'autre. Quatre types aux yeux rouges, pantalon sous les fesses, prennent presque tous les paquets de chips du rayon. Quand papa leur fait remarquer qu'il est trop tôt pour être défoncé à ce point, ils éclatent de rire. En sortant, l'un d'eux lèche déjà la feuille de son prochain joint – un blunt, de la weed avec une feuille de tabac pour remplacer le papier. Vers onze heures, Mme Rooks vient prendre un bouquet de roses et des trucs à grignoter pour la réunion de son club de bridge. Elle a des yeux de cocker et des couronnes en or sur les dents de devant. Sa perruque aussi est dorée.

– Faut jouer au loto ce soir, les chéris ! lance-t-elle pendant que papa l'encaisse et met ses achats dans un sac. Y'a trois cents millions dans la cagnotte !

Papa sourit.

– Ah ouais ? Et vous feriez quoi avec tout cet argent, madame Rooks ?

– Chéri, avec tant d'argent, je me demande plutôt ce que je ferais pas. Dieu sait que pour commencer, je me tirerais d'ici par le premier avion !

Papa se met à rire.

– Ah bon ? Et quand vous serez partie, qui nous fera des Red Velvet Cakes ? Personne ne les fait comme vous, aussi rouges et avec autant de crème dessus !

– Faudra vous trouver quelqu'un d'autre, parce que moi, je serai loin !

Elle pointe le doigt vers le présentoir à cigarettes derrière nous.

– Donne-moi aussi un paquet de Newport, tu veux bien, chérie ?

Les cigarettes préférées de Grandma. Papa aussi fumait ça

avant que je le supplie d'arrêter. J'attrape un paquet et le tends à Mme Rooks.

Elle ne me lâche pas du regard, tapote le paquet dans sa paume. Alors j'attends qu'elle me la montre. Sa pitié.

– Chérie, j'ai entendu ce qu'est arrivé au petit-fils de Rosalie, dit-elle. Quelle tristesse. Vous étiez copains, pas vrai ?

Ça me fait mal de l'entendre parler au passé, mais je réponds juste :

– Oui.

Elle laisse échapper un soupir perplexe et secoue la tête.

– Miséricorde. Quand je l'ai appris, j'ai bien cru que mon cœur allait lâcher. J'ai essayé d'aller voir Rosalie hier soir, mais il y avait déjà tellement de monde chez elle. Pauvre Rosalie. Tout ce qu'elle doit déjà endurer et maintenant ça. Barbara m'a dit que Rosalie sait pas comment elle va payer pour l'enterrement. On pense peut-être faire une collecte. Tu crois que tu peux nous aider, Maverick ?

– Ouais. Faites-moi juste savoir ce qu'il vous faut et je m'en charge.

Elle sourit de toutes ses dents en or.

– C'est bien de voir ce que le Seigneur a fait de toi, mon garçon. Ta maman serait fière.

Papa baisse lourdement la tête en signe d'approbation. Grand-mère est morte il y a dix ans – c'est assez loin maintenant pour qu'il ne pleure plus tous les jours, mais encore trop récent pour que ça ne le plombe pas chaque fois que quelqu'un la mentionne.

– Et regarde voir un peu cette gamine, s'exclame Mme Rooks

en se tournant vers moi. C'est Lisa tout craché. Maverick, va falloir la surveiller ! Les prétendants vont pas manquer.

– Bah, ils ont intérêt à se tenir à carreau ! Je tolérerai pas ça et vous le savez. Pas de petit ami avant ses quarante ans.

Je glisse la main dans ma poche, en pensant à Chris et à ses messages. Merde, j'ai oublié mon téléphone à la maison. Inutile de dire que mon père n'est pas au courant pour Chris. Ça fait un an qu'on est ensemble maintenant. Seven sait, parce qu'il a croisé Chris au bahut, et ma mère a deviné parce qu'il venait toujours me voir chez oncle Carlos, en se présentant juste comme un pote. Un jour, avec oncle Carlos elle nous a surpris en train de nous embrasser et ils nous ont fait remarquer que ce n'était pas le genre de baisers qu'on se faisait entre potes. Je n'avais jamais vu Chris rougir comme ça.

Ça ne pose pas trop de problèmes à Seven et à maman que je sorte avec Chris. Enfin, Seven me mettrait bien au couvent, mais bon. Par contre, je ne trouve pas le courage de le dire à papa. Le souci, c'est pas qu'il me trouve trop jeune pour sortir avec des garçons. Non, le vrai souci, c'est que Chris est blanc.

Au début, je m'attendais à des remarques de maman, mais tout ce qu'elle m'a dit, c'est : « Tant que ce n'est pas un délinquant et qu'il te traite bien, il peut même être à pois ou à rayures. »

Papa, par contre, ça le met toujours en rage de voir Halle Berry « faire comme si elle pouvait plus se trouver de frères », comme il dit. Il trouve ça pourri. En fait, pour lui, chaque fois qu'un Noir est avec une Blanche ou inversement, c'est forcément qu'il y a un truc qui ne va pas chez eux. Et je n'ai pas envie qu'il pense ça de moi.

Heureusement, maman ne lui a rien dit. Elle ne veut pas se retrouver prise entre deux feux. C'est mon copain, donc c'est à moi de le dire à papa.

Mme Rooks s'en va. Quelques secondes plus tard, le carillon de la porte retentit. Kenya entre en roulant du cul. Elle a des chouettes chaussures – des Nike Dunk Bazooka Joe que je n'ai pas encore à ma collection. Kenya a toujours des baskets trop stylées.

Elle parcourt les allées pour faire ses courses habituelles.

– Salut Starr, salut oncle Maverick.

– Salut Kenya, répond papa, même s'il n'est pas son oncle mais le père de son frère. Ça roule ?

Elle revient avec un méga sachet de chips au fromage et un Sprite.

– Ouais. Y'a ma reum qui veut savoir si mon frère a passé la nuit chez vous.

Bam, de nouveau elle appelle Seven « *mon* frère » comme si elle était la seule à pouvoir dire ça. C'est super relou.

– Dis à ta mère que je l'appellerai plus tard, répond papa.

– D'accord.

Au moment de payer, Kenya croise mon regard et me fait un discret signe de tête, alors je dis :

– Papa, je vais passer un coup de balai dans les rayons.

Kenya m'emboîte le pas. J'attrape le balai et file aux fruits et légumes à l'autre bout du magasin. Les mecs aux yeux explosés de tout à l'heure se sont permis de goûter le raisin et ont fait tomber des grains. Je balaye, elle parle.

– J'ai entendu pour Khalil. Putain, Starr, ça craint. Ça va, toi ?

Je me force à faire signe que oui.

– Je… j'arrive juste pas à y croire, tu vois ? Ça faisait grave longtemps que je l'avais pas vu, mais…

– Ça fait mal… dit Kenya, en prononçant les mots que je n'arrive pas à dire.

– Ouais.

Putain, je sens les larmes qui montent. Il ne faut pas que je pleure, il ne faut pas que je pleure, il ne faut pas que je pleure…

– En entrant, j'espérais presque le trouver ici comme avant, dit-elle doucement, en train de remplir les sacs à la caisse, avec son tablier horrible.

– Le vert, je murmure.

– Ouais, le vert. Il disait toujours que les femmes adorent les hommes en uniforme.

Je regarde mes pieds. Si je fonds en larmes maintenant, je ne m'arrêterai peut-être plus jamais de pleurer.

Kenya ouvre son paquet de chips et me le tend. Pour me réconforter.

Je plonge la main dedans.

– Merci.

– De rien.

On se gave de Cheetos. Khalil aurait dû être là avec nous.

– Et alors… je fais, la voix tout éraillée. Vous vous êtes pris la tête avec Denasia ?

– Putain, meuf…

Visiblement, elle attendait depuis des heures de pouvoir raconter son histoire.

– Juste avant que ça parte en couille, DeVante est venu me voir pour me taxer mon numéro.

– Il sort pas avec Denasia ?

– DeVante est pas le genre de mec à se laisser enchaîner. Bref, Denasia a rappliqué trop vénère, mais y'a eu les coups de feu. On s'est mises à courir dans la même direction, sauf que moi je traçais grave plus vite qu'elle. T'aurais dû voir ça. Chanmé !

J'aurais clairement préféré voir ça plutôt que l'agent cent quinze. Ou Khalil qui regardait le ciel. Et tout ce sang. Mon ventre se tord encore.

Kenya agite la main devant mon nez.

– Yo, ça va ?

Je bats des paupières pour faire disparaître l'image de Khalil et du flic.

– Ouais, ça va.

– T'es sûre ? Tu dis rien, là.

– Ouais, ouais.

Elle laisse tomber et je l'écoute m'expliquer sans l'interrompre ce qu'elle a prévu comme deuxième round pour Denasia.

Mon père me dit de venir. Il me tend un billet de vingt.

– Va me chercher des travers de bœuf chez Reuben. Avec une…

– Salade de pommes de terre et des gombos grillés, je termine.

Il mange toujours ça le samedi.

Il m'embrasse sur la joue.

– Tu connais bien ton daron, toi. Et prends-toi ce que tu veux, mon bébé.

Kenya m'accompagne. Le restaurant se trouve sur le trottoir d'en face. Avant de traverser, on laisse passer une voiture avec la musique à fond, le conducteur tellement affalé dans son siège qu'on voit juste le bout de son nez qui bat la mesure.

Sur le trottoir, l'odeur de fumé nous prend déjà aux narines, et un morceau de blues filtre de l'intérieur. Les murs de la salle sont couverts de photos des célébrités venues manger ici : des leaders des mouvements pour les droits civiques, des politiciens ou des stars du showbiz, comme James Brown ou Bill Clinton avant son pontage coronarien. Il y en a une de Martin Luther King avec M. Reuben en beaucoup plus jeune.

Une vitre pare-balles sépare les clients du caissier. On se met dans la queue. Au bout de quelques minutes, je commence à m'éventer. La clim ne marche plus depuis des mois, et le fumoir à viande répand sa chaleur dans tout le bâtiment.

Quand on arrive à hauteur du comptoir, M. Reuben nous décoche un grand sourire édenté.

– Starr… Kenya… comment va ?

M. Reuben est l'un des rares dans le coin à m'appeler par mon prénom. Je ne sais pas comment il fait mais il retient le nom de tout le monde.

– Bonjour monsieur Reuben, je dis. Mon père veut comme d'habitude.

Il note la commande.

– D'accord. Travers de bœuf, pommes de terre mayo et

okras. Et vous, les filles, des *wings* sauce barbecue et des frites ? Avec double dose de sauce pour toi, Starr ?

Étonnamment, il se souvient aussi des commandes de tout le monde.

– Oui, monsieur, on lui dit.

– Parfait. Vous êtes sages, pas vrai ?

– Oui, monsieur, ment Kenya sans ciller.

– Et si je vous mettais un bout de quatre-quarts avec ça, alors ? C'est la maison qui offre. Récompense pour bonne conduite.

On accepte en le remerciant. En vrai, même si M. Reuben avait été au courant pour les histoires de Kenya, il lui aurait quand même offert une tranche de gâteau. Parce qu'il est sympa, juste comme ça. Il offre des repas aux enfants qui viennent lui montrer leurs bulletins de notes. Si le bulletin est bon, il en fera même une photocopie pour l'afficher sur son mur des Champions. Et s'il ne l'est pas, tant que les enfants savent le reconnaître et promettent de faire mieux, ils auront aussi droit à leur repas.

– Va falloir patienter une dizaine de minutes, dit-il.

Ce qui signifie qu'il faut qu'on s'assoie jusqu'à ce qu'on nous appelle. On trouve une table à côté d'un groupe de Blancs. C'est rare de voir des Blancs à Garden Heights, mais quand c'est le cas, c'est généralement ici. Les types regardent les infos à la télé accrochée dans un coin.

Je prends une autre poignée de chips dans le paquet de Kenya. Elles seraient bien meilleures trempées dans de la sauce au fromage.

– Ils ont parlé de Khalil aux infos ? je demande à Kenya.

Elle est concentrée sur son téléphone.

– Genre je mate les infos moi, me répond-elle. Je crois bien que j'ai vu passer un truc sur Twitter, par contre.

J'attends. Coincée entre une histoire d'accident de voiture sur l'autoroute et un sac plein de chiots trouvé dans le parc : la brève mention d'une enquête ouverte à la suite d'une fusillade ayant impliqué un agent de police. Ils ne donnent même pas le nom de Khalil. C'est dégueulasse.

On récupère notre commande et on retourne à l'épicerie. Pile au moment où on traverse la rue, une BMW grise s'arrête à notre hauteur, les basses à l'intérieur donnent l'impression que la voiture a un cœur. La vitre descend côté conducteur, de la fumée en sort, et le mec, une version obèse de Kenya, nous sourit :

– Yo, qu'est-ce qu'on raconte, les princesses ?

Kenya se penche vers lui et l'embrasse sur la joue.

– Salut papa !

– Eh Starr-Starr, il me fait, tu dis pas bonjour à ton oncle ou quoi ?

T'es pas mon oncle, j'ai envie de lui dire. T'es rien pour moi. Et si tu touches encore à mon frère, je te…

– Salut, King.

Il a lu dans mes pensées, son sourire disparaît. Il tire sur un cigare et souffle la fumée par le coin de sa bouche. Il a deux larmes tatouées sous l'œil gauche. Il a ôté deux vies. Au moins deux vies.

– Vous étiez chez Reuben à ce que je vois. Tenez !

Il nous tend deux grosses liasses de billets roulées.

– Ça couvrira ce que vous avez claqué.

Kenya en prend une sans se faire prier, mais hors de question que je touche à cet argent sale.

– Non merci.

– Allez, princesse.

King me fait un clin d'œil.

– Prends l'argent de ton parrain.

– Non, ça va aller, intervient papa.

Il s'approche et se penche à la portière pour regarder King dans les yeux. Le check qu'ils échangent enchaîne tellement de mouvements qu'on se demande comment ils font.

– Big Mav, fait le père de Kenya avec un sourire. Ça gaze, mon *king* ?

– M'appelle pas comme ça.

La voix de papa n'est ni grave ni en colère, plutôt comme s'il demandait à quelqu'un de ne pas mettre d'oignons ou de mayonnaise dans son hamburger. Un jour, papa m'a raconté que les parents de King lui ont choisi comme prénom le nom du gang qu'il a rejoint plus tard. D'où l'importance de bien choisir un prénom. Un prénom, ça vous définit. King était un King Lord malgré lui dès qu'il a poussé son premier cri.

– Je donnais juste à ma filleule un peu d'argent de poche, répond King. J'ai appris ce qu'était arrivé à son petit pote. Ça craint.

– Ouais. Tu sais ce que c'est, dit papa. Les keufs qui tirent d'abord et posent les questions après.

– Sérieux. Ils sont pires que nous des fois, glousse King.

Au fait… j'ai un colis qui doit arriver… les affaires… il me faut un endroit où le caser. Chez Iesha, c'est trop surveillé.

– Je t'ai déjà dit que je voulais plus être mêlé à cette merde.

King se frotte la barbe.

– Ah ouais, d'accord. Alors ceux qui raccrochent oublient d'où ils viennent, ils oublient que sans ma thune, ils auraient pas leur petit magasin…

– Et toi sans moi, tu serais en taule, mon pote. Trois ans dans une prison d'État, t'as oublié ou quoi ? Je te dois rien, mec.

Papa s'accoude à la vitre ouverte et ajoute :

– Mais si tu retouches à un seul cheveu de Seven, je te devrai une belle branlée. Oublie pas ça, puisque t'es retourné chez sa mère.

King tchipe.

– Monte, Kenya.

– Mais, papa…

– Ramène ton boule dans la voiture, j'ai dit !

Kenya me marmonne un au revoir. Elle contourne la voiture et disparaît côté passager.

– Bon, Big Mav, alors c'est ça le deal ? dit King.

Papa se redresse :

– C'est exactement ça.

– Ben alors tu ferais bien de rester peinard. Sinon…

Et la BMW disparaît.

QUATRE

Ce soir-là, Natasha essaie de me convaincre de la suivre jusqu'à la bouche d'incendie, pendant que Khalil me supplie de venir faire un tour en voiture avec lui.

Je me force à sourire, les lèvres tremblantes, et je leur dis que je n'ai pas le droit de sortir. Ils insistent, je résiste.

L'obscurité avance vers eux, prête à les engloutir. J'essaie de les prévenir, mais je suis aphone. En un instant, l'ombre les a avalés tous les deux. Puis elle se met à ramper dans ma direction. En reculant, je m'aperçois qu'elle est aussi derrière moi…

Je me réveille en pleine nuit. Mon réveil affiche onze heures cinq.

Je prends plusieurs grandes inspirations. Mon débardeur et mon short de basket imprégnés de sueur collent à ma peau. Des sirènes hurlent non loin et Brickz et les autres chiens répondent par des aboiements.

Assise au bord de mon lit, je me frotte le visage, comme

si j'allais réussir à effacer le cauchemar. Je ne peux pas me rendormir, pas question. Pas si ça veut dire que je vais les voir de nouveau.

Ma gorge est comme tapissée de papier de verre et j'ai soif. Quand mes pieds entrent en contact avec le sol froid, la chair de poule m'envahit. Papa met toujours la clim au maximum au printemps et pendant l'été. On se gèle comme dans une chambre froide, mais lui adore. « Un peu de fraîcheur a jamais fait de mal à personne. » Mensonge.

Je me traîne jusqu'au couloir. Je suis presque arrivée à la cuisine quand j'entends maman dire :

– Pourquoi ils ne peuvent pas attendre ? Un de ses meilleurs amis vient de mourir sous ses yeux. Elle n'a pas besoin de revivre ça tout de suite.

Je me fige. La lumière de la cuisine déborde dans le couloir.

– Il faut bien qu'on enquête, Lisa, dit une autre voix – celle d'oncle Carlos. On veut connaître la vérité autant que vous.

– Vous voulez trouver une excuse à ce salopard, tu veux dire, rétorque papa. Enquêter, mon cul !

– Maverick, n'essaie pas de faire de cette histoire autre chose que ce que c'est, répond oncle Carlos.

– Un jeune Noir de seize ans est mort parce qu'un flic blanc lui a tiré dessus. Tu veux que ce soit quoi exactement ?

– Chut ! intervient maman. Parlez moins fort. Starr a eu toutes les peines du monde à s'endormir.

Oncle Carlos répond quelque chose, mais pas assez fort pour que j'entende. Je m'approche doucement.

– Ça n'a rien à voir avec la couleur, poursuit-il.

– C'est ça, ouais ! répond papa. Si ça s'était passé à Riverton Hills et que le gamin s'appelait Richie, on serait même pas là en train d'en parler.

– C'était un dealer, à ce qu'on m'a dit.

– Et du coup, c'est justifiable ? demande papa.

– Je n'ai pas dit ça, mais ça pourrait expliquer la décision de Brian s'il s'est senti menacé.

Un « non » me monte à la gorge, qui veut à tout prix sortir. Khalil n'était pas menaçant, ce soir-là.

Et comment le flic aurait-il pu se douter qu'il était dealer ?

Minute. Brian. C'est ça, le prénom de Cent-Quinze ?

– Oh, alors comme ça tu le connais ? lance papa d'une voix narquoise. Je suis pas étonné.

– C'est un collègue, oui, et un type bien, figure-toi. Je suis sûr qu'il a du mal à encaisser. Qui sait ce qui lui a traversé l'esprit à ce moment-là ?

– Tu viens de le dire, il croyait que Khalil était un dealer, dit papa. Un voyou. Mais c'est quoi qui lui a laissé penser ça, hein ? Quoi ? Juste en voyant Khalil ? Explique-moi ça, inspecteur.

Silence.

– Et qu'est-ce qu'elle fichait dans la voiture d'un dealer, d'ailleurs ? demande Carlos. Lisa, je n'arrête pas de te le dire, il faut que tu les emmènes loin d'ici, Sekani et elle. Ce quartier est toxique.

– J'y pense.

– On ira nulle part, assène papa.

– Maverick, elle a vu deux de ses amis se faire tuer, dit maman. Deux ! Et elle n'a que seize ans.

– Et un des deux était entre les mains d'une personne censée la protéger ! Tu crois quoi ? Que si tu deviens leur voisine, ils te traiteront plus pareil tout d'un coup ?

– Pourquoi tout est toujours affaire de racisme avec toi ? s'insurge oncle Carlos. On s'entre-tue plus que les autres nous tuent.

– Négro, sérieusement. Je bute Tyrone ? Je vais en taule. Un flic me bute ? Il est mis sur la touche. Et encore.

– Tu sais quoi ? Ça sert à rien de se fatiguer avec toi, dit oncle Carlos. Est-ce que tu peux au moins laisser Starr parler aux agents en charge du dossier ?

– On devrait sans doute d'abord lui prendre un avocat, Carlos, dit maman.

– Pour l'instant, ce n'est pas nécessaire, répond-il.

– Ce n'était pas nécessaire non plus que ce flic appuie sur la détente, réplique papa. Tu crois vraiment qu'on va les laisser parler à notre fille et profiter du fait qu'elle a pas d'avocat pour déformer tout ce qu'elle dira ?

– Personne ne déformera rien ! Je te l'ai dit : nous aussi, on veut la vérité.

– Oh, la vérité, nous on la connaît, assène papa. Nous, ce qu'on veut, c'est la justice.

Oncle Carlos soupire.

– Lisa, il faut qu'elle parle aux inspecteurs. Le plus tôt sera le mieux. Ça sera pas compliqué. Elle devra répondre à quelques questions. C'est tout. Pas besoin de dépenser de l'argent en frais d'avocat pour l'instant.

– Franchement, Carlos, on a pas du tout envie que les gens

sachent que Starr était là, dit maman. Elle a peur. Moi aussi. Jusqu'où ça va aller, tout ça ?

– Je comprends, mais je t'assure qu'elle sera protégée. Si tu ne fais pas confiance au système, est-ce que tu peux au moins me faire confiance à moi ?

– Te faire confiance ? Tu crois qu'on peut ? intervient papa.

– Maverick, tu sais quoi ? J'ai plus envie de t'entendre.

– Alors sors de chez moi, c'est mieux.

– Sans moi et ma mère, ce ne serait même pas chez toi.

– Arrêtez, vous deux ! crie maman.

Je bascule mon poids sur l'autre jambe et, bien sûr, le plancher craque – autant déclencher une alarme directement. Maman tourne le regard vers la porte de la cuisine et me voit, dans le couloir.

– Starr, qu'est-ce que tu fais debout, mon bébé ?

Je suis obligée d'aller dans la cuisine, maintenant. Ils sont tous les trois assis autour de la table, mes parents en pyjama et oncle Carlos en jogging avec un sweat à capuche.

– Eh petite fille, dit-il. On ne t'a pas réveillée, si ?

– Non, je réponds en m'asseyant à côté de maman. J'étais déjà réveillée. Des cauchemars.

Ils prennent tous les trois un air compatissant, même si ce n'est pas pour ça que je l'ai dit. Je déteste la compassion, je crois.

– Qu'est-ce que tu fais là ? je demande à oncle Carlos.

– Sekani a mal au ventre et m'a supplié de venir le chercher.

– Et ton oncle allait partir, ajoute papa.

La mâchoire d'oncle Carlos tressaille. Il a pris des joues

depuis qu'il est passé inspecteur. Il a la même couleur de peau que maman, « noir ivoire » comme dit Grandma, et quand il s'énerve, il rougit, comme maintenant.

– Je suis désolé pour Khalil, petite fille, dit-il. Je disais justement à tes parents que les inspecteurs voudraient que tu viennes répondre à quelques questions.

– Mais si tu veux pas, t'es pas obligée, intervient papa.

– Bordel… commence oncle Carlos.

– Arrête, s'il te plaît, le coupe maman avant de se tourner vers moi. Tu veux parler à la police, Miam ?

Je déglutis. Je ne sais pas. D'un côté, c'est les flics. Ce n'est pas comme si j'allais le chanter sur tous les toits.

De l'autre, justement, c'est les flics. Et c'est un des leurs qui a tué Khalil.

Mais oncle Carlos est flic, et il ne demanderait rien qui pourrait me nuire.

– Est-ce que ça va aider à rendre justice à Khalil ? je demande.

Oncle Carlos confirme d'un signe de tête.

– Oui.

– Cent-Quinze sera là ?

– Qui ?

– L'agent, c'est son matricule, je dis. Je l'ai retenu.

– Oh, non, je te promets que non. Tout va bien se passer.

Les promesses d'oncle Carlos sont des engagements parfois plus solides que ceux de mes parents. Il ne dit ça que si c'est vraiment sincère.

– D'accord. Je viendrai.

– Merci.

Oncle Carlos s'approche et me dépose deux baisers sur le front, comme il le faisait déjà quand il me bordait, le soir.

– Lisa, amène-la après le lycée lundi. Ça ne devrait pas être long. Et tu pourras rester.

Maman se lève et ils s'enlacent. Elle le raccompagne jusqu'à la porte.

– Merci, Carlos. Prends soin de toi, d'accord ? Et envoie-moi un message quand tu es rentré.

– Oui, chef, dit-il d'une voix taquine, on dirait ta mère.

– C'est pas grave. Un message, t'oublies pas ?

– D'accord, d'accord. Bonne nuit.

Maman revient à la cuisine en renouant son peignoir.

– Miam, au lieu d'aller à l'église demain, on va aller voir Mme Rosalie, ton père et moi. Tu peux venir si tu veux.

– Ouais, dit papa. Sans tonton pour te foutre la pression.

Maman lui décoche un regard de reproche avant de se tourner vers moi.

– Alors, Starr, t'es partante ?

Honnêtement, parler à Mme Rosalie risque d'être plus dur que de parler aux flics. Mais je dois à Khalil une visite à sa grand-mère. Elle ne sait sans doute pas que j'étais là quand il est mort. Mais si, pour une raison ou pour une autre, elle le sait, elle a tous les droits de poser des questions.

– Ouais, je viens.

– On ferait bien de lui trouver un avocat avant qu'elle parle aux flics, dit papa.

– Maverick, soupire maman. Je resterai avec elle tout le

temps. Et puis si Carlos pense que ça ne sert à rien pour le moment, je lui fais confiance.

– T'es bien la seule, dit papa. Et t'as vraiment repensé à déménager ? On a déjà discuté de ça, non ?

– Pas ce soir, Maverick, s'il te plaît.

– Comment on pourra faire changer les choses si on...

– Maverick ! l'interrompt-elle sans desserrer les dents.

Quand maman parle comme ça, mieux vaut ne pas être dans son viseur.

– J'ai dit pas ce soir.

Elle lui lance un regard en coin, prête pour la riposte. Il n'y en a pas.

– Va te recoucher, mon bébé, essaie de dormir, me dit-elle.

Puis elle m'embrasse sur la joue et s'en va dans sa chambre.

Papa ouvre le frigo.

– Tu veux du raisin, Starr ?

– Ouais. Comment ça se fait qu'oncle Carlos et toi vous soyez toujours en train de vous prendre la tête ?

– Parce que c'est un pauvre type.

Il revient s'asseoir à table avec un bol de raisin blanc.

– Mais en vrai, il m'a toujours détesté. Il trouvait que j'avais une mauvaise influence sur ta mère. Pourtant, Lisa était pas sortable quand je l'ai rencontrée, comme toutes les filles des écoles cathos.

– Je parie qu'il était plus protecteur avec maman que Seven avec moi, pas vrai ?

– Ah ça ouais. Carlos se prenait pour son daron. Quand je me suis retrouvé en taule, il vous a tous pris chez lui et il refusait que je vous appelle. Il l'a même emmenée chez un avocat spécialisé en divorces.

Il sourit.

– Sauf qu'il a pas réussi à se débarrasser de moi.

J'avais trois ans quand papa est allé en prison et six quand il en est sorti. J'ai beaucoup de souvenirs avec lui, mais pour le premier jour d'école, la première dent perdue, le premier tour de vélo sans roulettes… c'est oncle Carlos que je vois. Et c'est ça, je crois, la véritable raison de leurs disputes.

Papa tapote sur le plateau en acajou de la table, un *beat* en trois temps : *tap, tap, tap*.

– Il faudra un peu de temps mais les cauchemars s'arrêteront, dit-il. Juste après, c'est toujours le pire.

C'était comme ça avec Natasha.

– T'as vu combien de personnes mourir ? je lui demande.

– Trop. Le pire, c'était mon cousin André.

On dirait que son doigt suit les lignes du tatouage sur son bras sans qu'il s'en rende compte – un A coiffé d'une couronne.

– Un deal qui a viré au braquage. Il a pris deux balles en pleine tête. Sous mes yeux. Quelques mois avant ta naissance, en fait. C'est pour ça que je t'ai appelée Starr.

Il m'adresse un petit sourire.

– Mon étoile, ma lumière dans les ténèbres.

Papa mâchouille quelques grains de raisin.

– T'en fais pas pour lundi. Dis la vérité aux flics, et les laisse pas te dicter ton texte. Dieu t'a donné un cerveau. T'as pas besoin du leur. Et souviens-toi que t'as rien fait de mal – le flic, si. Les laisse pas te convaincre du contraire.

Un truc me travaille. Je voulais poser la question à oncle Carlos, mais bizarrement j'ai pas pu. Papa est différent. Si oncle Carlos sait tenir des promesses impossibles, papa, lui, me dit toujours les choses comme elles sont.

– Tu crois que les flics ont vraiment envie que Khalil obtienne justice ? je lui demande.

Tap, tap, tap. Tap... tap... tap... La vérité jette une ombre sur la cuisine : les gens comme nous dans des situations comme ça deviennent des hashtags mais obtiennent rarement justice. Et pourtant, je crois qu'on attend tous ce jour. Le jour où ça finira bien.

Peut-être que c'est pour bientôt.

– Chais pas, dit papa. On va pas tarder à le savoir, j'imagine.

Dimanche matin, on se gare devant une petite maison jaune. Des fleurs aux couleurs vives bordent la véranda de devant. Je m'asseyais là avec Khalil, avant.

On descend de voiture, mes parents et moi. Mon père porte un plat de lasagnes préparé par ma mère recouvert de papier d'alu. Sekani n'a pas voulu venir, il ne se sent toujours pas bien. Seven est resté avec lui. Mais à mon avis, c'est du cinéma : Sekani attrape toujours un virus à la fin de Spring Break.

Avancer dans l'allée de Mme Rosalie fait remonter plein de souvenirs. Mes chutes sur ce ciment ont laissé des cicatrices sur mes bras et sur mes jambes. Une fois, j'étais en trottinette et Khalil m'a poussée parce que je ne voulais pas la lui prêter. Quand je me suis relevée, j'avais le genou complètement écorché. J'ai crié comme une folle.

On jouait aussi à la marelle et on sautait à la corde dans cette allée. Au début, Khalil ne voulait pas, il disait que c'était pour les filles. Mais il suffisait que Natasha et moi on annonce que le gagnant emporterait une Freeze Cup – du soda en poudre glacé servi dans un gobelet en polystyrène – et un paquet de « Nileators », bonbons plus connus sous le nom de Now and Later, pour qu'il cède. Mme Rosalie était la Madame bonbons du quartier.

Je passais presque autant de temps chez elle que chez moi. Maman et la fille cadette de Mme Rosalie, Tammy, étaient meilleures copines quand elles étaient petites. Quand elle est tombée enceinte de moi, maman était en terminale et Grandma l'a fichue dehors. Mme Rosalie l'a hébergée jusqu'à ce que mes parents prennent un appartement ensemble. Maman raconte que Mme Rosalie était une de ses plus grandes supportrices et qu'elle a pleuré le jour de la remise de diplômes, comme si c'était sa propre fille qui s'avançait sur l'estrade.

Trois ans plus tard, Mme Rosalie nous a croisées chez Wyatt, maman et moi – bien avant que l'endroit devienne notre épicerie. Elle a demandé à maman comment ça se passait à l'université. Maman lui a expliqué qu'avec mon père en prison, elle ne pouvait pas se payer de nounou et que Grandma considérait que ce n'était pas son problème. Maman envisageait d'arrêter les études. Alors Mme Rosalie lui a dit qu'elle me garderait dès le lendemain et de ne surtout pas lui parler d'argent. Elle a été ma nounou, puis plus tard celle de Sekani, jusqu'à ce que maman termine ses études.

Maman toque à la porte. La moustiquaire fait un bruit de

ferraille. Tammy vient ouvrir, un foulard sur la tête, en tee-shirt et pantalon de jogging. Elle tourne les verrous en criant à sa mère :

– C'est Maverick, Lisa et Starr, Ma !

Le salon n'a pas du tout changé depuis l'époque où Khalil et moi, on y jouait à cache-cache. Il y a encore le fauteuil relax et la protection en plastique sur le canapé. L'été, si on reste assis trop longtemps en short, le plastique colle aux jambes.

– Salut Tammy, fait maman en la serrant fort contre elle. Comment ça va ?

– Je tiens le coup, dit-elle en enlaçant papa, puis moi. C'est affreux de me dire que je suis rentrée pour ça, c'est tout.

C'est trop bizarre de regarder Tammy. Elle a exactement la tête qu'aurait Brenda, la mère de Khalil, sans le crack. Elle ressemble beaucoup à Khalil. Les mêmes yeux noisette, les mêmes fossettes. Un jour Khalil a dit qu'il aurait mieux aimé que ça soit Tammy sa mère, comme ça il aurait habité à New York avec elle. Je lui disais pour rigoler qu'elle n'avait pas le temps de s'occuper de lui. J'aurais mieux fait de me taire.

– Où veux-tu que je pose ça, Tam ? lui demande mon père en lui présentant les lasagnes.

– Dans le frigo, si tu trouves de la place, lui répond-elle alors qu'il est déjà en route vers la cuisine. Ma a raconté que les gens lui avaient apporté de quoi manger toute la journée, hier. Ils en amenaient encore le soir, quand je suis arrivée. On dirait bien que tout le quartier est passé.

– Ils sont comme ça, les gens, ici, commente maman. Faute de pouvoir faire autre chose, ils vont cuisiner des petits plats.

– Toujours, dit Tammy avant de désigner le canapé. Asseyez-vous donc.

Ma mère et moi nous asseyons, puis mon père nous rejoint en revenant de la cuisine. Tammy s'installe sur le fauteuil relax habituel de Mme Rosalie. Elle me sourit.

– Starr, t'as sacrément grandi dis donc, depuis la dernière fois que je t'ai vue. Toi et Khalil, vous avez tous les deux tellement…

Sa voix flanche. Maman tend le bras vers elle pour lui tapoter le genou. Tammy inspire un grand coup et me sourit de nouveau.

– Je suis contente de te voir.

– Tam, on sait que Rosalie va nous dire qu'elle va bien, dit mon père, mais en vrai, elle va comment ?

– On vit au jour le jour. La chimio marche, heureusement. J'espère que je vais réussir à la convaincre de venir s'installer chez moi. Comme ça, je pourrai m'assurer qu'elle prend bien ses médicaments.

Elle pousse un soupir.

– Je ne me rendais pas compte que maman galérait autant. Je ne savais même pas qu'elle avait perdu son boulot. Vous savez comment elle est. À toujours vouloir se débrouiller toute seule.

– Et Brenda ? je demande.

Je suis obligée. Khalil l'aurait fait.

– Je ne sais pas, Starr. Bren… c'est compliqué. On ne l'a pas vue depuis qu'on a appris la nouvelle. On ne sait pas où elle est. Mais si on la trouve… je ne sais pas ce qu'on va faire.

– Je peux vous aider à trouver un centre de désintoxication

pas trop loin, propose ma mère. Mais il faut qu'elle ait envie de décrocher.

Tammy fait signe qu'elle comprend.

– C'est bien le problème. Mais je crois… Je crois que ça va soit la pousser à enfin se faire aider, soit la faire définitivement basculer. J'espère que ce sera le premier scénario.

Cameron tient la main de sa grand-mère pour la guider jusqu'au salon comme si c'était la reine du monde en robe de chambre. Elle a maigri, mais elle a encore l'air solide pour quelqu'un qui fait de la chimio et tout ça. Le foulard qu'elle porte sur la tête ajoute à sa majesté – une reine africaine, qui nous fait l'honneur de sa présence.

On se lève tous.

Maman prend Cameron dans ses bras et dépose un baiser sur sa joue. Il a de tellement grosses joues que Khalil l'appelait le petit écureuil. Par contre, il remettait à leur place tous ceux qui étaient assez nazes pour traiter son petit frère de gros.

Papa lui tape d'abord dans la paume d'un geste viril, puis l'embrasse.

– Comment ça va, mon gars ? Tu tiens le coup ?

– Oui, monsieur.

Le visage de Mme Rosalie s'illumine. Elle tend les bras vers moi, et je viens me blottir dans le câlin le plus sincère que j'ai jamais eu en dehors de ma famille. Rien que de l'amour et de la force. Elle sait que j'ai besoin des deux, je crois.

– Mon bébé, dit-elle.

Elle recule et me regarde, les larmes aux yeux.

– Mais qu'est-ce que tu as grandi.

Elle prend aussi mes parents dans ses bras. Tammy lui laisse sa place sur le relax. Mme Rosalie tapote le coussin du canapé à côté d'elle pour me faire signe de venir m'asseoir. Elle prend ma main dans la sienne et la caresse sur le dessus avec le bout de son pouce.

Elle marmonne un moment, comme si ma main lui racontait une histoire, à laquelle elle répondait. Puis elle dit :

– Je suis contente que tu sois venue. Je voulais te parler.

– Oui.

Je dis ce qu'on attend de moi.

– Tu étais la meilleure amie que ce garçon ait jamais eue.

Cette fois, je ne peux pas juste dire ce qu'on attend de moi.

– On n'était pas si proches, madame Rosalie…

– Je m'en fiche, m'interrompt-elle. Khalil n'a jamais eu d'autre ami comme toi. Je le sais, c'est tout.

Je déglutis.

– Oui.

– La police m'a dit que c'était toi qui étais avec lui quand c'est arrivé.

Donc, elle sait.

– Oui.

Debout sur les rails, je regarde le train foncer sur moi, je me crispe en prévision de l'impact : le moment où elle va me demander de lui raconter ce qui s'est passé.

Mais le train change de voie. Elle se tourne vers papa.

– Maverick, il voulait te parler. Il voulait ton aide.

Papa se redresse.

– C'est vrai ?

– Oui oui. Il vendait cette chose.

Quelque chose se vide en moi. Je veux dire, j'avais plus ou moins compris, mais savoir que c'était la vérité…

Ça fait mal.

J'ai envie d'insulter Khalil. Comment il pouvait refourguer ce produit qui l'a privé de sa mère ? Est-ce qu'il se rendait compte qu'il privait d'autres enfants de leur mère ?

Est-ce qu'il se rendait compte que s'il devenait vraiment un hashtag, certains ne le verraient que comme un dealer ?

Il était tellement plus que ça.

– Mais il voulait arrêter, dit Mme Rosalie. Il m'a dit, « Grand-mère, je peux pas continuer. M. Maverick dit que ça ne mène qu'à deux choses : le cimetière ou la prison et j'ai envie de voir aucun des deux. » Il avait du respect pour toi, Maverick. Beaucoup. Tu étais le père qu'il n'a jamais eu.

Je ne sais pas comment l'expliquer, mais je sens que papa ressent un vide aussi. Son regard s'éteint et il acquiesce. Maman passe la main dans son dos pour le réconforter.

– J'ai essayé de le raisonner, continue Mme Rosalie, mais ce quartier empêche les jeunes d'écouter leurs aînés. L'argent n'aidait pas. En plus de payer les factures, il flambait, s'achetait des nouvelles baskets et toutes ces choses. Mais je sais qu'il n'avait pas oublié tout ce que tu lui avais dit au fil des ans, Maverick, et ça me donnait la foi. Je me dis, si seulement il avait eu un jour de plus pour…

Les lèvres de Mme Rosalie se mettent à trembler et elle retire sa main de la mienne pour les couvrir. Tammy fait un mouvement vers elle mais elle l'interrompt.

– Je vais bien, Tam.

Elle se tourne vers moi.

– Je suis contente de savoir qu'il n'était pas seul, et encore plus de savoir qu'il était avec toi. Ça me suffit. Pas besoin de détails. L'idée que tu étais là me suffit.

Comme mon père, je n'arrive qu'à hocher la tête.

Mais en serrant la main de la grand-mère de Khalil, je vois l'immense douleur dans ses yeux. Le petit frère n'arrive plus à sourire. Les gens pensent que c'était un voyou et se fichent de son sort ? Pas nous.

C'est Khalil qui compte, pas ce qu'il a fait. On s'en fout des autres.

Maman se penche au-dessus de moi et pose une enveloppe sur les genoux de Mme Rosalie.

– Tenez, c'est pour vous.

Quand Mme Rosalie la décachette, j'aperçois tout l'argent qu'il y a dedans.

– Seigneur Jésus ! Vous savez bien que je ne peux pas accepter ça.

– Bien sûr que si, insiste mon père. On a pas oublié que vous vous êtes occupée de Starr et Sekani. On allait quand même pas vous laisser les mains vides.

– Et puis l'enterrement coûte cher, on le sait, ajoute ma mère. On espère que ça aidera. On fait aussi une collecte dans le quartier. Alors, ne vous inquiétez de rien, d'accord ?

Mme Rosalie essuie de nouvelles larmes.

– Je vous rembourserai jusqu'au dernier cent.

– Qui a parlé de ça ? proteste papa. Vous, faites en sorte

d'aller mieux, c'est tout, d'accord ? Et si vous nous donnez de l'argent, on vous le rendra dans la minute, je le jure devant Dieu.

Encore tout un tas de larmes, encore tout un tas de câlins. Mme Rosalie me donne une Freeze Cup pour la route, nappée d'une couche luisante de sirop. Avec elle, il faut toujours du sucre en plus.

Au moment de partir, je me souviens de Khalil qui courait vers la voiture, du soleil qui faisait luire l'huile entre ses tresses plaquées. L'étincelle dans ses yeux aussi luisait. Il frappait contre la vitre pour que je la baisse et me disait en souriant de toutes ses dents de traviole « *See you later, alligator* », comme dans la chanson.

À l'époque, je retenais des gloussements derrière mes propres dents de traviole. Maintenant, je pleure. Les au revoir font encore plus mal quand l'autre est déjà parti. Je l'imagine devant la portière et je souris comme s'il était là. « À bientôt, crocodile. »

CINQ

Lundi, le jour où je suis censée parler aux inspecteurs, je me mets tout d'un coup à pleurer comme une madeleine. Le fer à repasser dans ma main crache de la vapeur. Maman me le prend avant que je brûle l'écusson de Williamson sur mon polo.

Elle me frotte l'épaule.

– Il faut que ça sorte, Miam.

On petit-déjeune en silence dans la cuisine, sans Seven. Il a passé la nuit chez sa mère. Je picore mes gaufres. L'idée de me retrouver au commissariat avec tous ces flics me donne envie de vomir. Manger ne ferait qu'aggraver les choses.

Une fois qu'on a terminé, on se réunit tous au salon et on se prend par la main, comme on fait toujours, sous l'affiche du programme en dix points des Black Panthers. C'est papa qui mène la prière.

– Jésus Noir, prends soin de mes petits aujourd'hui, dit-il.

Garde-les à l'abri du danger, protège-les du mal, et apprends-leur à distinguer les faux jetons des vrais amis. Donne-leur la sagesse dont ils ont besoin pour être eux-mêmes. Aide Seven qui a des soucis chez sa mère et fais-lui savoir qu'il sera toujours le bienvenu ici. Merci pour la guérison miraculeuse de Sekani, qui s'est produite comme par hasard pile au moment où il a appris qu'il y avait de la pizza à la cantine.

Je jette discrètement un coup d'œil vers mon petit frère qui regarde papa, bouche bée. Puis je baisse les paupières avec un sourire moqueur.

– Soutiens Lisa à la clinique quand elle soigne ton peuple. Aide ma petite fille à traverser cette épreuve, Seigneur. Apporte-lui la paix intérieure et permets-lui de livrer sa vérité cet après-midi. Donne aussi de la force à Mme Rosalie, à Cameron, à Tammy et à Brenda en ces temps difficiles. En ton nom Seigneur, notre Sauveur, nous te prions, amen.

– Amen, on répète tous à l'unisson.

– Papa, pourquoi tu m'as foutu la honte comme ça devant Jésus Noir ? gémit Sekani.

– Il connaissait déjà la vérité, répond papa.

Il enlève une saleté au coin de la paupière de Sekani et redresse le col de son polo.

– J'essaie de t'aider, petit gars. De t'obtenir son indulgence.

Papa me tire contre lui et me serre dans ses bras.

– Ça va aller ?

Je hoche la tête contre son torse pour le rassurer.

– Ouais.

Je pourrais rester comme ça toute la journée. Le torse

de papa, c'est un des rares endroits où Cent-Quinze n'existe pas, où je peux oublier que je dois parler à des inspecteurs. Mais maman me dit qu'il faut qu'on y aille, pour éviter de se retrouver coincées dans les bouchons de l'heure de pointe.

Je sais conduire, que ce soit clair. À seize ans et une semaine, j'avais déjà mon permis. Mais papa et maman m'ont dit que je n'aurais de voiture que si je pouvais me la payer. Et quand je leur ai fait remarquer qu'entre le lycée et le basket, je n'avais pas le temps de travailler, ils ont rétorqué que dans ce cas, je n'avais pas non plus le temps pour une voiture. Pourri.

Il faut trois quarts d'heure pour arriver au lycée quand tout va bien, et une heure s'il y a des bouchons. Comme maman n'insulte personne sur la route aujourd'hui, Sekani n'a pas besoin de mettre son casque. À la place, elle fredonne les chansons de gospel qui passent à la radio et dit « Donne-moi du courage, Seigneur. Donne-moi du courage. »

On sort de l'autoroute à Riverton Hills et on traverse une enfilade de quartiers résidentiels protégés. Oncle Carlos habite dans un lotissement de ce genre. Personnellement, je trouve ça grave bizarre de vivre derrière des grilles. Sérieux, c'est quoi leur objectif : empêcher les gens d'entrer ou les empêcher de sortir ? Si quelqu'un construisait une enceinte autour de Garden Heights, ce serait un peu les deux.

Notre lycée aussi est protégé. Et ils ont construit de nouveaux bâtiments modernes aux façades couvertes de fenêtres sur le campus, avec des œillets d'Inde le long des allées.

Maman se glisse dans la file de voitures menant à l'école élémentaire.

– Sekani, tu as pensé à ton iPad ?

– Oui, madame.

– Ta carte de cantine ?

– Oui, madame.

– Ton short de gym ? Et tu as pris le propre, j'espère !

– Maman, j'ai presque neuf ans ! s'indigne Sekani. Tu peux pas me faire un peu confiance ?

Elle sourit.

– D'accord, bonhomme. Et toi, tu peux me faire un petit bisou ?

Sekani se penche et l'embrasse sur la joue.

– Je t'aime, dit-il.

– Moi aussi je t'aime. Et n'oublie pas, c'est Seven qui vient te chercher aujourd'hui.

Il court se mêler aux autres gamins en pantalon en toile et polo. On se met dans la file qui conduit au lycée.

– Bon, Miam, dit maman, Seven t'emmènera à la clinique après les cours, et puis on ira ensemble au commissariat. Tu es complètement sûre de vouloir le faire ?

Non. Mais oncle Carlos m'a promis que ça se passerait bien.

– Oui, je réponds.

– D'accord. Appelle-moi si tu penses que tu n'arriveras pas à tenir toute la journée au lycée.

Hein ? Pardon ? Ça veut dire que j'aurais pu rester à la maison, ça…

– Pourquoi tu m'as forcée à venir, dans ce cas ?

– Parce qu'il faut que tu sortes. De la maison. Du quartier. Je veux au moins que tu essaies. Ça va te paraître insensible mais ce n'est pas parce que Khalil est mort que tu dois t'arrêter de vivre. Tu comprends, mon bébé ?

– Ouais.

Je sais qu'elle a raison, mais mon cœur me dit le contraire.

On arrive en tête de la file de voitures.

– Bon, à toi, je n'ai pas besoin de demander si tu as pris ton horrible short de gym, si ?

Je rigole.

– Non. *Bye* maman.

– *Bye*, mon bébé.

Je sors de la voiture. Pendant au moins sept heures, je n'aurai pas à parler de Cent-Quinze. Je n'aurai pas à penser à Khalil. J'aurai juste à être la Starr normale dans son lycée normal un jour normal. Ce qui implique de passer en mode Starr de Williamson. La Starr de Williamson ne parle pas argot – tout ce qu'un rappeur dirait, elle évite, même si ses copains blancs l'utilisent. L'argot, ça leur donne l'air cool. Elle, ça lui donne l'air caillera. La Starr de Williamson retient sa langue quand les gens l'énervent pour que personne ne la voie comme une « Noire en colère ». La Starr de Williamson est accessible. Pas de sales regards ni de regards en coin – rien. La Starr de Williamson ne fait pas de vagues. En gros, la Starr de Williamson ne donne à personne des raisons de penser qu'elle sort de la cité.

Je me déteste d'agir comme ça, mais je le fais quand même.

Je jette mon sac à dos sur mon épaule. Comme d'habitude, il est assorti à mes Jordan, des Eleven noir et bleu comme celles que Michael Jordan portait dans *Space Jam*. J'ai bossé un mois au magasin pour me les payer. Je déteste m'habiller comme tout le monde, et le *Prince de Bel-Air* m'a appris une chose : même si je ne peux pas porter mon uniforme à l'envers pour sortir du lot comme Will, je peux m'arranger pour avoir toujours des pompes classe, et le sac à dos assorti.

En arrivant dans la cour, je cherche Maya, Hailey ou Chris du regard. Je ne les trouve pas mais constate que la moitié du bahut a bronzé pendant les vacances. Une chance que moi, je sois née comme ça. Quelqu'un me met les mains sur les yeux.

– Maya, je sais que c'est toi ! je dis.

Elle ricane et me libère. Je ne suis pas une géante mais elle doit se hisser sur la pointe des pieds pour arriver à mes yeux. Ce qui ne l'empêche pas de vouloir être pivot dans l'équipe de basket. Elle se fait toujours un chignon sur le dessus de la tête, sans doute parce qu'elle pense que ça la grandit, alors que non.

– Ça va, madame Je-Réponds-Pas-aux-Messages ? dit-elle.

On se salue avec notre petit check à nous. Pas compliqué comme celui de papa et King, mais il fait le taf.

– Je commençais à me demander si tu t'étais fait enlever par des extraterrestres.

– Quoi ?

Elle brandit son téléphone sous mon nez. L'écran est de nouveau fendu de part en part. Maya le fait toujours tomber.

– J'ai eu aucune nouvelle depuis deux jours, Starr, dit-elle. Pas cool.

– Oh.

J'ai à peine regardé mon téléphone depuis que Khalil est… depuis l'incident.

– Désolée. Je bossais à l'épicerie. Des fois c'est la folie, tu sais ce que c'est. C'était bien tes vacances ?

– Ouais, pas mal.

Elle croque dans un bonbon Very Bad Kid.

– On est allés à Taipei chez mes arrière-grands-parents. Je me suis payé des casquettes Snapback et un nouveau short de basket. Toute la semaine j'ai eu droit à des « pourquoi tu t'habilles comme un garçon ? » Et bla bla bla, et bla bla bla. Et puis tu sais pas quoi ? Ils ont vu une photo de Ryan et ils m'ont demandé s'il était rappeur ! Horrible !

Je me marre et lui pique quelques bonbons. Ryan, le mec de Maya, est en fait le seul autre Noir en première. Du coup, tout le monde veut nous mettre ensemble. C'est censé se passer comme sur l'arche de Noé apparemment : quand on est deux, il faut former un couple pour assurer la survie de notre couleur dans le groupe. Je remarque plein de trucs débiles dans le genre, ces temps-ci.

On va à la cafète. Il n'y a presque plus de place dans notre endroit fétiche, près des distributeurs de snacks et de boissons. Assise sur la table, Hailey parle à Luke, le mec bouclé aux jolies fossettes, avec entrain. Des préliminaires, pour eux, je crois. Ils se kiffent depuis la sixième. Et si les sentiments résistent à la niaiserie du collège, le temps est venu d'arrêter de faire genre et de passer à l'action.

Certaines des autres filles de l'équipe sont là aussi : Jess, la cocapitaine, et Britt, la pivot. À côté d'elle, Maya a l'air d'une fourmi. Sans doute que ça fait un peu secte de nous asseoir toutes ensemble comme ça, mais ça se fait naturellement.

De toute façon, qui d'autre supporterait de nous entendre nous plaindre de nos genoux gonflés ou comprendrait les blagues inventées dans le bus en rentrant d'un match ?

À la table d'à côté, les basketteurs de l'équipe de Chris encouragent Hailey et Luke. Malheureusement et heureusement, Chris n'est même pas encore arrivé.

En nous voyant approcher, Maya et moi, Luke tend un bras vers nous.

– Ah merci ! Enfin deux personnes intelligentes qui vont mettre un terme à cette discussion !

Je me glisse sur le banc à côté de Jess. Elle pose la tête sur mon épaule.

– Ils se cherchent comme ça depuis un quart d'heure.

Je lui caresse les cheveux. Je craque en secret pour sa coupe de cheveux pixie. Je n'ai pas le cou assez long pour me la faire, mais à elle, ça lui va super bien. Chaque mèche est pile au bon endroit. Si j'aimais les filles, je sortirais avec elle juste pour ses cheveux, et elle, elle sortirait avec moi pour mon épaule.

– C'est quoi le sujet cette fois ?

– Les tartelettes Pop-Tarts, répond Britt.

Hailey se tourne vers nous, le doigt pointé sur Luke.

– Ce crétin a osé dire qu'elles étaient meilleures réchauffées au micro-ondes.

– Beurk, je dis, au lieu de mon habituel « dégueu ».

– T'es sérieuse ? renchérit Maya.

– Ouais, n'importe quoi, hein ? répond Hailey en haussant les épaules.

– C'est pas vrai ! s'insurge Luke, j'ai juste voulu te taxer un dollar pour m'en payer une !

– Tu veux juste gaspiller mes sous pour ruiner une Pop Tart en la foutant au micro-ondes ?

– On est censé les chauffer !

– En fait, je suis d'accord avec Luke, fait Jess. Les Pop Tarts, c'est dix fois meilleur chaud.

Je dégage mon épaule de sous sa tête.

– T'es plus ma pote !

Elle me regarde, bouche bée, puis fait la moue. Alors je cède :

– OK, d'accord.

Elle repose aussitôt sa tête avec un grand sourire. Trop chelou, cette meuf. Je ne sais pas comment elle va survivre sans mon épaule quand elle aura fini le lycée dans quelques mois.

– Ceux qui réchauffent les Pop-Tarts devraient être arrêtés, dit Hailey.

– Et mis en prison, j'ajoute.

– Et forcés de manger les Pop-Tarts pas cuites jusqu'à ce qu'ils reconnaissent à quel point c'est meilleur, renchérit Maya.

– La loi, c'est la loi, finit Hailey en tapant du plat de la main sur la table pour clore le sujet.

– Vous êtes pas nettes, les filles, fait Luke, en descendant de la table d'un bond.

Il tire sur les cheveux d'Hailey.

– Je crois que toute cette couleur a bavé dans ton cerveau.

Il commence à partir mais Hailey profite du fait qu'il est encore à sa portée pour le frapper. Elle s'est coupé les cheveux aux épaules et a ajouté des mèches bleues à son blond miel naturel. En CM2, elle les avait coupés en cours de math avec une paire de ciseaux d'écolier, juste comme ça. C'est ce jour-là que j'ai compris que pour elle, rien n'avait d'importance.

– J'aime bien le bleu, Hails, je lui dis. Et ta nouvelle coupe.

– Ouais, sourit Maya. Ça fait très Joe Jonas.

Hailey tourne brusquement la tête et la fusille du regard. Maya et moi nous mettons à ricaner.

Quelque part dans les profondeurs de YouTube, il existe une vidéo de nous trois en train de chanter en playback sur les Jonas Brothers en jouant de la guitare et de la batterie imaginaires. Elle avait choisi d'être Joe, j'étais Nick, et Maya était Kevin. J'aurais bien voulu être Joe – c'était de lui que j'étais le plus amoureuse en secret –, mais Hailey avait mis une option dessus alors je le lui ai laissé.

Je lui laissais souvent la priorité. C'est toujours le cas. C'est mon côté Starr de Williamson, sans doute.

– Faut tellement que je retrouve cette vidéo, gémit Jess.

– Nooon, fait Hailey en se laissant glisser de la table. Personne ne doit jamais la retrouver. (Elle s'assoit en face de nous.) Jamais, vous entendez. Ja-mais. Si un jour je me souviens du mot de passe, je supprimerai le compte immédiatement.

– Ooh, c'était quoi le nom du compte déjà ? demande Jess. Je Kiffe Les Jonas Brothers ou un truc comme ça, non ? Non, attendez, Je Kiffe Les Jonas Brozers avec un z. Tout le monde aimait faire des fautes exprès au collège.

– Presque exprès, je marmonne avec un sourire narquois en direction de Hailey.

Elle tourne le regard vers moi.

– Starr !

Maya et Britt explosent de rire.

C'est dans les moments comme ça que je me sens normale à Williamson. Malgré les règles que je m'impose, j'ai trouvé ma bande, ma table.

– Ouais, bon, bref, dit Hailey, j'ai pigé : Maya Jonas et la Starry Nick Girl 2000…

– Et sinon, Hails, je l'interromps avant qu'elle balance l'intégralité de mon vieux pseudo.

Elle sourit.

– C'était comment tes vacances ?

Hailey perd son sourire et lève les yeux au ciel.

– Oh, génial, le pied in-té-gral. Papa et ma très chère belle-mère nous ont traînés à la maison des Bahamas pour « nouer des liens » comme ils disent.

Et *vlan*, l'impression d'être normale. Envolée. Tout d'un coup, je me rappelle à quel point je suis différente de la plupart des élèves ici. Personne n'aurait à nous traîner aux Bahamas, moi ou mes frères : on irait à la nage, si on pouvait. Notre version des vacances à nous, c'est un week-end dans un hôtel du coin avec piscine.

– On dirait mes parents, dit Britt. Ils nous ont emmenés au Harry Potter World pour la troisième année d'affilée. J'en ai marre des Bièraubeurre et des photos de famille débiles avec des baguettes magiques.

Putain de merde. Comment on peut se plaindre du Harry Potter World ? Ou de la Bièraubeurre ? Ou des baguettes magiques ?

J'espère que personne ne va me demander de raconter *mes* vacances. Elles se prélassaient à Taiwan, aux Bahamas, au Harry Potter World, pendant que moi je voyais un flic descendre un pote dans mon quartier.

– Mais bon, au final, c'était plutôt pas mal quand même, dit Hailey. Au lieu de faire des trucs en famille comme ils voulaient, on a passé toutes les vacances à faire ce qui nous chantait.

– T'as passé tes vacances à m'écrire, tu veux dire ! lance Maya.

– Ça revient au même, c'est ça que j'avais envie de faire.

– Des messages. Tous les jours. À longueur de journée, insiste Maya. Sans te soucier du décalage horaire.

– Et alors ? Tu sais bien que ça te ravissait de me parler.

– Elle a pas tort, je commente. C'est cool de s'écrire à longueur de journée !

Sauf qu'en vérité, ce n'est pas cool. Moi, je n'ai pas eu un seul message d'Hailey pendant les vacances. Elle ne m'en envoie presque plus ces derniers temps. Une fois par semaine, peut-être, alors qu'avant c'était quotidiennement. Quelque chose a changé entre nous mais on refuse de l'admettre. Quand on est à Williamson, on est normales, comme maintenant. En dehors, en revanche, on n'est plus copines, on est juste… je ne sais pas.

Elle ne me suit même plus sur Tumblr.

Elle ne se doute pas que je suis au courant. Un jour, j'ai posté une photo d'Emmett Till, un Noir de quatorze ans assassiné parce qu'il avait sifflé une femme blanche en 1955. Son corps mutilé n'avait plus rien d'humain. Hailey m'a envoyé un message juste après, complètement hors d'elle. Je croyais que c'était parce qu'elle n'arrivait pas à croire que quelqu'un ait pu faire un truc pareil à un gamin. Mais non. Elle n'arrivait pas à croire que je puisse partager une image aussi horrible.

Peu de temps après, elle a arrêté de liker ou de rebloguer mes autres posts. J'ai regardé ma liste de followers. Et Hail n'en faisait plus partie. Comme j'habite à trois quarts d'heure, Tumblr est censé être une terre sacrée, l'endroit qui cimente notre amitié. Ne plus me suivre, ça revient à dire : « Entre nous, c'est terminé. »

Peut-être que je suis susceptible. Ou peut-être que les choses ont changé, peut-être que j'ai changé. En tout cas, pour l'instant, visiblement on va faire comme si tout allait bien dans le meilleur des mondes.

La première sonnerie retentit. Le lundi, je commence par littérature niveau avancé, comme Hailey et Maya. En chemin, une discussion animée sur le championnat NCAA de basket universitaire tourne à la dispute. Hailey est fan de Notre Dame depuis la naissance. Maya leur voue une haine presque maladive. Je ne me mêle pas de la conversation. Personnellement, je préfère la NBA de toute façon.

On tourne au bout du couloir et je vois Chris, debout dans l'encadrement de notre salle de classe, les mains dans les poches, un casque autour du cou. Il me fixe et écarte les bras pour me barrer l'entrée.

Hailey nous regarde l'un après l'autre. Plusieurs fois.

– Il s'est passé un truc entre vous, les gars ?

Mes lèvres pincées me trahissent sans doute.

– Ouais, plus ou moins.

– Quel connard, fait Hailey.

Et aussitôt, je me rappelle pourquoi on est copines : parce qu'elle n'a pas besoin de détails. Si quelqu'un me fait du mal d'une manière ou d'une autre, il ou elle finit automatiquement sur sa liste noire. C'est comme ça depuis le CM2, deux ans avant l'arrivée de Maya. On était les deux petites pleureuses, celles qui fondaient en larmes pour un rien. Moi à cause de Natasha, et Hailey parce que sa mère était morte d'un cancer. On a franchi les étapes du deuil ensemble.

C'est pour ça que cette tension entre nous n'a pas de sens.

– Tu veux faire quoi ? demande-t-elle.

Je n'en sais rien. Avant Khalil, j'avais prévu de faire comme si Chris n'existait pas. Pour que sa douleur soit encore plus cuisante qu'avec une chanson de rupture R&B des années 1990. Mais depuis Khalil, je me sens davantage Taylor Swift. (Tay Tay, j'adhère grave, mais question impact, sur l'échelle de la petite amie en colère, elle ne vaut pas un morceau de R&B des années 1990.) Chris me rend malheureuse et pourtant il me manque. C'est le *nous* qui me manque. J'ai tellement besoin de lui que je suis prête à oublier ce qu'il a fait. C'est grave flippant, d'ailleurs, qu'un mec avec qui je ne suis que depuis un an compte autant pour moi. Mais Chris… il est… différent.

Vous savez quoi ? Je vais la lui faire façon Beyoncé, finalement. Pas aussi puissant qu'un R&B des années 1990, mais plus que Taylor Swift quand même. Ouais. Je vais faire ça.

– Je m'en occupe, je dis à Hailey et Maya.

Elles se placent de chaque côté de moi comme des gardes du corps et on approche de la porte.

Chris nous salue d'une courbette.

– Mesdames.

– Dégage, lui ordonne Maya.

C'est drôle, vu comme elle est minuscule à côté de lui.

Il me regarde de ses yeux bleu pâle. Il a bronzé pendant les vacances lui aussi. Moi qui le charriais en lui disant qu'il était pâle comme un Chamallow. Il détestait que je le compare à de la bouffe. Et je lui répondais qu'il n'avait qu'à pas m'appeler Caramel. Ça lui clouait le bec.

Merde. Il a mis les Eleven Space Jam. J'avais zappé qu'on avait décidé de les porter le jour de la rentrée. Elles lui vont trop bien. Les Jordan, c'est mon point faible. C'est plus fort que moi.

– Je veux juste parler à ma copine, dit-il.

– Je la connais pas, je lui réponds, Beyoncé jusqu'au bout des ongles.

Il soupire par le nez.

– Starr, s'il te plaît. On peut au moins discuter ?

Je reviens à la façon Taylor Swift parce que ça s'enchaîne bien avec le « s'il te plaît ». Je fais signe à Hailey et Maya de nous laisser.

– Si tu lui fais du mal, je te tue, le prévient Hailey, et elles entrent dans la salle.

Chris et moi nous écartons de la porte. Adossée à un casier, je croise les bras.

– Je t'écoute, je lui dis.

Un morceau aux basses lourdes filtre de son casque. Sans doute une de ses compos.

– Je suis désolé de ce qui s'est passé. J'aurais dû t'en parler d'abord.

Je penche la tête de côté.

– On en a parlé. Une semaine avant. Tu te souviens ?

– Je sais, je sais. Et j'ai bien entendu ce que tu m'as dit. Je voulais juste être prêt au cas…

– Au cas où tu aurais réussi à me faire changer d'avis ?

– Non ! (Il lève les bras, en signe de capitulation.) Starr, tu sais que je ferais pas… que c'est pas… Je suis désolé, d'accord ? Je suis allé trop loin.

Euphémisme. La veille de la soirée chez Big D, on était chez Chris, dans sa chambre ridiculement grande. Tout le deuxième étage de la villa de ses parents : une suite rien que pour lui. Le privilège du petit dernier quand tous les autres enfants ont quitté le foyer. J'essaie d'oublier qu'il a un étage aussi grand que ma maison pour lui tout seul et une bonne qui me ressemble.

On s'était déjà pelotés souvent, alors quand Chris a glissé la main dans mon short, je n'ai rien pensé de particulier. Il m'a chauffée et je n'ai rien calculé. Du tout. Mon cerveau avait quitté le navire, sans déconner. Et juste quand j'y étais presque, il s'est interrompu pour plonger la main dans sa poche et en ressortir une capote. D'un haussement de sourcils, il m'a demandé en silence si on pouvait aller jusqu'au bout.

Ma tête s'est remplie de toutes ces filles que je voyais à Garden Heights, un bébé sur la hanche. Capote ou pas, on n'est jamais à l'abri d'un accident.

J'ai pété un plomb. Il savait que je n'étais pas prête, on en avait déjà discuté, et malgré ça, il se trimballait avec une capote ? Il m'a assuré qu'il voulait juste se montrer responsable. Mais si je lui avais dit que je n'étais pas prête, c'était que je n'étais pas prête.

Je suis partie en colère *et* excitée. Et comme façon de partir, il n'y a pas pire.

N'empêche, ma mère avait peut-être raison. Elle m'a dit un jour qu'une fois qu'on a franchi le cap avec un garçon, ça active tout un tas de sensations qui font qu'après, on a tout le temps envie. Chris et moi, on est allés assez loin maintenant pour que je connaisse son corps dans ses moindres détails. Ses adorables narines qui gonflent quand il soupire. Ses cheveux châtains que mes doigts adorent explorer tellement ils sont soyeux. Ses lèvres douces, et sa langue qui les lèche de temps en temps. Les cinq taches de rousseur dans son cou, toutes idéalement placées pour des baisers.

Et puis je me souviens par-dessus tout du mec qui passe presque toutes ses soirées au téléphone avec moi, à parler de tout et de rien. Du mec qui adore me faire sourire. Ouais, il m'énerve des fois, et je suis sûre que je l'énerve aussi, mais lui et moi, ça a du sens. Beaucoup de sens.

Putain de putain de purée de poisse, je me liquéfie.

– Chris…

Il prend une grande inspiration et se prépare à me beatboxer un rythme trop familier :

– *Boumfp… boumfp, boumfp, boumfp.*

Je le menace du doigt.

– Je t'interdis !

– « *Now this is a story all about how, my life got flipped – turned upside down. And I'd like to take a minute, just sit right there, I'll tell you how I became the prince of a town called Bel Air*[1]. »

Il me fait la partie instrumentale du générique en beatbox, bombe le torse et se déhanche en cadence. Les gens qui passent se marrent. Un type siffle de façon suggestive. Quelqu'un crie :

– Vas-y, Bryant, bouge ton cul !

Je souris de plus en plus malgré moi.

Le Prince de Bel-Air, ce n'est pas juste ma série, c'est *notre* série. En première, il s'est abonné à ma page sur Tumblr, et j'ai fait pareil. On se croisait au bahut mais on ne se connaissait pas. Un samedi, j'ai posté une série de gifs et de clips du *Prince de Bel-Air*. Il les a tous likés et reblogués sur la sienne. Le lundi matin suivant, à la cafète, il m'a payé mes Pop-Tarts et mon jus de raisin, et m'a dit : « La première actrice à jouer tante Vivian était la meilleure. »

C'était le début de nous deux.

Chris comprend *Le Prince de Bel-Air*, et ça l'aide à me comprendre moi. Un jour, on s'est dit à quel point c'était cool que Will reste lui-même dans son nouvel univers. J'ai gaffé en disant que j'aimerais bien être comme lui au bahut.

« Et pourquoi tu pourrais pas, princesse ? » il m'a répondu.

Depuis, je n'ai plus besoin de décider quelle Starr je dois

---

1. « Je vais maintenant te raconter comment toute ma vie s'est trouvée chamboulée. Donne-moi une minute et assieds-toi là, je vais t'expliquer comment je suis devenu le prince d'une ville du nom de Bel-Air. »

être avec lui. Il aime les deux. Enfin, ce que j'ai bien voulu lui en montrer, en tout cas. Car il y a des choses dont je ne peux pas parler, comme Natasha. Une fois qu'on a vu toutes les blessures de quelqu'un, c'est comme si on l'avait vu nu – et ce n'est plus jamais pareil.

J'aime la façon dont il me regarde maintenant, comme si j'étais un des meilleurs trucs qui lui soient arrivés. Lui aussi, c'est un des meilleurs trucs qui me soient arrivés à moi.

Je ne vais pas mentir, il y en a qui nous regardent d'un air de dire : « Qu'est-ce qu'il fout avec *elle* ? » – des Blanches friquées généralement. Même moi, des fois, je me pose aussi la question. Chris, lui, fait l'autruche. Quand il fait des trucs comme ça, comme rapper et beatboxer au milieu d'un couloir bondé juste pour me voir sourire, moi aussi j'oublie ces regards.

Il entame la deuxième strophe, avec un balancement d'épaules, le regard planté dans le mien. Le pire, c'est qu'il sait que ça marche, le clown.

– « *In West Philadelphia, born and raised*[1] » – allez bébé, chante avec moi.

Il me prend la main. La main.

Cent-Quinze suit les mains de Khalil avec la lampe torche.

Il ordonne à Khalil de sortir les mains en l'air.

Il m'aboie de mettre les mains en évidence sur le tableau de bord.

Je m'agenouille à côté de mon grand pote au milieu de la rue, les mains en l'air. Un flic aussi blanc que Chris me braque un flingue dessus.

1. « Je suis né et j'ai grandi à West Philadelphie. »

Aussi blanc que Chris.

Je tressaille et recule.

Chris fronce les sourcils.

– Ça va, Starr ?

Khalil ouvre la porte. « Ça va, Starr ? »

Pow !

Il y a du sang. Trop de sang.

La deuxième sonnerie retentit et me fait revenir à la réalité. Williamson, où je ne suis pas la Starr normale.

Chris se penche vers moi, me dévisage. Il est flou derrière mes larmes.

– Starr ?

C'est juste quelques larmes, mais je me sens mise à nu. Je pivote sur mes talons pour entrer dans la salle et Chris m'attrape par le bras. Je me dégage et me détourne.

Il lève les bras en signe de capitulation.

– Pardon. J'étais…

J'essuie mes larmes et entre en cours, Chris dans mon sillage. Hailey et Maya lui décochent un regard de tueuses. Je m'installe devant Hailey.

Elle passe un bras autour de mes épaules.

– L'abruti.

Personne ne mentionne Khalil au lycée aujourd'hui. Ça me fait mal de l'admettre, parce que ça revient à lui adresser un doigt d'honneur, mais je suis soulagée.

Depuis la fin de la saison de basket, je pars en même temps que tout le monde. Pour la première fois de ma vie, j'aimerais que la journée ne soit pas finie. Parce que le moment de parler aux flics approche.

Hailey et moi traversons le parking, bras dessus bras dessous. Maya a un chauffeur qui vient la chercher. Hailey, elle, a sa propre voiture, et moi j'ai un frère. On sort toujours au même moment, Hailey et moi.

– T'es sûre que tu veux pas que je lui pète la gueule ? demande Hailey.

Je leur ai raconté, à elle et Maya, l'affaire de la capote. Du coup, pour ce qui les concerne, il est à jamais exilé en terre des connards.

– Oui, je réponds pour la centième fois. T'es violente, Hails.

– Quand c'est de mes copines qu'il s'agit, c'est possible. Sérieusement, cela dit, pourquoi il a essayé de… ? Les mecs et leur libido, quoi !

Je réprime un éclat de rire.

– C'est pour ça que Luke et toi, vous êtes pas ensemble ?

Elle m'envoie un petit coup de coude.

– Chut !

Je me marre.

– Pourquoi tu veux pas avouer qu'il te plaît ?

– Et qu'est-ce qui te fait croire qu'il me plaît ?

– Hailey, arrête…

– Ouais, bon, bref. C'est pas moi le sujet, Starr. C'est toi et ton chaudard de copain.

– C'est pas un chaudard.

– Alors, c'est quoi ?

– Il était excité sur le moment.

– C'est pareil.

J'essaie de rester sérieuse et elle aussi, mais on ne tarde pas à éclater de rire. Bordel, ça fait du bien d'être la Starr normale avec Hailey. Tellement que je me demande si je ne me suis pas fait des idées en pensant que quelque chose avait changé.

Nos chemins se séparent quand Hailey se dirige vers sa voiture et moi vers celle de Seven.

– Je suis toujours partante pour le défoncer, me lance-t-elle de loin.

– *Ciao* Hailey !

Je m'éloigne en me frottant les bras. Le printemps a décidé de faire une crise existentielle et de se la jouer frisquet. À quelques mètres, Seven parle à sa copine, Layla, une main sur sa voiture. Lui et sa Mustang. Il la touche plus que Layla, c'est sûr. Manifestement, elle s'en fiche. Elle joue avec la dread sur la tempe de Seven qui n'est pas prise dans sa queue-de-cheval. Je roule des yeux et c'est justifié. Certaines filles en font trop. Elle ne peut pas jouer avec ses propres cheveux ?

En vrai, je n'ai rien contre Layla. C'est une geek, comme Seven, qui va finir à Howard même si elle est assez intelligente pour Harvard. Et elle est adorable. C'est une des quatre Noires de terminale, et si Seven veut se limiter aux Noires, il a bien choisi.

Je m'avance vers eux et me racle la gorge.

Seven ne détache pas les yeux de Layla.

– Va chercher Sekani, il me dit.

– Je peux pas, je mens. Maman m'a pas mise sur la liste.

– Si. Allez, vas-y.

Je croise les bras.

– Je vais pas traverser la moitié du campus pour aller le chercher et revenir. On va le récupérer en partant.

Il me jette un regard assassin, mais je suis trop fatiguée pour ça et il fait froid. Seven embrasse Layla et s'installe au volant.

– Genre c'est long d'y aller à pied, marmonne-t-il.

– Genre on peut pas aller le récupérer en partant, je réponds en montant.

Il démarre. Seven a lancé cette compile que Chris a faite de Kanye et de mon autre futur mari J. Cole. Il se faufile dans la circulation sur le parking jusqu'à l'école de Sekani.

– J'ai faim, gémit Sekani.

On est sortis du parking il y a à peine cinq minutes.

– Ils t'ont pas donné un goûter ? s'étonne Seven.

– Et alors ? J'ai encore faim.

– Morfale, fait Seven.

Sekani balance un coup de pied dans le dossier de son siège. Ça fait rire Seven.

– D'accord, d'accord ! De toute façon, maman m'a demandé de lui amener quelque chose à manger au boulot. Je vais te prendre un truc aussi. (Il l'observe dans le rétroviseur intérieur.) Ça te va ?

Tout d'un coup, il se fige. Il arrête la compile de Chris et ralentit.

– Pourquoi t'as éteint la musique ? demande Sekani.

– Tais-toi, siffle Seven entre ses dents.

On s'arrête à un feu rouge. Une voiture de patrouille de Riverton Hills se range à côté de nous.

Seven se redresse et regarde droit devant lui, presque sans

ciller, les mains agrippées au volant. Ses yeux bougent discrètement vers la droite, comme s'il essayait de voir les flics. Il déglutit.

– Allez, le feu, allez, prie-t-il.

Moi aussi, je regarde devant moi et je prie.

Quand le feu passe enfin au vert, Seven laisse la voiture de patrouille avancer en premier. Ses épaules restent tendues jusqu'à l'autoroute. Les miennes aussi.

On fait un saut dans ce restaurant chinois que maman adore et on se prend tous quelque chose. Elle ne veut pas que j'aille au commissariat le ventre vide. À Garden Heights, les gamins jouent dans la rue. Sekani les regarde, le nez collé à la vitre. Mais il ne joue jamais avec eux. La dernière fois qu'il l'a fait, les enfants du quartier l'ont traité de Blanc parce qu'il va à Williamson.

Jésus Noir nous accueille sur une fresque murale à la clinique. Il a des dreads, comme Seven. Ses bras s'étendent sur toute la largeur du mur, de gros nuages blancs flottent dans son dos. *Jesus Loves You*, nous rappelle un message inscrit au-dessus de lui en gros caractères.

Seven longe la fresque jusqu'au parking à l'arrière de la clinique. Il tape un code pour ouvrir le portail et se gare à côté de la Toyota de maman. Je prends le plateau avec les boissons et Seven se charge des repas. Sekani ne porte rien, comme d'habitude.

Je sonne à l'entrée de service et dis bonjour à la caméra. La porte s'ouvre sur un couloir blanc à l'odeur de désinfectant. On se voit dans le carrelage. On avance jusqu'à la salle d'attente. Quelques personnes regardent les infos ou lisent des magazines qui étaient déjà là quand j'étais petite. Un type hirsute s'aperçoit qu'on a de quoi manger, il se redresse et renifle bruyamment comme si c'était pour lui.

– Qu'est-ce que vous amenez là ? demande Felicia de l'accueil, en tendant le cou pour mieux voir.

Maman arrive de l'autre bout du couloir dans son uniforme jaune, derrière un petit garçon en larmes et sa mère. Le gamin a une sucette dans la bouche, sa récompense pour avoir survécu à une piqûre.

– Voilà mes bébés, dit maman en nous voyant. Et en plus, ils m'ont apporté à manger. Venez.

– Gardez-en-moi un peu ! lance Felicia dans notre dos.

Maman lui dit de se taire.

On sort le repas sur la table de la salle de pause. Maman va chercher des assiettes en carton et des couverts en plastique qu'elle garde dans un placard pour ce genre d'occasion. On dit le bénédicité et on s'attaque à nos assiettes.

Maman mange assise sur le comptoir.

– Mmm ! Tout à fait ce qu'il me fallait. Merci, Seven chéri. J'avais juste un paquet de chips dans le ventre aujourd'hui.

– T'as pas déjeuné ? s'étonne Sekani, la bouche pleine de riz cantonais.

Maman pointe sa fourchette vers lui.

– Qu'est-ce que je t'ai dit ? On ne parle pas la bouche pleine ! Et puis non, figure-toi, je n'ai pas mangé. J'avais une réunion à l'heure du déjeuner. Maintenant, racontez-moi les enfants. Comment était votre journée ?

C'est toujours Sekani qui parle le plus longtemps, parce

qu'il ne nous épargne aucun détail. Seven dit simplement que tout s'est bien passé. Je suis tout aussi peu bavarde avec mon « C'était bien. »

Maman avale une gorgée de son soda.

– Rien de spécial ?

J'ai fondu en larmes quand mon petit ami m'a touchée, mais :

– Non, rien.

Felicia apparaît dans l'encadrement de la porte.

– Lisa, désolée de te déranger, mais on a un souci à l'accueil.

– Je suis en pause, Felicia.

– Je le sais bien, qu'est-ce que tu crois ? Mais elle te demande. C'est Brenda.

La mère de Khalil.

Ma mère pose son assiette.

– Vous restez là, dit-elle en me regardant droit dans les yeux.

Sauf que je suis têtue. Je lui emboîte le pas jusqu'à la salle d'attente. Brenda est assise, la tête dans ses mains. Elle n'est pas coiffée et porte un chemisier blanc douteux, presque marron. Elle a des plaies et des croûtes sur les bras et les jambes, qui se voient d'autant plus qu'elle a la peau très claire.

Maman s'agenouille devant elle.

– Salut, Bren.

Brenda écarte les mains. Ses yeux rougis me rappellent ce que Khalil disait quand on était petits : que sa maman s'était transformée en dragon. Il jurait qu'un jour il deviendrait chevalier et qu'il la sauverait.

C'est complètement dingue qu'il soit devenu dealer. Je pensais que le chagrin l'en aurait empêché.

– Mon bébé… Lisa, mon bébé…

Maman prend les mains de Brenda entre les siennes et les caresse, sans se soucier de leur sale apparence.

– Je sais, Bren.

– Ils ont tué mon bébé.

– Je sais.

– Ils l'ont tué.

– Je sais.

– Seigneur Jésus ! s'exclame Felicia depuis la porte.

À côté d'elle, Seven pose un bras sur les épaules de Sekani. Des patients dans la salle d'attente secouent la tête.

– Il faut que tu décroches, Bren, dit maman. C'est ce qu'il voulait.

– Je peux pas. Mon bébé est plus là…

– Bien sûr que si, tu peux. Tu as Cameron et il a besoin de toi. Ta mère a besoin de toi.

Khalil aussi avait besoin de toi, j'ai envie de lui dire. Il t'a attendue, il t'a appelée. Mais t'étais où ? Tu n'as pas le droit de pleurer maintenant. Nan nan. C'est trop tard.

Mais elle sanglote toujours. Elle se balance d'avant en arrière et elle sanglote.

– Tammy et moi, on peut te trouver de l'aide, Bren, dit maman. Mais faut vraiment le vouloir, cette fois.

– Je veux plus vivre comme ça.

– Je sais.

Maman fait signe à Felicia d'approcher et lui tend son téléphone.

– Cherche le numéro de Tammy Harris dans mes contacts.

Appelle-la pour lui dire que sa sœur est ici. Bren, depuis quand tu n'as pas mangé ?

– Je sais pas. Je… mon bébé…

Maman se redresse et frotte l'épaule de Brenda.

– Je vais te chercher quelque chose à manger.

De nouveau, j'emboîte le pas à maman. Elle a l'air pressée, pourtant elle passe devant nos restes sans s'arrêter dans la salle de pause et va s'appuyer contre le comptoir, sans un mot, la tête baissée. Elle me tourne le dos.

Tout ce que j'avais envie de dire dans la salle d'attente sort d'un coup, un bouillonnement de mots.

– Comment elle peut être triste comme ça ? Elle a jamais été là pour Khalil. Tu sais combien de fois il a pleuré à cause d'elle ? À ses anniversaires, à Noël, et tout ? Pourquoi elle pleure maintenant ?

– Starr, s'il te plaît.

– Elle s'est jamais comportée comme une mère avec lui ! Et maintenant, tout d'un coup, c'est son bébé ? Non mais sérieux !

Maman frappe violemment du plat de la main sur le comptoir. Je sursaute.

– Tais-toi, crie-t-elle.

Elle se retourne, les joues trempées de larmes.

– Ce n'était pas juste un copain pour elle. C'était son fils, tu m'entends ? Son fils ! (Sa voix se fêle.) Elle l'a porté dans son ventre, elle lui a donné le jour. Tu n'as pas le droit de la juger.

J'ai la bouche sèche tout d'un coup.

– Je…

Maman ferme les yeux. Elle se masse le front.

– Je suis désolée. Prépare-lui une assiette, mon bébé, d'accord ? Prépare-lui une assiette.

J'y mets un peu de tout, et même un peu plus de chaque truc. Je l'emmène à Brenda. Elle marmonne quelque chose qui ressemble à un merci et je comprends tout d'un coup que maman a raison. Brenda est la mère de Khalil. Peu importe ce qu'elle a fait.

SIX

Maman et moi arrivons au commissariat à quatre heures pile.

Une poignée de flics parlent au téléphone, tapent sur des claviers, d'autres sont debout. La scène classique, comme dans *New York, Police judiciaire,* mais j'ai du mal à respirer. Je me mets à compter : un. Deux. Trois. Quatre. Vers douze, je m'y perds, parce que je ne vois plus que les flingues dans leurs étuis.

Tout ce monde. Et nous deux.

Maman me serre les doigts.

– Respire.

Je ne m'étais pas rendu compte que je lui tenais la main.

Je prends une grande inspiration, puis une autre, et elle les accompagne d'un mouvement du menton.

– C'est bien. Tout va bien. On va bien.

Oncle Carlos vient nous trouver. Puis maman et lui me conduisent à son bureau. Je m'assieds. Je sens des yeux posés sur moi. Ma poitrine se serre encore un peu plus. Oncle Carlos me tend une bouteille d'eau glacée. Maman la lève à hauteur de ma bouche.

Je bois de lentes gorgées et détaille ce qui se trouve sur le bureau d'oncle Carlos pour ne pas croiser les regards curieux des autres agents. Il a presque autant de photos de moi et de Sekani que de ses propres enfants.

– Je la ramène à la maison, lui dit maman. Pas question de lui faire endurer ça aujourd'hui, elle n'est pas prête.

– Je comprends, mais il va bien falloir qu'elle leur parle, Lisa. Elle est un élément capital de cette enquête.

Maman soupire.

– Carlos…

– Je comprends, dit-il, en baissant sensiblement le ton. Crois-moi, je comprends. Mais malheureusement, si on veut que cette enquête soit bien faite, elle doit leur parler. Peut-être pas aujourd'hui, mais un autre jour.

Un jour de plus à attendre, à me demander ce qui va se passer.

Je ne pourrai pas.

– Je veux le faire aujourd'hui, je marmonne. Je veux m'en débarrasser.

Ils se tournent vers moi, comme s'ils venaient juste de se rappeler ma présence.

Oncle Carlos s'agenouille devant moi.

– T'es sûre ?

Avant de perdre courage, je fais signe que oui.

– D'accord, dit maman. Mais je l'accompagne.

– Aucun problème, répond oncle Carlos.

– Même si c'était un problème, ça ne changerait rien. (Elle me regarde.) Elle ne fera pas ça sans moi.

Ces mots valent tous les câlins du monde.

Un bras sur mes épaules, oncle Carlos m'emmène dans une petite salle meublée seulement d'une table et de quelques chaises. Une clim invisible ronfle bruyamment quelque part et crache un air glacial dans la pièce.

– Bon, fait oncle Carlos. Je serai dehors, d'accord ?

– D'accord, je réponds.

Il m'embrasse sur le front deux fois du bout des lèvres, comme d'habitude. Maman me prend la main et ses doigts qui serrent les miens me disent tout ce qu'elle ne dit pas de vive voix : *je suis là.*

On s'installe à la table. Maman me tient toujours la main à l'arrivée des deux inspecteurs – un Blanc, jeune, cheveux noirs gominés, et une Latino avec des rides autour de la bouche et une coupe courte. Tous les deux ont un flingue à la ceinture.

Garde tes mains en évidence.

Pas de mouvement brusque.

Ne parle que si on te pose une question.

– Starr, madame Carter, dit la femme en tendant la main. Bonjour, je suis l'inspectrice Gomez et voici mon coéquipier, l'inspecteur Wilkes.

Je lâche la main de ma mère pour serrer la leur.

– Bonjour.

Ma voix a déjà changé. C'est toujours ce qui se passe quand je suis avec « d'autres gens », à Williamson ou ailleurs. Je ne parle plus pareil, je n'ai plus la même voix. Je fais attention à chaque mot, à la façon dont je les prononce. Hors de question que quelqu'un puisse se dire que je viens du ghetto.

– C'est un plaisir de vous rencontrer toutes les deux, dit Wilkes.

– Vu les circonstances, « plaisir » est mal choisi, rétorque maman.

– Ce qu'il veut dire, explique Gomez, c'est qu'on a déjà tellement entendu parler de vous, Carlos nous répète si souvent qu'il a une famille formidable qu'on a l'impression de déjà vous connaître.

Encore une qui en fait trop.

– Asseyons-nous.

Gomez désigne une chaise et tous les deux s'installent en face de nous.

– Pour votre information, cette conversation est enregistrée, mais c'est simplement pour qu'on ait la déposition de Starr au dossier.

– D'accord, je dis.

Et voilà, j'ai remis ça : guillerette et tout et tout. La vraie moi n'est jamais guillerette.

L'inspectrice Gomez indique le jour et l'heure à voix haute, puis le nom des présents, avant de nous rappeler que nous sommes enregistrés. Wilkes griffonne quelque chose dans son carnet. Maman me frotte le dos. L'espace d'un instant, on n'entend plus que la mine du crayon sur le papier.

– Bien, allons-y.

Gomez bouge un peu sur sa chaise et sourit, creusant les rides autour de sa bouche.

– Ne t'inquiète pas, Starr. Tu n'as rien fait de mal. On veut simplement savoir ce qui s'est passé.

Je sais que je n'ai rien fait de mal, je me dis, mais c'est un « oui, madame » qui sort à la place.

– Tu as seize ans, c'est ça ?

– Oui, madame.

– Tu connaissais Khalil depuis combien de temps ?

– Depuis mes trois ans. Sa grand-mère me gardait.

– Ah ouiii, elle dit, comme un prof, en étirant le mot. C'est beaucoup. Tu peux nous raconter ce qui s'est passé le soir de l'incident ?

– Le soir où il a été tué ?

Merde.

Le sourire de Gomez s'éteint, les rides autour de sa bouche sont moins creusées tout d'un coup, mais elle répond :

– La nuit de l'incident, oui. Commence où tu veux.

Je jette un regard à maman. D'un signe de tête, elle m'invite à me lancer.

– Ma copine Kenya et moi sommes allées à une soirée chez un garçon qui s'appelle Darius, je commence.

Tap, tap, tap. Je tapote sur la table.

Stop. *Pas de geste brusque*.

Je pose mes mains à plat sur la table, bien en évidence.

– Il en organise une chaque année pour Spring Break. Khalil m'a vue et il est venu me dire bonjour.

– Tu sais pourquoi il était là ? demande Gomez.

Pourquoi les gens vont à une fête ? Ben pour... faire la fête.

– Pour s'amuser, j'imagine. On a discuté de ce qui se passait dans nos vies.

– De quoi par exemple ?

– Sa grand-mère a un cancer. Je n'étais pas au courant avant qu'il m'en parle ce soir-là.

– Je vois, dit Gomez. Et après ?

– Il y a eu des coups de feu, alors on est partis tous les deux à sa voiture.

– Khalil n'avait rien à voir avec les coups de feu ?

Je hausse un sourcil.

– Nan.

Oups. Un langage correct, on a dit.

Je redresse le dos.

– Je veux dire, non, madame. On était en train de discuter quand ça a commencé.

– D'accord, donc vous êtes partis tous les deux. Vous comptiez aller où ?

– Il m'a proposé de me raccompagner chez moi ou à l'épicerie de mon père. Cent-Quinze nous a contrôlés avant qu'on ait eu le temps de décider.

– Qui ? demande-t-elle.

– L'agent, c'est son matricule, je lui dis. Je l'ai retenu.

Wilkes note.

– Je vois, dit Gomez. Tu peux me raconter ce qui s'est passé ensuite ?

Je crois que jamais je ne l'oublierai, mais le raconter à voix haute, c'est différent. Et difficile.

Mes yeux picotent. Je cligne des paupières, le regard sur la table.

Maman me frotte toujours le dos.

– Lève les yeux, Starr, dit-elle.

C'est un truc de mes parents : ils refusent absolument que mes frères ou moi parlions à quelqu'un sans le regarder dans les yeux. Ils disent qu'un regard en dit toujours plus long que des mots, et que ça marche dans les deux sens : si on dit à quelqu'un ce qu'on pense en le regardant dans les yeux, on lui donne peu de raisons de douter.

Je fixe Gomez.

– Khalil s'est garé sur le bas-côté et il a coupé le contact, je dis. Cent-Quinze a mis ses pleins phares. Il s'est approché de la portière et il a demandé à Khalil son permis et les papiers de la voiture.

– Khalil a fait ce qu'on lui demandait ? demande Gomez.

– Il a demandé à l'agent pourquoi il nous contrôlait. Puis il lui a tendu son permis et les papiers.

– Khalil avait-il l'air furieux pendant cet échange ?

– Agacé, pas furieux, je dis. Il avait l'impression que le flic le harcelait.

– Il te l'a dit ?

– Non, mais ça se voyait. Moi aussi, je me disais ça.

Merde.

Gomez se penche vers moi. Elle a du rouge à lèvres bordeaux sur les dents, et son haleine sent le café.

– Et pourquoi ça ?

Respire.

Il ne fait pas chaud. C'est toi qui es nerveuse.

– Parce qu'on ne faisait rien de mal, je dis. Khalil ne roulait pas trop vite et il conduisait prudemment. On ne voyait pas la raison qu'il avait de nous contrôler.

– Je vois. Continue.

– L'agent a forcé Khalil à sortir de la voiture.

– Il l'a… *forcé* ? dit-elle.

– Oui, madame. Il l'a tiré dehors.

– Parce que Khalil hésitait, c'est ça ?

Maman fait un bruit avec sa gorge, comme si elle ravalait quelque chose qu'elle allait dire. Elle se pince les lèvres et sa main décrit des cercles dans mon dos.

Je me souviens de ce qu'a dit papa. *Ne les laisse pas te dicter ton texte.*

– Non, madame, je dis à Gomez. Il était en train de sortir et l'agent l'a tiré quand même.

Elle redit « je vois », mais je sais que comme elle n'a pas vu, elle ne me croit pas.

– Et ensuite ? elle demande.

– L'agent l'a fouillé, trois fois.

– Trois ?

Ouais, j'ai compté.

– Oui, madame. Il n'a rien trouvé. Puis il a dit à Khalil de ne pas bouger pendant qu'il allait vérifier son permis et les papiers de la voiture.

– Mais Khalil a bougé, c'est ça ?

– Sauf que c'est pas lui qui a appuyé sur la gâchette.

Merde ! Putain de grande gueule.

Les inspecteurs se regardent. Un moment de conversation silencieuse.

Les murs se rapprochent. Je me sens oppressée. Je tire sur le col de mon chemisier.

– Je crois que ce sera tout pour aujourd'hui, dit maman.

Elle commence à se relever en me prenant la main.

– Mais nous n'avons pas terminé, madame Carter.

– Ça m'est égal.

– Maman. (Elle baisse le regard vers moi). C'est bon, je peux continuer.

Elle les fusille du regard comme elle le fait avec mes frères et moi quand on a dépassé les bornes. Puis se rassied mais sans me lâcher la main.

– Bon, fait Gomez. Donc, il a fouillé Khalil et lui a dit qu'il allait vérifier ses papiers. Et ?

– Khalil a ouvert la portière côté passager et…

Pow !

Pow !

Pow !

Du sang.

Des larmes coulent le long de mes joues. Je les essuie avec le bras.

– L'agent l'a tué.

– As-tu… commence Gomez, mais maman pointe un doigt sur elle.

– Vous lui laissez une seconde, s'il vous plaît ? demande-t-elle.

Ça ressemble plus à un ordre qu'à une question.

Gomez se tait. Wilkes continue à griffonner.

Ma mère essuie mes larmes à ma place.

– Tu leur dis quand tu es prête, glisse-t-elle.

J'avale la boule dans ma gorge et, d'un signe du menton, je fais signe aux inspecteurs de continuer.

– D'accord, dit Gomez en prenant une grande inspiration. Tu sais pourquoi Khalil s'est approché de la portière, Starr ?

– Pour me demander si j'allais bien, je crois.

– Tu crois ?

Je ne suis pas télépathe.

– Oui, madame. Il a commencé à me le demander mais il n'a pas eu le temps de finir parce que l'agent lui a tiré dans le dos.

D'autres larmes salées me tombent sur les lèvres.

Gomez se penche.

– Nous voulons tous aller au fond des choses, Starr. Nous apprécions ta coopération. Je comprends que ce soit dur.

J'essuie de nouveau mes larmes avec le bras.

– Ouais.

– Ouais, dit-elle en souriant avant de continuer, avec la même voix mielleuse et bienveillante. Et tu sais si Khalil vendait des stupéfiants ?

Pause.

C'est quoi ce délire, putain ?

Je ne pleure plus. Je ne déconne pas : toutes mes larmes sèchent illico. Ma mère ne me laisse pas le temps de répondre.

– C'est quoi le rapport ? demande-t-elle.

– Simple question, répond Gomez. Alors, Starr, es-tu au courant de quelque chose ?

Toute cette bienveillance, les sourires, la compréhension. Cette meuf me tendait un piège.

Elle enquête ou elle cherche une excuse ?

Je connais la réponse à sa question. Je l'avais déjà devinée quand j'ai croisé Khalil à la soirée : avant, il n'avait jamais de nouvelles chaussures, ni de bijoux – sauf ses petites chaînes à quatre-vingt-dix-neuf cents, mais ça ne compte pas. Mme Rosalie n'a fait que le confirmer.

Mais qu'est-ce que ça a à voir avec son meurtre ? C'est censé le justifier ?

Gomez penche la tête sur le côté.

– Starr ? Tu peux me répondre s'il te plaît ?

Je refuse de les aider à mieux vivre le fait qu'ils ont tué mon pote.

Je me redresse, je regarde Gomez droit dans les yeux, et je dis :

– Je ne l'ai jamais vu dealer ou se droguer.

– Mais sais-tu s'il dealait ? insiste-t-elle.

– Il ne m'a jamais parlé de ça.

Ce qui est vrai. Khalil ne me l'a jamais dit franchement.

– Et tu ne sais rien à ce sujet ?

– J'ai entendu des trucs.

Vrai. Ça aussi.

Elle soupire.

– Je vois. Sais-tu s'il était lié aux King Lords ?

– Non.

– Aux Garden Disciples ?

– Non.

– Tu avais consommé de l'alcool à cette soirée ?

Je connais ce stratagème, je l'ai vu dans *New York, Unité spéciale*. Elle essaie de me discréditer.

– Non, je ne bois pas.

– Et Khalil ?

– Wow, minute, là, intervient maman. C'est Khalil et Starr que vous inculpez, ou le flic qui a tué Khalil ?

Wilkes décolle les yeux de ses notes.

– Je… je ne suis pas sûre de comprendre, madame Carter, bafouille Gomez.

– Vous n'avez encore rien demandé à ma fille sur ce flic. Vous lui posez plein de questions sur Khalil, comme s'il était responsable de ce qui lui est arrivé. Comme elle vous l'a dit, ce n'est pas lui qui a appuyé sur la détente.

– Nous voulons avoir une idée globale de la situation, madame Carter. C'est tout.

– Cent-Quinze l'a tué, je dis. Et Khalil ne faisait rien de mal. Qu'est-ce que vous voulez de plus ?

Un quart d'heure plus tard, je sors du commissariat avec ma mère et on le sait, toutes les deux : ça va être du grand n'importe quoi.

SEPT

L'enterrement de Khalil a lieu vendredi. Demain. Exactement une semaine après sa mort.

Je suis au lycée, j'essaie de ne pas penser à la tête qu'il aura dans le cercueil, aux gens qui viendront, à la tête qu'il aura dans le cercueil, si ça se saura que j'étais avec lui quand il est mort… à la tête qu'il aura dans le cercueil.

Je n'y arrive pas.

Ils ont fini par donner le nom de Khalil aux infos lundi soir, quand ils ont parlé de la fusillade, mais en lui ajoutant un titre : Khalil Harris, dealer présumé. Ils n'ont pas dit qu'il n'était pas armé. Ils ont précisé en revanche qu'un « témoin » avait été entendu par la police et que l'enquête était en cours.

Après ce que j'ai raconté aux flics, je ne vois pas trop ce qu'il reste à mener comme enquête.

Au gymnase, tout le monde a enfilé son short bleu et son tee-shirt or aux couleurs de Williamson, mais le cours n'a pas encore commencé. Pour tuer le temps, des filles ont défié des mecs à un match de basket. Ils jouent à un bout de la salle, le plancher crisse à chacun de leurs mouvements. Les filles geignent des « Arrêêêête ! » quand les mecs se mettent en travers de leur chemin. Le flirt *Williamson-style.*

Hailey, Maya et moi, on est dans les gradins à l'autre bout. Sur le terrain, des gars sont soi-disant en train de danser, d'apprendre leurs pas pour le bal de fin d'année. Je dis « soi-disant » parce que c'est impossible d'appeler ça de la danse. Ryan, le petit ami de Maya, est le seul à s'en rapprocher un peu, pourtant tout ce qu'il fait c'est dabber – c'est sa signature de star. Comme il est balèze – il joue au football américain –, ce geste a quelque chose de comique. Mais être le seul Noir de la classe a ses avantages à Williamson : on peut avoir l'air con et cool à la fois.

Chris, sur le gradin du bas, a mis un de ses mix sur son téléphone pour les accompagner. Il se retourne et jette un regard vers moi.

J'ai deux gardes du corps qui ne le laisseront pas approcher : Maya d'un côté, qui encourage Ryan, et Hailey, qui se marre en filmant Luke en train de faire le pitre. Elles lui en veulent toujours.

Honnêtement, pas moi. Il a fait le con mais le générique du *Prince de Bel-Air* et l'enthousiasme qu'il a mis à se ridiculiser m'ont bien aidée à lui pardonner.

Quand il m'a pris la main, pourtant, ça m'a ramenée illico à cette nuit fatale. Comme si tout d'un coup, je venais *vraiment* de réaliser que Chris était blanc. Blanc comme Cent-Quinze. Mes meilleures copines, assises en ce moment même à côté de moi, sont blanches elles aussi, je sais, mais en sortant avec un Blanc, j'ai l'impression de faire un méga doigt d'honneur à Khalil, mon père, Seven et tous les autres Noirs de ma vie.

Ce n'est pas Chris qui nous a contrôlés dans la voiture, ce n'est pas lui qui a tiré sur Khalil, mais est-ce que je suis en train de me trahir en sortant avec lui ?

Il faut que je trouve la réponse.

– Oh mon Dieu, c'est écœurant, s'insurge Hailey. (Elle a rangé son portable pour regarder le match.) Les filles n'essaient même pas de marquer !

C'est clair. Le ballon vole au-dessus du panier, lancé par Bridget Holloway. Soit la meuf a un problème de coordination, soit elle a fait exprès de rater son coup, parce que maintenant Jackson Reynolds est en train de lui montrer comment tirer. Il est à moitié sur elle. Et torse nu.

– Je ne sais pas ce qui est le pire, dit Hailey. Que les mecs les ménagent parce que c'est des filles, ou que les filles se laissent traiter comme ça.

– Tous unis pour l'égalité au basket ! Hein, Hails ? fait Maya avec un clin d'œil.

– Mais grave ! (Elle jette à Maya un regard suspicieux.) Attends, tu te fous de moi ou t'es sérieuse ?

– Les deux, je réponds à sa place.

Les coudes posés sur les cuisses, j'ai le ventre qui sort de mon tee-shirt : on dirait que je suis enceinte. On vient de manger et il y avait des beignets de poulet à la cafète, un des rares plats traditionnels noirs qu'ils savent préparer à Williamson.

– Détends-toi, Hails, c'est même pas un vrai match.

– Non, confirme Maya en me tapotant le ventre. Mais dis donc, c'est pour quand ?

– Le même jour que toi.

– Cool ! On pourra élever nos bébés-bouffe ensemble, comme des frères et sœurs alors !

– Ouais, hein ? Le mien s'appellera Fernando.

– Pourquoi Fernando ? demande Maya.

– Je sais pas. Je trouve que ça sonne bien pour un bébé-bouffe. Surtout si tu roules le *r*.

– Je sais pas rouler les *r*.

Elle essaie, mais c'est un sale bruit qui sort à la place, plein de postillons, et j'éclate de rire.

Hailey montre le terrain.

– Regardez ça ! Les mecs qui nous font croire qu'on « joue comme des filles », histoire de nous rabaisser alors qu'on assure autant qu'eux.

Mince alors, elle est vraiment en colère.

– Allez, panier, là ! braille-t-elle aux filles.

Maya croise discrètement mon regard, une étincelle dans les yeux. Et aussitôt, nous revoilà dans la cour du collège, avec la chanson de Zac Efron, dans *High School Musical*, trop parfaite pour cette scène :

– « *And don't be afraid to shoot the outside J* », crie Maya. N'ayez pas peur de marquer un panier à trois points !

– « *Just get'cha head in the game !* je renchéris. *Just keep ya head in the game.* » Concentrez-vous un peu, restez focalisées sur le jeu !

– « *And don't be afraid to shoot the outside J* », recommence Maya, avec la mélodie cette fois.

– « *Just get'cha head in the game* », j'entonne à mon tour.

Ça va me rester dans la tête pendant des jours. Ces films étaient une obsession à peu près à la même époque que les Jonas Brothers. Disney a mis nos parents sur la paille.

On le chante de plus en plus fort maintenant. Hailey essaie de nous fusiller du regard. Elle renifle.

– Allez ! dit-elle en se levant et en nous tirant par le bras. *Get'cha head in THIS game* – c'est sur CE jeu qu'il faut se concentrer, les filles.

Je me dis : *Oh, donc t'as le droit de me traîner sur un terrain de basket pendant un de tes accès de féminisme, mais t'es pas capable de me suivre sur Tumblr à cause d'Emmett Till ?* Je ne sais pas ce qui m'empêche d'aborder le sujet à voix haute. Ce n'est que Tumblr, après tout.

En même temps, c'est Tumblr.

– Eh ! lance Hailey. On veut jouer, nous !

– Non, elle déconne, marmonne Maya.

Hailey lui flanque un petit coup de coude dans les côtes.

Moi non plus, je ne veux pas jouer, mais sans qu'on sache trop pourquoi, c'est Hailey qui prend les décisions et nous, on suit. On n'a pas cherché à fonctionner comme ça, toutes les trois. C'est arrivé, c'est tout. Les choses se font sans qu'on s'en rende compte et puis un jour on se réveille et on s'aperçoit qu'il y a une chef dans la bande et que ce n'est pas nous.

– Avec joie, mesdames ! répond Jackson en nous faisant signe de les rejoindre sur le terrain. Il y a toujours de la place pour des jolies filles. On essaiera de ne pas vous blesser.

Hailey me regarde, je la regarde, et on reste toutes les deux de marbre, comme on sait si bien le faire depuis le CM2 : la bouche à peine entrouverte, prêtes à rouler des yeux.

– D'accord, je souffle. C'est parti.

– Trois contre trois, annonce Hailey pendant qu'on se met en position. Les filles contre les garçons. Sur un demi-terrain. Les premiers qui arrivent à vingt. Pardon les filles, mais, mes copines et moi, on s'occupe de ce match-là, d'accord ?

Avant de se retirer en touche avec ses copines, Bridget jette un regard de tueuse à Hailey.

Les danseurs s'interrompent et approchent, Chris inclus. Il chuchote un truc à Tyler, un des mecs qui ont joué dans le match précédent, et prend sa place sur le terrain.

Jackson lance le ballon à Hailey pour engager. Je contourne Garrett qui me bloque et elle me fait la passe. Peu importent les circonstances, quand Hailey, Maya et moi jouons ensemble, c'est le rythme, l'alchimie et le talent combinés en un seul jeu prodigieux.

Garrett me pare, mais Chris accourt et le pousse d'un coup de coude.

– Putain, Bryant, c'est quoi ce délire ? lance Garrett.

– Je m'en charge, dit Chris.

Il se met en position défensive. Et, mon regard planté dans le sien, je commence à dribbler.

– Salut, toi, il dit.

– Salut.

Je fais une passe poitrine à Maya, qui a le champ libre pour un tir en suspension.

Dans le mille.

Deux à zéro.

– Beau boulot, Yang, lance Coach Meyers.

Elle vient de sortir de son bureau. Il suffit que ça ressemble de loin à un vrai match pour qu'elle se mette en mode coach. Elle me fait penser à une prof de fitness dans une émission de télé. Minuscule mais musclée, elle sait grave donner de la voix.

Garrett est sur la ligne de fond avec le ballon.

Chris se met à courir pour créer une ouverture. L'estomac plein, il faut que je fournisse un effort supplémentaire pour ne pas me laisser distancer. On est hanche contre hanche, en train de regarder Garrett essayer de choisir à qui faire la passe. Nos bras se frôlent et quelque chose en moi se réveille. Soudain, tous mes sens s'enflamment. Ses jambes sont tellement belles dans son short. Il porte du Old Spice et même si je l'ai à peine effleuré, j'ai senti la douceur de sa peau.

– Tu me manques, il me dit.

Inutile de mentir.

– Toi aussi, je réponds.

Le ballon vole vers lui. Chris l'attrape. C'est moi qui suis en position défensive maintenant et, de nouveau, on se regarde droit dans les yeux quand il se met à dribbler. Mon regard glisse vers ses lèvres un peu humides, qui me supplient de les embrasser. C'est exactement pour ça que je ne peux pas disputer un match contre lui. Je me déconcentre trop vite.

– Tu veux pas au moins me parler ? demande Chris.

– Carter, ta défense ! crie Coach Meyers.

Je me concentre sur le ballon et essaie de le lui voler. Pas assez rapide. Il me contourne et vise le panier, pour finalement faire la passe à Jackson, seul sur la ligne des trois points.

– Grant ! crie Coach Meyers à Hailey.

Hailey se précipite. Du bout des doigts, elle frôle le ballon au moment où il quitte la main de Jackson et le dévie.

Le ballon s'envole. Je me mets à courir. Je l'attrape.

Chris est derrière moi, seul obstacle avant le panier. Pour que les choses soient claires : j'ai le cul contre son entrejambe, le dos contre son torse. Je me cogne à lui, en essayant de trouver dans sa garde un trou dans lequel je pourrais me glisser pour tirer mon coup. Dit comme ça, ça a l'air beaucoup plus cochon que ça n'est, surtout dans cette position. Mais je comprends maintenant pourquoi Bridget a raté des tirs.

– Starr ! crie Hailey.

Elle est seule sur la ligne des trois points. Je lui fais une passe rebond.

Elle tire. Ça rentre.

Cinq à zéro.

– Alors les gars ? se moque Maya. C'est tout ce que vous savez faire ?

Coach Meyers applaudit.

– Beau boulot !

Jackson est à l'engagement. Il envoie à Chris. Chris lui refait une passe poitrine.

– Je pige pas, me dit Chris. T'as pété un plomb l'autre jour dans le couloir. Qu'est-ce que t'as ?

Garrett fait la passe à Chris. Je défends, les yeux sur le

ballon. Pas sur Chris. Je ne peux pas le regarder. Mes yeux me trahiraient.

– Parle-moi, dit-il.

J'essaie de nouveau de lui voler le ballon. Pas de pot.

– Joue, je dis.

Chris part vers la gauche, change brusquement de direction et file à droite. J'essaie de rester sur lui, mais mon ventre plein me ralentit. Il arrive au panier et marque.

Cinq à deux.

– Merde, Starr ! crie Hailey, en récupérant le ballon.

Elle me fait la passe.

– Bouge-toi ! Imagine que le ballon est un beignet de poulet. Je parie que ça t'aidera.

What.

The.

Fuck.

Le monde continue sa course sans moi. Je tiens le ballon et fixe Hailey qui s'éloigne au petit trot, ses mèches de cheveux bleus rebondissant derrière elle.

Je n'arrive pas à croire qu'elle ait dit… Elle ne peut pas avoir… Impossible.

Je lâche le ballon. Je quitte le terrain. J'ai la respiration courte, mes yeux me brûlent.

Une sale odeur de transpiration plane dans les vestiaires des filles. C'est là que je me réfugie pour trouver du réconfort quand on perd un match, là je peux pester ou pleurer si ça me chante.

Je fais les cent pas dans la pièce.

Hailey et Maya entrent comme des ouragans, hors d'haleine.

– Qu'est-ce qui t'as pris ? me demande Hailey.

– À moi ? je lance d'une voix forte qui va résonner contre les casiers. C'était quoi cette question de merde ?

– Oh, détends-toi ! C'était rien, juste une boutade qu'on se balance sur le terrain.

– Une blague sur les beignets de poulet ? Juste une boutade qu'on se balance sur le terrain ? Sérieux ?

– C'est le jour des beignets de poulet ! répond-elle. Maya et toi, vous veniez juste de faire des blagues là-dessus. Qu'est-ce que tu sous-entends ?

Je continue à faire les cent pas.

Elle écarquille les yeux.

– Oh mon Dieu. Tu crois que c'était raciste ?

Je la regarde.

– T'as fait une blague sur les beignets de poulet à la seule Noire à la ronde. Tu crois quoi ?

– Putain, Starr ? T'es sérieuse, là ? Après tout ce qu'on a traversé, tu me crois raciste ? Pour de vrai ?

– Tu peux dire un truc raciste sans *être* raciste !

– Mais qu'est-ce qui t'arrive, Starr ? demande Maya.

– Pourquoi tout le monde me pose cette question ? je réponds, énervée.

– Parce que t'es grave bizarre en ce moment ! rétorque Hailey sur le même ton.

Elle me regarde et demande :

– Ça aurait pas quelque chose à voir avec ce dealer descendu par la police dans ton quartier ?

– Qu…quoi ?

– J'en ai entendu parler, dit-elle. Et je sais que t'es dans ce genre de truc maintenant…

Ce genre de truc ? Quel « genre de truc », putain ?

– Et puis ils ont dit que le dealer s'appelait Khalil, elle ajoute avant d'échanger un regard avec Maya.

– On voulait te demander si c'était le Khalil qui venait à tes anniversaires, enchaîne Maya. Mais on ne savait pas comment.

Le dealer. C'est comme ça qu'elles le voient. Peu importe s'il est présumé innocent. Le mot « présumé » ne claquera jamais autant que « dealer. »

Si ça se sait que j'étais dans la voiture, je serai quoi du coup moi ? La *badgirl* du ghetto qui traîne avec le dealer ? Et mes profs ? Mes potes ? Et peut-être même le reste du monde… ils vont penser quoi ?

– Je…

Je ferme les yeux. Khalil fixe le ciel.

« *Pense à toi, Starr* », me dit-il.

Je déglutis et je murmure :

– Je ne connais pas ce Khalil.

Trahison. Pire que de sortir avec un Blanc. Je viens de le renier, putain, ce qui revient presque à effacer tous nos éclats de rire, nos embrassades, nos larmes, la moindre seconde qu'on a passée ensemble. Un million de « pardon » résonnent dans ma tête, et j'espère que Khalil les entend de là où il est, même si ça ne sera jamais assez.

Mais il fallait que je le fasse. Il le fallait.

– Alors c'est quoi ? demande Hailey. C'est l'anniversaire de la mort de Natasha ou quelque chose ?

Je fixe le plafond et cligne des yeux à toute vitesse pour ne pas hurler. À part mes frères et les profs, Hailey et Maya sont les deux seules de Williamson à savoir pour Natasha. Je ne veux pas de leur pitié.

– C'était l'anniversaire de la mort de ma mère il n'y a pas longtemps, dit Hailey. Je me suis sentie mal pendant des jours. Je comprends que ça te plombe, mais m'accuser d'être raciste, Starr ? Je comprends même pas comment t'as pu.

Je cligne encore plus des yeux. Putain, je la repousse, je repousse Chris. Est-ce que je les mérite ? Je ne parle jamais de Natasha, je viens carrément de renier Khalil. Ça aurait pu être moi, la morte, au lieu d'eux. Je suis censée être leur meilleure amie et je n'ai pas la décence de perpétuer leur mémoire.

Je plaque la main sur ma bouche. Ça ne suffit pas à retenir le sanglot qui va résonner contre les murs. Un autre le suit, puis un autre et encore un autre. Maya et Hailey me frottent le dos et les épaules.

Coach Meyers entre.

– Carter…

Hailey se tourne vers elle et dit :

– Natasha.

Coach acquiesce d'un lourd signe de tête.

– Carter, va voir Mme Lawrence.

Quoi ? Non. Elle m'envoie chez la psy ? Tous les profs sont au courant pour la pauvre Starr qui a vu mourir sa copine quand elle avait dix ans. Avant, je fondais en larmes sans arrêt et c'était toujours comme ça qu'ils réagissaient : va voir Mme Lawrence. J'essuie mes larmes.

– Je vais bien, Coach…

– Non.

Elle sort un badge d'accès de sa poche et me le tend.

– Va lui parler. Ça te soulagera.

Non, mais je sais ce qui peut m'aider par contre.

Je m'empare du badge, j'attrape mon sac à dos dans mon casier et je retourne au gymnase. Les autres me suivent des yeux jusqu'à la porte. Chris m'appelle. J'accélère.

Ils m'ont sans doute entendue pleurer. Génial. Qu'est-ce qui est pire qu'être la Noire en Colère ? Être la Petite Noire en Sucre.

Le temps d'arriver au bureau du proviseur, toutes mes larmes ont séché.

– Bonjour, mademoiselle Carter, dit M. Davis, le proviseur.

Il est sur le départ et s'éloigne sans attendre ma réponse. Est-ce qu'il connaît le nom de tous les élèves, ou juste de ceux qui sont noirs comme lui ? Je déteste voir que ce genre d'idée me traverse l'esprit maintenant.

Sa secrétaire, Mme Lindsey, m'accueille avec un sourire et me demande en quoi elle peut m'aider.

– Il faut que je téléphone pour qu'on vienne me chercher, je lui dis. Je ne me sens pas bien.

J'appelle oncle Carlos. Mes parents me poseraient trop de questions. Ils ne m'autoriseraient à manquer les cours que si j'avais perdu un bras ou une jambe. Avec oncle Carlos, il suffira de dire que j'ai mal au ventre.

Les problèmes de fille : la clé pour mettre un terme à un interrogatoire d'oncle Carlos.

Heureusement, il est en pause déjeuner. Il signe l'autorisation de sortie, pendant que je me tiens le ventre pour faire plus vrai. En chemin, il me demande si je veux une glace au yaourt. Comme je lui réponds oui, on s'arrête dans un magasin à deux pas du lycée. Un tout nouveau mini-centre commercial qui devrait s'appeler Le Paradis des Hipsters, plein de ces boutiques branchées qu'on ne trouve nulle part à Garden Heights. Le glacier est coincé entre un *Indie Urban Style* et une boutique de vêtements pour chiens, Le Chien Chic. Des vêtements. Pour les chiens. Quel genre de boloss je serais si je mettais une chemise en lin et un jean à Brickz ?

Plus sérieusement : les Blancs sont gagas avec leurs chiens.

On se sert une grande glace. Au comptoir des garnitures, oncle Carlos entonne un petit rap pour l'occasion.

– Je prends de la glace au ya-ourt, yo, yo, du yayo, wow !

Il adore ça. C'est plutôt mignon, en vrai. On prend un box dans un coin, avec une table vert citron et des sièges rose vif. Le décor typique de ce genre d'endroit.

Oncle Carlos jette un œil dans mon pot.

– Non ? Tu n'as quand même pas mis des Frosties sur ta glace ? Sacrilège !

– Tu peux parler ! je lui rétorque. Des Oreo ? Sérieux ? Et même pas les Oreo blancs, qui sont de loin les meilleurs. Juste les ordinaires. Dégueu.

Il en dévore une cuillerée et dit :

– Tu es bizarre.

– Non, c'est toi qui es bizarre.

– Alors, ce ventre ?

Merde. J'avais presque oublié. Je pose mes mains sous mon nombril et gémis.

– Ouais. J'ai trop mal aujourd'hui.

J'en connais une qui ne risque pas de décrocher un jour l'Oscar de la meilleure actrice. Oncle Carlos m'adresse son regard de flic sévère. Je gémis de nouveau. De manière un peu plus crédible, cette fois. Il hausse les sourcils.

Son téléphone sonne dans la poche de sa veste. Il enfourne une autre bouchée de yaourt et jette un œil sur l'écran.

– C'est ta mère qui me rappelle, dit-il, la cuillère toujours dans sa bouche.

Il cale le téléphone entre sa joue et son épaule.

– Salut Lisa, t'as eu mon message ?

Merde.

– Elle ne se sent pas bien, dit oncle Carlos. Elle a, tu sais, des trucs de fille.

J'entends la voix énervée de maman, étouffée par l'appareil.

Merde, merde, merde.

Oncle Carlos se prend la nuque et laisse échapper un lent soupir. Quand maman hausse le ton comme ça avec lui, on dirait un petit garçon, alors qu'il est censé être l'aîné.

– D'accord, d'accord. J'ai compris, dit-il. Tiens, tu n'as qu'à lui parler.

Merde, merde, merde.

Il me passe le bâton de dynamite qu'on appelait jusqu'ici

« téléphone ». Mon allô est aussitôt suivi d'une cascade de questions.

– Mal au ventre ? C'est vrai ?

– Oui, maman, je mens en gémissant.

– Starr, je suis allée en cours avec des contractions juste avant d'accoucher de toi, dit-elle. Williamson me coûte trop cher pour que je te laisse sortir juste pour un petit mal de ventre.

Je suis à deux doigts de lui faire remarquer que je bénéficie aussi d'une bourse, mais je me retiens. Elle deviendrait la première personne dans l'histoire à gifler quelqu'un par téléphone.

– Il s'est passé quelque chose ? demande-t-elle.

– Non.

– C'est Khalil ?

Je soupire. Demain à la même heure, je le regarderai allongé dans son cercueil.

– Starr ? dit-elle.

– Il ne s'est rien passé, non.

J'entends Felicia qui l'appelle.

– Bon, il faut que j'y aille. Carlos va te raccompagner. Ferme la porte à clé derrière toi, ne sors pas et ne laisse entrer personne, OK ?

Rien à voir avec un kit de survie en territoire zombie. Juste les instructions de base pour les enfants seuls chez eux à Garden Heights.

– Je peux laisser Seven et Sekani dehors ? je m'exclame. Cool !

– Ah tiens, on fait le pitre ? Au moins, maintenant, je sais que tu n'as mal nulle part. On en parlera plus tard. Je t'aime.

Elle me fait un bisou qui claque.

Ça exige un mental d'acier de s'énerver sur quelqu'un, de lui montrer qu'on n'est pas dupe de son petit jeu, puis de lui dire qu'on l'aime, tout ça en moins de cinq minutes. Je lui réponds que je l'aime aussi, avant de rendre son téléphone à oncle Carlos.

– D'accord, petite fille, dit-il. Crache le morceau.

Je me remplis la bouche de glace. Elle est déjà en train de fondre.

– Mon ventre, comme j'ai dit.

– Je ne te crois pas. Et que les choses soient claires : tu n'as droit qu'à une carte « oncle Carlos, viens me chercher » par an. Carte que tu es en train de gâcher maintenant.

– T'es déjà venu me chercher une fois en décembre, tu te souviens ?

Aussi parce que j'avais mal au ventre. Cette fois-là, je ne mentais pas. Douleur atroce.

– D'accord, une par année civile alors, précise-t-il.

Je souris.

– Mais faut que tu me donnes un peu plus de grain à moudre. Je suis tout ouïe.

Je remue les Frosties dans le pot.

– Demain, c'est l'enterrement de Khalil.

– Je sais.

– Je sais pas si je devrais y aller.

– Quoi ? Pourquoi ?

– Parce que ça faisait des mois que je l'avais pas vu quand on s'est croisés à la soirée.

– Tu devrais y aller quand même, me dit-il. Sinon, tu le regretteras. Moi aussi, j'ai songé à venir. Mais je ne suis pas sûr que ce soit une bonne idée, vu le contexte.

Silence.

– T'es vraiment copain avec ce flic ? je demande.

– Copain, non. Juste collègue.

– Mais tu l'appelles par son prénom, pas vrai ?

– Ouais.

Je fixe le fond de mon pot. D'une certaine façon, oncle Carlos a été mon premier père. Papa est parti en taule à peu près à l'époque où je me rendais compte que « maman » et « papa » n'étaient pas des prénoms mais des mots qui signifiaient quelque chose. Je parlais à papa toutes les semaines au téléphone, mais il refusait catégoriquement qu'on vienne lui rendre visite en prison, Seven et moi, si bien que je ne le voyais jamais.

Je voyais oncle Carlos, par contre. Il remplissait plus que son rôle. Un jour, je lui ai demandé si je pouvais l'appeler papa. Il m'a dit que non, parce que j'en avais déjà un, mais qu'être mon oncle était la meilleure chose qui pouvait lui arriver. Depuis « oncle » est presque aussi important pour moi que « papa. »

Mon oncle. Qui appelle ce flic par son prénom.

– Je ne sais pas quoi dire, petite fille, glisse-t-il d'une voix bourrue. J'aimerais pouvoir… je suis désolé de ce qui s'est passé. Vraiment.

– Pourquoi ils l'ont pas arrêté ?

– Les affaires comme ça, c'est compliqué.

– Pas si compliqué que ça, je réponds. Il a tué Khalil.

– Je sais, je sais, dit-il en s'essuyant le visage. Je sais.

– Tu l'aurais tué, toi ?

Il me regarde.

– Starr… je ne peux pas répondre à ça.

– Si, tu peux.

– Non. J'aimerais bien me convaincre que je n'aurais pas réagi pareil, mais c'est difficile à dire quand on n'est pas dans la situation, en train de ressentir ce que cet agent ressent…

– Il a braqué son flingue sur moi, je lâche.

– Quoi ?

Mes yeux me piquent grave.

– Pendant qu'on attendait l'arrivée des secours, je dis d'une voix tremblante. Il l'a gardé braqué sur moi jusqu'à ce que quelqu'un d'autre arrive. Comme si j'étais une menace. C'était pas moi qui étais armée, pourtant.

Oncle Carlos me dévisage longtemps.

– Petite fille…

Il me prend la main. La serre et vient s'asseoir de mon côté de la table. Il me colle contre lui et je fourre le nez contre sa poitrine. Mes larmes et ma morve mouillent son tee-shirt.

– Je suis désolé. Je suis désolé. Je suis désolé. (À chaque excuse, il m'embrasse les cheveux.) Mais ça ne suffit pas, je sais…

HUIT

Les enterrements, ce n'est pas pour les morts. C'est pour les vivants.

Je doute que Khalil en ait quelque chose à faire du choix des chansons et de ce que le pasteur dit sur lui. Il est dans un cercueil. Rien ne pourra changer ça.

Une demi-heure avant le début de la cérémonie, le parking de l'église du Temple du Christ est déjà plein. Des élèves du lycée de Khalil attendent devant avec l'inscription « RIP Khalil » sur leurs tee-shirts, assortie de sa photo. Un mec a essayé de nous en vendre hier, mais maman a dit qu'on n'en porterait pas aujourd'hui – les tee-shirts, c'est pour la rue, pas pour l'église.

Alors on est là, en train de descendre de la voiture en tenue du dimanche. Mes parents passent devant, main dans la main, et mes frères et moi leur emboîtons le pas. On fréquentait cette église quand j'étais petite, mais maman en a eu assez des gens qui pétaient plus haut que leur cul, si bien que maintenant on va à la messe à « l'église de la diversité » de Riverton Hills. Là-bas, l'église est bondée et un Blanc avec une guitare accompagne la prière et les chants. Ah… et le service dure moins d'une heure.

Revenir au Temple du Christ, c'est comme remettre les pieds dans son école primaire après le lycée. On se rend compte que cet endroit qui nous semblait si grand quand on était petit est en fait minuscule. Les gens s'entassent dans le petit vestibule à la moquette rouge groseille, meublé de deux grandes chaises bordeaux à dossier haut. Un jour où j'étais intenable, maman m'a amenée ici et m'a fait asseoir sur une de ces chaises, en m'ordonnant de me tenir tranquille jusqu'à la fin du service. J'ai obéi. J'aurais juré que le pasteur me surveillait depuis son portrait accroché au mur au-dessus de ma tête. Les années ont passé mais le tableau qui file la chair de poule n'a pas bougé.

Des gens font la queue pour signer un cahier de condoléances pour la famille de Khalil, et d'autres pour entrer dans l'église. Et le voir.

J'aperçois le cercueil blanc devant le chœur, mais je ne trouve pas le courage d'en voir davantage. Ça va finir par arriver, je sais, mais… je ne sais pas… je préfère attendre de ne plus avoir le choix.

Le pasteur Eldridge accueille les gens à l'entrée de la nef. Il porte une longue robe pastorale blanche ornée de croix dorées. Il sourit à tout le monde. Je ne sais pas pourquoi ils lui ont fait une tête aussi flippante sur le tableau. En vrai, il n'a rien de flippant.

Maman jette un regard par-dessus son épaule, comme pour

s'assurer que Seven, Sekani et moi sommes bien présentables, puis papa et elle s'approchent du pasteur.

– Bonjour, pasteur, dit-elle.

– Lisa ! Ça me fait tellement plaisir de vous voir. (Il l'embrasse sur la joue et serre la main de papa.) Vous aussi, Maverick. Vous nous manquez, ici.

– J'en doute pas, marmonne papa.

Une autre raison pour laquelle on est partis : papa trouvait qu'ils comptaient trop sur la générosité financière des gens. Mais il ne vient pas à l'autre église pour autant.

– Et voilà vos enfants, dit le pasteur.

Il serre la main de Seven et de Sekani et m'embrasse sur la joue. Je sens surtout les poils ras de sa moustache.

– Vous avez sacrément grandi. Je me souviens quand le petit dernier était encore une crevette emmaillotée dans une couverture. Comment va votre mère, Lisa ?

– Ça va. Les offices lui manquent, mais c'est un peu loin pour elle en voiture.

Je lui décoche un méchant regard en coin – *oups*, pardon, pas de méchanceté ici, on est dans une église. En vrai, si Grandma ne vient plus, c'est à cause d'une dispute avec la mère Wilson au sujet du diacre Rankin. Grandma a quitté le pique-nique de la paroisse comme une furie ce jour-là, sans même prendre le temps de finir le pudding à la banane qu'elle tenait dans sa main. C'est tout ce que je sais, par contre.

– Nous comprenons, dit le pasteur Eldridge. Dites-lui bien que nous prions pour elle.

Il me regarde avec un air de pitié que je connais trop bien.

– Rosalie m'a dit que tu étais avec Khalil le jour du drame. Quelle tristesse que tu aies dû assister à ça. Je suis désolé.

– Merci, je réponds.

C'est bizarre de dire ça, c'est comme si je volais à la famille de Khalil la pitié qui lui revient de droit.

Maman me prend par la main.

– On va aller s'asseoir. Ça m'a fait plaisir de vous revoir, pasteur.

Papa passe un bras autour de mes épaules et nous pénétrons tous les trois en même temps dans la grande salle.

J'ai les jambes qui tremblent et la nausée m'envahit, alors qu'on n'est même pas encore arrivés dans la queue qui mène au cercueil. Les gens qui s'en approchent par deux cachent complètement Khalil.

Il ne reste bientôt plus que six personnes devant nous. Puis quatre. Puis deux. Je ferme les yeux jusqu'à ce qu'ils s'en aillent. Et c'est à nous.

Mes parents me guident.

– Ouvre les yeux, mon bébé, dit maman.

J'ouvre les yeux. On ne dirait pas Khalil dans le cercueil, on dirait un mannequin de cire. Il a la peau plus sombre et les lèvres plus roses qu'en vrai, à cause du maquillage. Khalil aurait pété un câble s'il avait su qu'on lui mettrait ça. Il porte un costume blanc et une croix dorée autour du cou.

Le vrai Khalil avait des fossettes. Cette copie n'en a pas.

Maman essuie ses larmes. Papa secoue la tête. Seven et Sekani le regardent fixement.

Ce n'est pas Khalil, je me dis. Comme ce n'était pas Natasha.

Le mannequin de Natasha portait une robe blanche à fleurs roses et jaunes. Elle aussi, elle était maquillée. Maman m'avait dit, « tu vois, elle a l'air endormie ». Mais quand je lui avais pris la main, ses yeux ne s'étaient pas ouverts.

Papa m'avait serrée contre lui et emmenée dehors pendant que je criais à Natasha de se réveiller.

On cède notre place aux personnes suivantes pour qu'elles puissent voir le mannequin de Khalil à leur tour. Un homme s'apprête à nous indiquer où nous asseoir, mais une femme avec de grosses tresses africaines nous fait signe de venir au premier rang, du côté des amis, juste devant elle. Je ne sais pas qui c'est, sans doute quelqu'un d'important pour diriger son monde comme ça. Et elle sait forcément quelque chose à mon sujet pour juger que ma famille mérite de siéger au premier rang.

On s'assied et je me concentre sur les fleurs : un gros cœur en roses rouges et blanches, un « K » en lys blancs et un bouquet orange et vert, ses couleurs préférées.

Quand j'en ai fini avec les fleurs, je fixe mon attention sur le programme de la cérémonie. Il est plein de photos de Khalil tout au long de sa vie : du bébé tout bouclé à aujourd'hui. La dernière photo date de quelques semaines à peine, il y pose avec des potes à lui que je ne connais pas. Il y a aussi de vieilles photos de lui et moi, et une de nous deux avec Natasha, tout sourires. On affiche nos plus belles mines de gangsters en faisant le signe de la paix. Le gang des sweats à capuche, plus soudé que les narines de Voldemort. Des trois, maintenant, il ne reste plus que moi.

Je ferme le programme.

– Je vous invite à vous lever.

La voix du pasteur Eldridge résonne dans l'église. L'organiste commence à jouer et tout le monde se met debout.

– Et Jésus dit, « ne soyez pas bouleversés, entame-t-il en descendant l'allée centrale. Vous faites confiance à Dieu, faites-moi aussi confiance. »

Mme Rosalie marche derrière lui. Cameron à côté d'elle, agrippé à sa main. Ses joues rebondies maculées de larmes. Il n'a que neuf ans, un an de plus que Sekani. Si une de ces balles m'avait touchée moi, ça aurait pu être mon petit frère en train de pleurer comme ça.

Tammy, la tante de Khalil, tient Mme Rosalie par l'autre main. Brenda hurle de douleur derrière eux, dans une robe noire que maman lui a donnée. Elle a les cheveux noués en queue-de-cheval. Deux mecs, des cousins de Khalil je crois, la soutiennent. C'est plus facile de regarder le cercueil.

– « Il y a beaucoup de place dans la maison de mon Père, sinon vous aurais-je dit que j'allais y préparer la vôtre ? dit le pasteur Eldridge. Et quand je vous aurai préparé la place, je reviendrai, et je vous accueillerai près de moi afin que là où je suis vous soyez aussi. »

À l'enterrement de Natasha, sa mère s'est évanouie en la voyant dans le cercueil. Étrangement, la mère et la grand-mère de Khalil tiennent bon.

– Je veux que tout soit bien clair entre nous, annonce le pasteur Eldridge une fois que tout le monde est assis. Quelles que soient les circonstances, cette cérémonie du *homecoming* que nous célébrons aujourd'hui est une fête, une fête pour

Khalil qui rentre chez lui, auprès de notre Seigneur. Les sanglots peuvent s'attarder une nuit, mais combien d'entre vous savent que la JOIE…

Il n'a même pas le temps de finir que les gens se mettent à chanter.

Le chœur entonne des chansons enjouées, et presque tout le monde frappe dans ses mains et entonne les louanges de Jésus. Maman chante avec eux et balance les bras d'un côté à l'autre au-dessus de sa tête. La grand-mère de Khalil et sa tante frappent dans leurs mains et chantent elles aussi. Une pause musicale commence et les gens se mettent à danser partout dans la nef en exécutant ce pas que Seven et moi appelons « Le *Two-step* de l'Esprit Saint » : ils agitent les pieds façon James Brown et leurs bras battent contre leurs flancs comme des ailes de poulet.

Mais comment ils peuvent fêter sans Khalil quelque chose qui le concerne ? Et pourquoi chanter les louanges de Jésus alors qu'il a laissé mourir Khalil ?

Je me fourre la tête dans les mains, en espérant que ça va noyer les percussions, les trompettes, les chants. Tout ça n'a aucun sens.

Après toutes ces louanges, certains des camarades de Khalil – ceux qui étaient sur le parking avec les tee-shirts – font une présentation. Ils offrent à sa famille la toge et la toque qu'il aurait portées dans quelques mois à la remise de diplôme et pleurent en racontant des anecdotes marrantes que je n'ai jamais entendues. Pourtant, c'est moi qui suis assise au premier rang du côté des amis. Je suis une putain d'imposture.

Ensuite, la femme avec les tresses s'avance vers la chaire. Sa jupe crayon et sa veste noire seraient plus à leur place dans un bureau qu'à l'église. Et elle aussi porte un tee-shirt « RIP Khalil ».

– Bonjour, dit-elle.

Et tout le monde lui répond.

– Je m'appelle April Ofrah et je représente Juste la Justice, une petite association de Garden Heights qui se bat pour que la police réponde de ses actes. Alors que nous adressons à Khalil un dernier au revoir, nos cœurs pèsent d'autant plus lourd que nous savons ce qui lui a coûté la vie. Juste avant le début de ce service, on m'a informée que, malgré le témoignage sérieux qu'elles ont recueilli, les autorités n'ont aucune intention d'inculper l'agent responsable du meurtre de ce jeune homme.

– Quoi ? je crie.

Un murmure parcourt l'assemblée.

Avec tout ce que je leur ai dit, ils ne l'arrêtent pas ?

– Ce qu'ils ne veulent pas que vous sachiez, continue Mme Ofrah, c'est qu'au moment de son meurtre, Khalil n'était pas armé.

Les gens élèvent la voix maintenant. Deux ou trois personnes laissent éclater leur colère, dont une assez courageuse pour lancer : « Ils se foutent de nous ! » dans une église.

– Tant que Khalil n'aura pas obtenu justice, nous n'abandonnerons pas, assure-t-elle par-dessus le brouhaha. Je vous demande de vous joindre à nous et à la famille de Khalil après la cérémonie pour une marche pacifique jusqu'au cimetière. Le commissariat sera sur notre trajet. Ils ont réduit Khalil au silence, mais unissons-nous et faisons entendre nos voix en son nom. Merci.

L'assemblée se lève pour l'applaudir. En retournant à sa place, elle jette un regard vers moi. Si Mme Rosalie a dit au pasteur que j'étais avec Khalil, elle l'a sans doute aussi dit à cette femme. Elle va vouloir me parler, c'est sûr.

On dirait que le pasteur Eldridge, avec son prêche, veut pousser Khalil jusqu'au paradis. Je ne dis pas que Khalil y est arrivé – je n'en sais rien –, mais le pasteur fait tout pour que ce soit le cas. Il transpire et souffle si fort que le simple fait de le regarder m'épuise.

Il finit son éloge en disant :

– Si quelqu'un parmi vous veut se recueillir une dernière fois devant sa dépouille, à présent…

Son regard se fige alors sur le fond de la salle. Des murmures s'élèvent.

Maman se retourne :

– Dites-moi que je rêve.

King et une partie de son gang sont plantés contre le mur du fond avec leurs fringues grises et leurs bandanas. King tient le bras d'une femme en robe noire moulante tellement courte qu'elle lui couvre à peine les cuisses. Elle a beaucoup trop d'extensions dans les cheveux – sérieux, ça lui descend jusqu'au cul – et une tonne de maquillage.

Seven détourne le regard. Moi non plus, je ne voudrais pas voir ma mère habillée comme ça.

Qu'est-ce qu'ils font là, eux ? Les King Lords ne se montrent qu'aux enterrements d'un King Lord.

Le pasteur Eldridge se racle la gorge.

– Comme je le disais, que ceux qui souhaitent se recueillir devant la dépouille s'avancent.

King et son gang s'engagent dans l'allée centrale, l'air arrogant. Tous les regards sont rivés sur eux. Iesha marche à son bras, toute fière et tout, sans réaliser de quoi elle a l'air. Elle regarde mes parents avec un sourire narquois. Je ne peux pas la sentir. Pas seulement à cause de la façon dont elle traite Seven, je veux dire, mais aussi parce que chaque fois qu'elle est dans les parages, la tension entre papa et maman est palpable. Comme maintenant. Maman éloigne imperceptiblement son épaule de celle de papa, et sa mâchoire à lui se crispe. Iesha est le talon d'Achille de leur mariage, mais il faut les avoir observés seize ans comme moi pour pouvoir le remarquer.

King, Iesha et les autres s'avancent jusqu'au cercueil. Un de ses gars tend à King un bandana gris plié qu'il dépose sur le torse de Khalil.

Mon cœur s'arrête.

Khalil était un King Lord ?

Mme Rosalie se lève d'un bond.

– Certainement pas ! s'écrie-t-elle.

Elle fonce vers le cercueil d'un pas décidé et arrache le bandana. Elle s'avance vers King, mais papa débarque pour la retenir par le bras.

– Fiche le camp, démon ! crie-t-elle. Et emporte cette saleté avec toi !

Elle lui jette le bandana dans le dos.

Il s'arrête et, lentement, se retourne :

– Écoute-moi bien, vieille pu…

– Yo, l'interrompt papa. King, va-t'en, mec, s'il te plaît ! Disparais, OK ?

– Sorcière, siffle Iesha entre ses dents, t'as du culot de traiter mon homme comme ça alors qu'il a proposé de payer pour ces funérailles.

– Il peut garder son argent sale ! répond Mme Rosalie. Et toi aussi, sors tes fesses d'ici. Te présenter dans la maison du Seigneur, habillée comme la catin que tu es !

Seven secoue la tête. Tout le monde sait que mon grand frère est le résultat d'un moment « monnayé » de papa avec Iesha un jour où il s'était disputé avec maman. Iesha était la meuf de King, mais il lui a demandé de « s'occuper de Maverick », sans se douter bien sûr que Seven arriverait : le portrait craché de papa. Pourri, je sais.

Maman passe le bras derrière moi pour frotter le dos de Seven. Des fois, mais rarement, quand Seven n'est pas là et que maman pense que ni Sekani ni moi ne pouvons l'entendre, elle dit à papa : « Je n'arrive toujours pas à croire que tu aies couché avec cette pute. » Mais jamais devant Seven. Lorsqu'il est là, rien de tout ça n'a d'importance. Elle l'aime plus qu'elle déteste Iesha.

Les King Lords s'en vont et partout dans la salle, les langues se délient.

Papa raccompagne Mme Rosalie à sa place. Elle est tellement en colère qu'elle tremble comme une feuille.

Je regarde le mannequin dans le cercueil. Toutes ces histoires horribles que papa nous a racontées sur la vie dans un gang et Khalil est devenu un King Lord ? Comment est-ce que ça a pu rien que lui traverser l'esprit ?

Ça n'a pas de sens. Il avait du vert dans sa voiture. Jamais un King Lord ne mettrait quelque part la couleur des Garden Disciples. Et il ne s'est pas précipité pour leur prêter main-forte dans la baston chez Big D.

Mais le bandana. Papa nous a raconté un jour que c'était une tradition des King Lords – ils couronnent leurs camarades tombés au combat en posant un bandana plié sur la dépouille, comme pour indiquer qu'elle monte au ciel représenter leur gang. Khalil devait bien les avoir rejoints pour bénéficier de cet honneur.

J'aurais pu le convaincre de ne pas le faire, je le sais, mais je l'ai laissé tomber. Qu'ils aillent se faire foutre avec leur banc des amis. Je ne devrais même pas être à son enterrement.

Papa reste avec Mme Rosalie jusqu'à la fin du service, puis la soutient quand la famille ouvre le cortège derrière le cercueil. Tammy nous fait signe de les rejoindre.

– Merci d'être là, me dit-elle. Tu comptais beaucoup pour Khalil, j'espère que tu le sais.

Ma gorge se serre trop pour lui répondre qu'il comptait aussi beaucoup pour moi.

On avance avec la famille. Presque tous ceux qui nous regardent pleurent. Pour Khalil. Il est vraiment dans ce cercueil et il ne reviendra pas.

Je ne l'ai jamais dit à personne, mais Khalil était mon premier *crush*. Sans le savoir, c'est lui qui m'a fait connaître les papillons dans le ventre et plus tard le chagrin d'amour quand il a craqué pour Imani Anderson, une fille du lycée qui ne pensait même pas au petit CM1 qu'il était. C'est pour lui que je me suis souciée de mon apparence en premier.

Mais *fuck* le *crush* : qu'on se soit vus tous les jours ou une fois par an, c'est un des meilleurs amis que j'ai jamais eus. Le temps, ce n'était rien par rapport à tout ce qu'on a traversé ensemble. Et il est dans un cercueil maintenant, comme Natasha.

De grosses larmes coulent sur mes joues. Je me mets à sangloter. Un sanglot moche et bruyant que tout le monde dans les travées peut voir et entendre.

– Ils m'ont laissée tomber, je gémis.

Maman passe un bras derrière moi et pose ma tête contre son épaule.

– Je sais, mon bébé, mais nous, on est là. On ne va nulle part.

Quand je sens l'air tiède me caresser le visage, je sais qu'on est sortis. Toutes ces voix, tout ce bruit me font lever la tête. Il y a plus de gens ici qu'à l'intérieur de l'église. Ils brandissent des portraits et des pancartes sur lesquelles il est écrit : « Justice pour Khalil ». Sur celles de ses potes on peut lire : « Le suivant, c'est moi ? » ou « Ça suffit ! » Des camions de télévision équipés de grandes antennes sont garés de l'autre côté de la route.

Je fourre le nez dans le creux de l'épaule de maman. Des gens – je ne sais pas qui – me tapotent le dos avec des mots censés me rassurer.

Je reconnais dans mon dos la main de papa avant qu'il ait dit quoi que ce soit.

– On va rester pour la marche, bébé, dit-il à maman. Je veux que Seven et Sekani participent.

– D'accord, je la ramène à la maison. Vous rentrerez comment ?

– On ira à pied jusqu'au magasin. Toute façon, il va bien falloir que j'ouvre.

Il dépose un baiser dans mes cheveux.

– Je t'aime, mon bébé. Repose-toi, d'accord ?

Des talons claquent dans notre direction, et puis quelqu'un dit :

– Bonjour, monsieur et madame Carter, je suis April Ofrah, de Juste la Justice.

Maman se raidit et me serre plus fort contre elle.

– Qu'est-ce qu'on peut faire pour vous ?

La femme baisse la voix :

– La grand-mère de Khalil m'a appris que c'était Starr qui se trouvait avec Khalil quand c'est arrivé. Je sais qu'elle a fait une déposition au commissariat et je voulais la féliciter pour son courage. C'est une situation difficile et il a dû falloir une sacrée force de caractère.

– Oui, ça a aidé, répond papa.

Je décolle la tête de l'épaule de maman. Mme Ofrah danse d'un pied sur l'autre et joue nerveusement avec ses doigts. Mes parents ne lui facilitent pas la tâche avec leurs regards durs.

– Nous voulons tous la même chose, dit-elle. La justice pour Khalil.

– Excusez-moi, madame Ofrah, dit maman, mais même si c'est que je souhaite du fond du cœur, évidemment, je veux aussi qu'on fiche la paix à ma fille. Et qu'on respecte son anonymat.

Maman pose les yeux sur les camions de télévision garés le long du trottoir d'en face. Mme Ofrah se retourne pour suivre son regard.

– Oh, dit-elle. Oh, non. Non, non, non. Nous n'étions pas… Je… n'étais pas… Je ne veux pas infliger ça à Starr. Plutôt le contraire en réalité. Je veux préserver son anonymat.

Maman se décrispe un peu.

– C'est-à-dire ?

– Starr nous offre une perspective unique, comme on a rarement l'occasion d'en avoir dans ce genre d'affaire, et je tiens à ce que ses droits soient respectés et sa voix entendue, mais sans qu'elle s'en trouve…

– Exploitée ? demande papa. Prostituée ?

– Exactement. L'affaire est sur le point d'attirer l'attention des médias nationaux, mais je ne veux pas que cela se fasse à ses dépens.

Elle nous tend à chacun une carte de visite.

– Au-delà de mes activités de militante, je suis avocate. Juste la Justice ne représente pas juridiquement la famille Harris – quelqu'un d'autre s'en charge. Nous nous rallions simplement à leur cause. Cependant, c'est avec plaisir que je représenterai Starr à titre personnel si vous le souhaitez. Quand vous serez prêts, appelez-moi. Et toutes mes condoléances.

Elle disparaît dans la foule.

L'appeler quand je serai prête, hein ? Je ne suis pas sûre d'être prête un jour pour toutes les emmerdes qui vont suivre.

NEUF

Mes frères rentrent avec un message : papa passe la nuit au magasin.

Il a aussi des consignes pour nous : ne quittez pas la maison.

Le jardin est entièrement grillagé. Seven installe le gros cadenas au portail, celui qui sert quand on part pour plusieurs jours. Je fais rentrer Brickz. Il erre dans la maison sans savoir quoi faire, tourne en rond, saute sur les meubles. Pendant un moment, maman ne dit rien. Jusqu'à ce qu'il grimpe sur son beau canapé dans le salon.

– Eh ! lance-t-elle, furieuse, en le menaçant du doigt. Descends de là ! Qu'est-ce qui te prend ?

Il vient se réfugier entre mes jambes en gémissant.

Le soleil se couche. On est en train de bénir le repas – un ragoût de bœuf avec des patates – quand éclatent les premiers coups de feu.

On ouvre les yeux. Sekani tressaille. Je suis habituée aux

coups de feu, mais ceux-là sont plus forts, plus rapprochés. À peine un s'est tu qu'un autre retentit.

– Des fusils d'assaut, commente Seven.

Encore des tirs.

– Emportez vos assiettes dans le salon télé, ordonne maman en se levant de table. Et asseyez-vous par terre. On ne sait jamais où les balles terminent.

Seven se lève à son tour.

– Maman, je peux…

– Seven, salon télé j'ai dit.

– Mais…

– Se-ven, mon bébé, dit-elle en hachant son nom. J'éteins les lumières, d'accord ? S'il te plaît, file.

Il lâche l'affaire.

– OK.

Quand papa n'est pas là, Seven joue les hommes de la maison. Maman doit toujours détacher les syllabes de son nom comme ça pour le remettre à sa place.

J'attrape mon assiette ainsi que celle de maman et me dirige vers le salon télé, la seule pièce de la maison qui ne donne pas sur l'extérieur. Brickz me talonne, comme chaque fois qu'il y a quelque chose à manger. Maman éteint la lumière dans toute la maison, le couloir est plongé dans le noir.

On a une énorme télé à l'ancienne. C'est l'objet fétiche de papa. On s'assied autour en demi-cercle et Seven l'allume. Les images du journal viennent baigner la pièce de leur lueur.

Au moins cent personnes sont rassemblées sur Magnolia Avenue. Elles scandent des slogans demandant la justice et brandissent des pancartes, en levant le poing façon *black power*.

Maman entre, le téléphone collé à l'oreille.

– D'accord, madame Pearl, comme vous voulez. Mais nous avons assez de place ici pour vous si vous préférez ne pas rester seule. Je vous rappellerai plus tard pour prendre des nouvelles.

Mme Pearl est la vieille dame qui vit seule en face de chez nous. Maman lui téléphone très souvent. Pour qu'elle sache que quelqu'un s'intéresse à elle, nous dit-elle.

Maman s'assied à côté de moi. Sekani pose la tête sur ses genoux. Brickz fait pareil sur les miens et me lèche les doigts.

– Ils sont en colère à cause de la mort de Khalil ? demande Sekani.

Maman passe les doigts dans son *hi-top fade*.

– Oui, mon bébé. On l'est tous.

Mais ce qui les met encore plus en colère, c'est le fait que Khalil n'était pas armé. Ce n'est pas une coïncidence si tout ça éclate peu après que Mme Ofrah a dévoilé l'information à l'enterrement.

Les flics répondent aux slogans à coups de grenades lacrymogènes qui font disparaître la foule dans un nuage de fumée blanche. Le reportage enchaîne sur des images de manifestants qui courent en hurlant.

– Putain, commente Seven.

Sekani se cache dans les cuisses de maman. Je donne un morceau de ragoût à Brickz. J'ai le ventre trop noué pour manger.

Dehors, les sirènes hurlent. À la télé, trois voitures de police sont en flammes devant le commissariat, à environ cinq minutes de chez nous. Des gens pillent une station-service près de l'autoroute et le propriétaire, un Indien, sort en chancelant, couvert de sang. Il dit qu'il n'a rien à voir avec la mort de Khalil. Un cordon de police garde le supermarché Walmart à l'est.

C'est la guerre dans mon quartier.

Chris m'envoie un message pour savoir si ça va, ce qui me fait tout de suite me sentir comme une merde de l'avoir évité, d'avoir fait ma Beyoncé et tout. J'ai envie de m'excuser mais lui écrire « je suis désolée », même avec tous les émojis de la terre, ce n'est pas comme le dire en face. Je lui réponds quand même que je vais bien.

Maya et Hailey appellent, pour prendre des nouvelles du magasin, de la maison, de la famille, de moi. Aucune des deux ne fait allusion au drame des beignets de poulet. Ça fait bizarre de leur parler de Garden Heights. On n'aborde jamais le sujet. J'ai toujours peur qu'il y en ait une qui l'appelle « le ghetto ».

Garden Heights, c'est le ghetto, je le sais, donc ça ne serait pas un mensonge. Mais c'est comme cette fois où Seven et moi nous étions disputés quand j'avais neuf ans. Il m'avait traitée de nimbus. Une insulte à deux balles quand j'y repense, mais ça m'avait fait très mal à l'époque. J'étais consciente que je n'étais pas bien grande – tout le monde était plus grand que moi – et j'étais capable de l'assumer si ça venait de moi. Mais sortie de la bouche de Seven, la vérité était plus difficile à entendre.

Moi, je peux dire tant que je veux que Garden Heights c'est le ghetto. Mais pas les autres.

Maman est pendue à son téléphone elle aussi, elle appelle les voisins pour s'assurer qu'ils vont bien et d'autres l'appellent pour la même raison. Mme Jones, au bout de la rue, est terrée dans sa maison avec ses quatre enfants, comme nous. M. Charles, à côté, nous propose son générateur en cas de coupure de courant.

Oncle Carlos appelle à son tour. Grandma prend le téléphone et demande à maman de nous conduire chez eux. Comme si, pour en sortir, on allait traverser le chaos. Papa appelle pour dire que tout va bien à l'épicerie. Ce qui ne m'empêche pas de stresser chaque fois qu'ils mentionnent qu'un magasin est pris pour cible.

Les infos ne se contentent pas de donner le nom de Khalil maintenant, ils montrent aussi sa photo. Moi, ils m'appellent juste « le témoin ». Ou de temps en temps « la jeune fille noire de seize ans témoin de la scène ».

Le chef de la police intervient pour dire ce que j'avais peur de l'entendre dire : « Après avoir recueilli toutes les preuves et la déposition du témoin, nous n'avons pour l'heure aucune raison de procéder à l'arrestation du policier mis en cause. »

Maman et Seven jettent un regard vers moi. Comme Sekani est là, ils ne disent rien. Pas besoin. Tout ça, c'est ma faute. Les émeutes, les tirs, le gaz lacrymogène, tout : au bout du compte, tout est ma faute. J'ai oublié de raconter aux flics que Khalil est sorti les mains en l'air. Je n'ai pas dit non plus que le flic avait pointé son arme sur moi. Je n'ai pas dit ce qu'il fallait dire et le flic va s'en sortir.

Mais si c'est moi qui suis responsable des émeutes, aux

infos, ils donnent l'impression que Khalil est responsable de sa propre mort.

– Selon plusieurs sources, une arme a été retrouvée dans la voiture, assure le présentateur. La victime serait peut-être un dealer ayant appartenu à un gang. Les autorités n'ont cependant pas encore confirmé ces informations.

L'histoire de l'arme, c'est forcément bidon. Quand j'ai demandé à Khalil s'il planquait un truc dans la voiture, il m'a répondu que non.

Cela dit, il n'a pas non plus voulu me dire s'il dealait ou pas. Et il ne m'a même pas parlé du gang.

Mais qu'est-ce que ça change, de toute façon ? Il ne méritait pas de mourir.

Sekani et Brickz ne mettent à ronfler presque en même temps. Ils dorment à poings fermés. Avec les hélicoptères, les coups de feu, les sirènes, ça ne risque pas de m'arriver à moi. Maman et Seven ne dorment pas non plus. Vers quatre heures du matin, quand tout s'est calmé, papa revient en bâillant, le regard fatigué.

– Ils sont pas venus jusqu'à Marigold, raconte-t-il entre deux bouchées de ragoût dans la cuisine. On dirait que ça reste confiné à l'est, vers l'endroit où il a été tué. Pour l'instant en tout cas.

– Pour l'instant, répète maman.

Papa se frotte le visage.

– Ouais. Je sais pas ce qui va les empêcher de venir par ici. Merde, même si je pige, ça me ferait bien flipper.

– Maverick, il faut qu'on déménage, dit-elle, la voix tremblante, comme si un truc qu'elle avait gardé pour elle trop longtemps sortait enfin. Ça ne va pas s'arranger, ça ne va faire qu'empirer.

Papa lui prend la main. Elle le laisse faire. Il l'attire sur ses genoux, l'enveloppe de ses bras et dépose un baiser à l'arrière de sa tête.

– T'en fais pas.

Il nous dit d'aller nous coucher, Seven et moi. Et bizarrement, je m'endors.

Natasha entre de nouveau dans le magasin en courant.

– Allez, Starr !

Elle a de la terre dans les tresses et ses grosses joues se sont creusées. Ses fringues sont imprégnées de sang.

Je recule d'un pas. Elle accourt vers moi et me prend la main. La sienne est glacée comme dans son cercueil.

– Allez.

Elle me tire.

– Allez !

Elle m'entraîne vers la porte et mes pieds avancent malgré moi.

– Stop, je lui dis. Natasha, stop !

Une main apparaît dans l'encadrement de la porte, avec un Glock.

Pow !

Je me réveille en sursaut.

Seven tambourine à ma porte. Il est aussi bourrin dans sa manière de réveiller les gens que dans ses messages.

– On bouge dans dix minutes.

Mon cœur tambourine contre ma poitrine comme s'il voulait en sortir. Tout va bien, je me dis. C'est juste ce crétin de Seven.

– On va où ? je lui demande.

– Faire un basket dans le parc. On est bien le dernier samedi du mois ? C'est pas toujours ce qu'on fait ce jour-là ?

– Mais… et les émeutes et tout ça ?

– Comme a dit papa, ça s'est passé à l'est. Ici, on risque rien. En plus, y paraît que c'est calme ce matin.

Et si quelqu'un sait que le témoin, c'est moi ? Et s'ils savent que ce flic n'a pas été arrêté par ma faute ? Si on croise des flics qui me reconnaissent ?

– Ça va aller, dit Seven, comme s'il lisait dans mes pensées. Je te le promets. Maintenant, bouge ton cul que je puisse te mettre la misère sur le terrain.

Si c'est possible d'être un gentil connard, c'est ce qu'est Seven. Je sors du lit, enfile mon short de basket, mon maillot de LeBron et chausse les Thirteen que Michael Jordan portait avant de quitter les Chicago Bulls. Je coiffe mes cheveux en queue-de-cheval. Seven m'attend à la porte d'entrée en faisant tourner le ballon entre ses mains.

Je le lui arrache.

– Genre tu sais t'en servir !

– On va bien voir.

Je crie à papa et maman qu'on sera de retour tout à l'heure et on file.

Au premier abord, rien ne semble avoir changé à Garden

Heights, mais deux pâtés de maisons plus loin, au moins cinq voitures de police passent à pleine vitesse devant nous. Avec la fumée qui plane dans l'air, tout paraît plongé dans la brume. Et ça pue.

On arrive à Rose Park. Des King Lords sont assis dans un gros 4x4 Cadillac gris garé de l'autre côté de la rue, pendant qu'un autre, plus jeune, fait du tourniquet dans le parc. Tant qu'on leur fiche la paix, on ne risque rien.

Une haute clôture grillagée fait tout le tour du parc, grand comme un pâté de maisons. Je ne vois pas bien ce qu'elle est censée protéger. Les graffitis sur le terrain de basket ? Les balançoires rouillées ? Les bancs sur lesquels on a fait beaucoup trop de bébés ? Ou bien les cadavres de bouteilles, mégots et autres détritus qui jonchent la pelouse ?

Le terrain de basket est de l'autre côté du grillage, mais l'entrée se trouve à l'extrémité opposée du parc. Je jette le ballon à Seven et me mets à escalader la clôture. Dans le temps, arrivée au sommet, je sautais, mais un jour je me suis foulé la cheville et ça m'a calmée.

Seven attend que je sois arrivée de l'autre côté pour me jeter le ballon et grimper à son tour. Khalil, Natasha et moi, on coupait par le parc après l'école. On faisait du toboggan, du tourniquet jusqu'à ce que la tête nous tourne, et des concours de celui qui irait le plus haut à la balançoire.

Je lui lance le ballon en essayant de ne pas y penser.

– Le premier à trente ?

– Quarante, il répond, tout en sachant parfaitement qu'il aura de la veine d'arriver à vingt.

Il est aussi nul que papa.

Histoire de bien le prouver, il commence à dribbler du plat de la main, sans se servir du bout de ses doigts. Et tente directement un panier à trois points, le crétin.

Le ballon rebondit sur l'anneau. Bien sûr. Je le récupère et me tourne vers lui.

– T'es nul ! Tu savais que ça rentrerait pas.

– On s'en fout. Allez, joue, putain.

Cinq minutes plus tard, je mène dix à deux. Et en gros, ses deux points, je lui en ai fait cadeau. Je fais mine de partir à gauche, pour filer à droite et tenter un trois points. Le bébé entre dans le panier en beauté. Elle assure grave, la frangine.

Seven me fait signe qu'il demande un temps mort. Il est encore plus hors d'haleine que moi, alors que c'est moi qui avais de l'asthme quand j'étais gamine.

– Pause. J'ai soif, dit-il.

Je me passe le bras sur le front. Le soleil tape déjà sur le terrain.

– Et si on en restait là ?

– Tu délires ? Je sens la force en moi. Faut juste que je travaille mes angles.

– Tes angles ? On parle de basket, mec. Pas de selfies !

– Eh, yo ! s'égosille une voix derrière nous.

Mon cœur s'arrête.

– Merde !

Ils sont deux. Treize ou quatorze ans, on dirait. Avec des maillots des Celtics. Des Garden Disciples, aucun doute. Ils avancent droit sur nous à travers les terrains.

Le plus grand fait un pas vers Seven.

– T'es un King, *nigga* ?

Impossible de prendre ce minable au sérieux. Il a la voix qui couine. Selon papa, il y a un truc plus fiable que l'âge pour savoir si quelqu'un est dans un gang depuis peu ou depuis longtemps. Les anciens ne cherchent pas la merde, ils la trouvent. Les jeunes cherchent.

– Non, je suis neutre, répond Seven.

– Ton daron, c'est pas un King ? demande le plus petit.

– Risque pas. Il traîne qu'avec ma reum.

– Toute façon, rien à foutre, fait le plus grand en sortant une lame. Envoie tout ce que t'as. Pompes, téléphone, tout.

La règle à Garden Heights : si l'histoire ne te concerne pas, aucune raison de t'en mêler. Point. Les King Lords dans le 4x4 assistent à toute la scène. Mais comme on ne se réclame pas d'eux, on n'existe pas.

Sauf que le garçon sur le tourniquet court dans notre direction et pousse le Garden Disciple. Il lève son tee-shirt, pour montrer son arme.

– Y'a un souci ?

Les deux mecs reculent.

– Ouais, fait le plus petit.

– T'es sûr ? Aux dernières nouvelles, Rose Park c'est toujours chez les Kings.

Il jette un regard vers l'Escalade. Les King Lords à l'intérieur hochent le menton dans notre direction. Leur façon de nous demander si tout va bien. On hoche le menton en retour.

– D'accord, fait le Disciple. On a pigé.

Ils disparaissent tous les deux comme ils sont venus.

Le jeune King Lord fait un check à Seven.

– Ça va, gros ? il demande.

– Ouais, merci, Vante, c'était cool.

Je ne vais pas mentir, il est plutôt BG. Eh, ce n'est pas parce que je suis en couple, que je n'ai pas le droit de mater. Et vu comment il bave sur Nicki Minaj, Beyoncé et Amber Rose, Chris peut garder ses réflexions pour lui.

Ah oui, au passage : mon mec a clairement son type de femme.

Ce Vante a à peu près mon âge, un peu plus grand que moi, avec une grosse afro et un début de moustache. Des belles lèvres, aussi. Lisses et bien charnues.

Je les ai visiblement regardées un peu trop longtemps. Il se passe la langue dessus et sourit.

– Fallait que je m'assure que ça allait bien pour toi et la jolie go, là.

Il vient de tout foutre en l'air. On ne m'appelle pas comme ça sans me connaître.

– Wesh, ça va, je lui réponds sèchement.

– Les Disciples t'ont rendu service de toute façon, dit-il à Seven. Elle était en train de te foutre la pâtée.

– La ferme, gros, répond Seven. Je te présente ma frangine, Starr.

– Oh ouais, fait le mec. C'est toi la fille à Big Mav ?

C'est ce que je disais, jamais je n'y échappe.

– Ouais, c'est moi.

– Starr, je te présente DeVante, dit Seven. C'est un des gars de King.

– DeVante ?

C'est donc pour lui que Kenya s'est battue.

– Ouais, c'est moi, dit-il.

Il me détaille des pieds à la tête et se repasse la langue sur les lèvres.

– T'as déjà entendu parler de moi ou quoi ?

Pas classe cette langue baladeuse.

– Ouais, je lui dis. Et tu devrais peut-être te mettre du baume si elles sont sèches comme ça, tes lèvres, vu comment tu te les lèches.

– Yo, t'es sérieuse, là ?

– Ce qu'elle veut dire, c'est merci de nous avoir filé un coup de main, ment Seven. Ça nous a bien aidés.

– Pas de souci. Ils traînent par ici ces trous de balle à cause des émeutes dans leur quartier. Là-bas, ça pue trop.

– Qu'est-ce que tu fous dans le parc si tôt ? demande Seven.

Il fourre ses mains dans ses poches et hausse les épaules.

– Rien, je bosse. Tu connais le topo.

Un dealer. Merde, Kenya sait les choisir. Quand on est attirée par les gangsters dealers de drogue, on est mal barrée. En même temps, son père, c'est King.

– J'ai entendu pour ton frère, dit Seven. Désolé, mec. Il était cool, Dalvin.

DeVante donne un coup de pied dans un caillou sur le terrain.

– Merci. Ma daronne, elle chiale tout le temps. C'est pour ça que je suis là. Fallait que je me tire un peu de chez moi.

Dalvin ? De Vante ? Je penche la tête de côté.

– Elle vous a donné à tous les noms des membres de Jodeci, votre daronne ? je lui lance.

Jodeci : un vieux groupe de R&B que je ne connais que parce que mes parents aiment bien écouter des fois.

– Azy là, c'est quoi, t'as un problème ?

– Non, c'était juste une question. Pas besoin de me prendre de haut, t'as vu.

Une Tahoe blanche freine dans un crissement de pneus de l'autre côté du grillage. La Tahoe de papa.

Il baisse sa vitre. Il est en marcel et il a encore les traces de l'oreiller sur les joues. Je croise les doigts pour qu'il ne descende pas, parce que le connaissant, il a la peau des jambes qui pèle et il porte des sandales de piscine avec des chaussettes.

– Qu'est-ce qui vous a pris, bordel, de vous barrer sans rien dire à personne ? crie-t-il.

Les King Lords en face éclatent de rire. DeVante tousse dans son poing comme pour s'empêcher de pouffer. Seven et moi, on fait tout pour ne pas croiser le regard de papa.

– Ah ouais ? Vous voulez faire genre vous m'entendez pas ? Répondez quand je vous parle !

Les King Lords sont encore plus morts de rire.

– On est juste venus tirer quelques paniers, papa, dit Seven.

– Rien à foutre. Avec tout ce qui se passe, là, vous vous barrez ? Montez !

– Merde, je marmonne. Il faut toujours qu'il se ridiculise.

– T'as dit quoi, là ? aboie-t-il.

Les King Lords n'en peuvent plus de rire. Je voudrais disparaître.

– Rien, je réponds.

– Si, t'as dit quelque chose. Tu sais quoi, Starr ? N'escalade pas la clôture, fais le tour par l'entrée. Et j'ai pas intérêt à arriver là-bas avant vous !

Il démarre.

Fait chier.

Je ramasse le ballon et Seven et moi nous mettons à courir vers l'autre bout du parc. La dernière fois que j'ai couru à cette vitesse, c'était quand la coach nous faisait faire des suicides. On arrive à l'entrée en même temps que papa. Je grimpe à l'arrière, et Seven, comme un con, monte à côté de lui.

Papa démarre.

– Vous êtes débiles ou quoi ? Y'a des émeutes, là ! Ils sont à deux doigts d'appeler la Garde nationale et vous, vous voulez faire du basket ?

– Pourquoi faut toujours que tu nous foutes la honte comme ça ? lance Seven, énervé.

Je suis tellement contente d'être derrière. Papa se tourne vers Seven, il ne regarde même plus la route.

– Tu crois que t'es un homme, là ?

Seven regarde fixement devant lui. On dirait que de la fumée va sortir de ses narines.

Papa reporte les yeux sur la route.

– T'oses me parler comme ça parce que des King Lords se sont moqués de toi ? C'est quoi l'histoire ? Tu traînes avec eux maintenant ?

Seven ne répond pas.

– Je te parle, fils !

– Non, monsieur, dit Seven, sans desserrer les lèvres.

– Alors qu'est-ce que t'en as à foutre de ce qu'ils pensent ? Si t'as tellement envie d'être un bonhomme, apprends que les vrais bonhommes en ont rien à foutre de ce que les autres pensent, OK ?

Il se gare devant chez nous. Je n'ai pas encore fait la moitié du chemin que j'aperçois maman de l'autre côté de la moustiquaire, en chemise de nuit, les bras croisés, qui tape du pied.

– Viens un peu par ici ! elle me crie.

Elle se met à faire les cent pas dans le salon quand on entre. La question n'est pas de savoir si elle va exploser, mais quand.

Seven et moi, on s'enfonce dans son beau canapé.

– Vous étiez où ? demande-t-elle. Et vous n'avez pas intérêt à me mentir.

– Au terrain de basket, je marmonne en réponse, les yeux sur mes Jordan.

Maman se penche vers moi et met la main en cornet autour de son oreille.

– Pardon ? Je n'ai pas entendu.

– Parle, dit papa.

– Au terrain, je répète, plus fort.

– Au terrain ?

Maman se redresse et se met à rire.

– Elle a dit au terrain.

Elle ne rit plus, et à chaque mot, sa voix devient plus forte.

– Je suis là, à faire les cent pas, à me ronger les sangs, et vous, vous êtes au terrain ?

Quelqu'un glousse dans le couloir.

– Sekani, retourne dans ta chambre ! lance maman sans regarder dans sa direction.

On entend Sekani disparaître au petit trot vers le fond du couloir.

– Je vous ai dit qu'on partait.

– Oh, elle nous l'a dit, répète papa d'une voix narquoise. Tu as entendu quelqu'un crier, bébé ? Parce que moi pas.

Maman fait un petit bruit entre ses dents.

– Moi non plus. Elle sait nous réveiller pour nous demander de l'argent, mais pas pour nous dire qu'elle va faire un tour dans une zone de combat.

– C'est ma faute, intervient Seven. Je voulais qu'elle sorte et qu'elle fasse un truc normal.

– Rien n'est normal, en ce moment, bébé ! s'exclame maman. Tu vois bien ce qui se passe. Et vous, vous étiez assez fous pour sortir comme ça ?

– Assez débiles, plutôt, corrige papa.

Je regarde toujours mes chaussures.

– Donnez-moi vos portables, ordonne maman.

– Quoi ? je gémis. C'est pas juste ! Je vous l'avais dit…

– Starr Amara, dit-elle entre ses dents.

Comme mon prénom ne compte qu'une syllabe, elle y joint mon deuxième pour enfoncer le clou.

– Si tu ne me donnes pas ce portable tout de suite, je te jure que…

J'ouvre la bouche mais elle continue.

– Tu veux ajouter quelque chose ? Ajoute quelque chose et je te confisque aussi tes Jordan !

N'importe quoi. Sérieux. Papa nous regarde : le gorille de maman, qui attend pour bondir. C'est comme ça qu'ils fonctionnent. Maman s'occupe du premier round et si ça ne marche pas, papa passe à l'attaque pour le K.-O.

Seven et moi lui tendons nos téléphones.

– Tiens, dit-elle en les passant à papa. Puisque vous tenez tant à ce que les choses soient « normales », allez chercher vos affaires. On va passer la journée chez Carlos.

– Pas lui, dit papa en faisant signe à Seven de se lever. Lui, il vient au magasin avec moi.

Maman se tourne vers moi et désigne le couloir d'un signe de tête agressif.

– Va prendre une douche, t'as l'odeur de dehors partout sur toi.

Alors que je m'éloigne, elle me crie :

– Et habille-toi correctement !

Elle me soûle ! Tout ça, c'est parce que Chris habite tout près de chez oncle Carlos. Je suis tout de même soulagée qu'elle n'ait rien dit de plus devant papa.

Brickz arrive en même temps que moi à la porte de ma chambre. Il me saute dessus et essaie de me lécher les joues. J'avais empilé une bonne quarantaine de boîtes de chaussures dans un coin de la pièce. Il les renverse toutes.

Je le gratte derrière les oreilles.

– Petit maladroit.

Je l'emmènerais bien avec nous, mais les pitbulls sont interdits dans le quartier de Carlos. Il se couche sur mon lit et me regarde préparer mes affaires. Théoriquement, je n'ai besoin que de mon maillot de bain et de mes nu-pieds, mais maman risque de décider au dernier moment de passer tout le week-end là-bas à cause des émeutes. Alors mieux vaut emporter quelques tenues et mon sac de cours. Je jette un sac sur chaque épaule.

– Allez, Brickz, viens.

Il me suit jusqu'à sa niche dans le jardin de derrière et je l'attache à la chaîne. Pendant que je lui donne à manger et à boire, papa s'accroupit devant ses rosiers et examine les fleurs. Il a beau les arroser comme il faut, bizarrement ils ont toujours l'air secs.

– Allez, bon sang, leur dit-il. Vous pouvez faire mieux que ça.

Maman et Sekani m'attendent dans la Toyota. Je me retrouve assise devant. On dirait une gamine, mais, là, tout de suite, je n'ai pas envie d'être assise aussi près d'elle. Malheureusement, je n'ai le choix qu'entre ça et Sekani Pâte-à-Prout. Le regard fixé devant moi, je la vois du coin de l'œil qui me dévisage. Elle a l'air de vouloir dire quelque chose, mais ses mots décident finalement de sortir sous la forme d'un soupir.

Tant mieux. Je n'ai pas non plus envie de lui parler. C'est pas cool mais je m'en fiche.

Avant d'arriver à l'autoroute, on traverse la cité Cedar Grove où on a habité. Puis on arrive à Magnolia Avenue, la grande rue commerçante de Garden Heights. Le samedi matin, d'habitude, les types du quartier paradent dans leurs voitures, au ralenti ou en faisant la course.

Aujourd'hui, la rue est barrée – une manif. Les gens brandissent des pancartes et des portraits de Khalil en scandant « Justice pour Khalil ! »

C'est avec eux que je devrais être, mais je ne peux pas, vu que c'est en partie à cause de moi qu'ils sont là.

– Tu sais que rien de tout ça n'est ta faute, hein ? demande maman.

Putain, comment elle a fait pour deviner ?

– Je sais.

– Je suis sérieuse, bébé. Tu n'y es pour rien. Tu as tout fait comme il fallait.

– Sauf que des fois ça suffit pas, hein ?

Elle me prend la main et je la laisse faire, même si je suis énervée. Je n'obtiendrai pas d'autre réponse pour l'instant.

Le samedi matin, l'autoroute est moins encombrée que d'habitude. Sekani met son casque et allume sa tablette. Des morceaux de R&B des années 1990 passent à la radio et maman chante à mi-voix. Une fois qu'elle est vraiment dedans, elle monte en volume, essaie tout un tas de voix différentes et s'exclame :

– Oui, ma fille ! Oui !

Et puis tout d'un coup, elle me sort un truc de nulle part :

– Quand tu es née, tu ne respirais pas.

C'est la première fois que j'entends ça.

– Sérieux ?

– Mmm. J'avais dix-huit ans. Je n'étais moi aussi qu'un bébé, mais je me croyais adulte. Je n'aurais jamais osé avouer que j'étais morte de trouille. Ta grand-mère était sûre que je serais incapable d'être une bonne mère. Lisa l'effrontée, une bonne mère ? Moi, j'étais déterminée à lui montrer qu'elle avait tort. J'ai arrêté de boire et de fumer, je n'ai manqué aucun rendez-vous médical, je mangeais bien, je prenais mes vitamines, tout le tintouin. Je mettais même du Mozart dans un casque que je posais sur mon ventre pour te le faire écouter. On voit à quel point ça a marché, t'as laissé tomber le piano au bout d'un mois !

Je me marre.

– Désolée.

– C'est pas grave. Comme je disais, je faisais tout comme il fallait. Et je me souviens que quand ils t'ont sortie, dans la salle d'accouchement, j'attendais que tu pleures. Mais tu n'as pas pleuré. Tout le monde autour de moi a commencé à s'agiter ; ton père et moi, on n'arrêtait pas de demander ce qui se passait. L'infirmière a fini par nous dire que tu ne respirais pas. J'ai perdu les pédales. Ton père ne parvenait pas à me calmer. Lui aussi, il était à deux doigts de craquer. Puis, au bout d'une minute, la plus longue de ma vie, tu t'es mise à pleurer. Je crois que j'ai pleuré encore plus fort que toi. J'étais persuadée que j'avais fait quelque chose de mal. Mais une des infirmières m'a pris la main (maman prend de nouveau la mienne) et m'a regardé dans les yeux en disant : « Même quand on a tout fait comme il faut, il arrive parfois que les choses tournent mal. Mais il faut persister, c'est ça la clé. »

Elle garde mes doigts dans les siens jusqu'à ce qu'on arrive.

J'ai toujours pensé que le soleil brillait plus sur le quartier d'oncle Carlos que chez nous, mais aujourd'hui, c'est particulièrement vrai – il n'y a pas de fumée et l'air est respirable. Il n'y a que des maisons sur deux niveaux, les gamins jouent sur les trottoirs, dans les grands jardins. Des stands de citronnade, des vide-greniers sont installés devant les maisons, et beaucoup de gens font leur jogging. Tout est tranquille, malgré ce qui se passe.

On approche de chez Maya, à quelques rues d'oncle Carlos. Je lui enverrais bien un texto pour voir si je peux faire un saut chez elle, mais le truc c'est que… je n'ai pas mon téléphone.

– Pas de visite chez ta copine, aujourd'hui, dit maman qui lit encore dans mes foutues pensées. Tu es punie. (J'ouvre la bouche en grand.) Mais elle peut passer chez Carlos si tu veux.

Elle me jette un regard en coin et sourit. C'est censé être le moment où je la prends dans mes bras, où je la remercie en lui disant qu'elle est la meilleure des mamans.

Mais non. Je me contente d'un :

– D'accord, comme tu veux.

Et je me rencogne dans mon siège.

Elle éclate de rire.

– Quelle tête de mule !

– Non, c'est pas vrai !

– Oh que si ! elle insiste. On dirait ton père.

On vient à peine de s'arrêter dans l'allée d'oncle Carlos que Sekani saute de la voiture. Notre cousin Daniel, qui traîne avec d'autres garçons sur le trottoir, lui fait signe de le rejoindre. Tous sont à vélo.

– À tout à l'heure, maman ! lance-t-il.

Il court vers le garage sans s'arrêter pour dire bonjour à oncle Carlos qui en sort, et s'empare de son vélo. Il l'a eu pour

Noël, mais comme maman ne le laissera jamais faire du vélo tout seul à Garden Heights, il le garde ici. Il l'enfourche et file vers la rue.

Maman sort de la voiture d'un bond et lui crie :

– Ne va pas trop loin !

Je sors à mon tour et oncle Carlos me prend dans ses bras. Un câlin parfait comme il sait si bien les faire – pas trop serré, mais si ferme que tout son amour passe dedans en quelques secondes.

Il m'embrasse deux fois le sommet du crâne et me demande :

– Comment ça va, petite fille ?

– Ça va.

Je renifle. Ça sent la fumée. Mais la bonne fumée.

– Tu fais un barbecue ?

– J'ai juste réchauffé le gril. Je vais cuire quelques steaks hachés et du poulet pour le déjeuner.

– J'espère qu'on ne va pas finir avec une intoxication alimentaire, le taquine maman.

– Ah, tiens, quelqu'un essaie d'être drôle ? dit-il. Je vais te faire avaler tes paroles avec tout ce que je vais te servir, petite sœur, parce que ça va dépoter. Aucun chef étoilé de la télé ne m'arrive à la cheville.

Il relève son col.

Qu'est-ce qu'il peut être lourd des fois.

Tante Pam est devant le barbecue sur la terrasse, sa fille Ava accrochée à ses jambes, le pouce à la bouche. En me voyant, Ava lâche sa mère et court vers moi, sa queue-de-cheval dans le vent.

– Starr, Starr !

Elle se jette dans mes bras. Je la fais tourner et elle se met à glousser comme une folle.

– Ça va ma petite cousine de trois ans préférée dans le monde entier ?

– Oui, oui ! (Elle fourre de nouveau son pouce baveux et fripé dans sa bouche.) Bonjour, tatie Lili.

– Bonjour, mon bébé. Tu as été sage ? demande maman.

Ava acquiesce avec trop de zèle. Impossible qu'elle ait été sage à ce point.

Tante Pam laisse oncle Carlos s'occuper du barbecue pour aller prendre maman dans ses bras. Elle a la peau marron foncé et de grands cheveux bouclés. Maman l'apprécie parce qu'elle vient d'une « bonne famille ». Sa mère est avocate et son père est le premier Noir chef de service en chirurgie dans l'hôpital où tante Pam est chirurgienne. Sans dec' : des Huxtable en chair et en os, la petite famille parfaite comme dans le *Cosby Show*.

Je repose Ava par terre et tante Pam me serre à mon tour contre elle, très fort.

– Comment ça va, ma puce ?

– Ça va.

Elle me dit qu'elle comprend. Mais personne ne comprend vraiment.

Grandma apparaît à la porte de derrière, les bras tendus devant elle.

– Mes amours !

Le premier indice qu'il se trame quelque chose. Elle nous prend dans ses bras, maman et moi, et nous embrasse sur les joues. Grandma ne nous embrasse jamais. Et ne nous laisse jamais l'embrasser non plus, parce qu'elle ne sait pas où nos bouches ont traîné, comme elle dit. Elle me prend le visage dans les mains.

– Que Dieu soit loué. Il t'a épargnée. Alléluia !

Plein d'alarmes sonnent dans ma tête. Normal qu'elle soit heureuse que « le Seigneur m'ait épargnée », mais ce n'est pas Grandma. Du tout.

Elle nous prend, maman et moi, par le poignet et nous tire vers les transats le long de la piscine.

– Venez par ici et racontez-moi.

– Mais j'allais parler à Pam… risque maman.

Grandma la regarde et siffle entre ses dents.

– Tais-toi, assieds-toi, et raconte-moi, nom d'un chien !

Voilà, ça, c'est Grandma. Elle s'allonge sur un transat et s'évente avec emphase, en bonne prof de théâtre à la retraite. Maman et moi nous asseyons au bord d'un autre transat.

– Qu'est-ce qui ne va pas ? demande maman.

– Quand…

Mais en voyant Ava approcher avec sa poupée et un peigne, elle s'interrompt avec un sourire forcé. Ava me les tend et s'en va jouer avec d'autres jouets.

Je me mets à peigner la poupée. Cette enfant m'a bien dressée : j'obéis sans qu'elle ait à dire un mot.

Une fois Ava hors de portée de voix, Grandma dit :

– Quand est-ce que vous me ramenez chez moi ?

– Qu'est-ce qui se passe ? demande maman.

– Chut, pas si fort !

Vu le volume sonore de Grandma, ça fait plutôt sourire.

– Hier matin, j'ai sorti du poisson-chat pour le dîner. Mon idée était de le frire pour le servir avec des boulettes de maïs et des frites, tout ça. Et puis je suis partie faire quelques courses.

– T'as acheté quoi ? je demande, juste histoire de.

Grandma me lance son regard qui tue. J'ai l'impression de voir maman dans trente ans, avec quelques rides et les cheveux blancs qu'elle a manqués en faisant sa teinture (elle me donnerait la fessée si elle m'entendait).

– Ma fille, dit-elle, je n'ai pas de comptes à te rendre. Bref, à mon retour, cette truie a couvert mon poisson de foutus cornflakes et l'a mis au four !

– Des cornflakes ? je commente, en faisant une raie à la poupée.

– Oui ! Parce que c'est soi-disant plus sain comme ça. Si je veux manger sain, je mange de la salade, moi !

Maman met la main devant sa bouche et je vois à la commissure de ses lèvres qu'elle sourit.

– Je croyais que vous vous entendiez bien, Pam et toi.

– C'était le cas, oui. Jusqu'à ce qu'elle s'en prenne à ma cuisine ! J'en ai avalé des couleuvres depuis que je suis là. Mais ça – elle brandit un doigt –, ça, ça va trop loin ! J'aimerais mieux habiter avec toi et cet ancien taulard que d'avoir à tolérer ça.

Maman se lève et embrasse Grandma sur le front.

– Ça va aller.

Grandma lui fait signe de déguerpir. Une fois qu'elle est partie, elle se tourne vers moi.

– Ça va, ma fille ? Carlos m'a dit que tu étais dans la voiture quand ce garçon a été tué.

– Oui, Grandma, ça va.

– Bien. Et si ça ne va pas, ça ira plus tard. On est solides dans la famille.

Je lui fais signe que oui mais je n'y crois pas. Pas pour moi en tout cas.

On sonne. Je dis que je m'en occupe, pose la poupée d'Ava et disparais dans la maison.

Merde. C'est Chris. J'ai toujours envie de m'excuser mais il faut me laisser le temps de me préparer.

C'est bizarre, cela dit. Il fait les cent pas. Comme quand on révise pour une interro ou avant un match important. La confrontation avec moi lui fait peur.

Je m'appuie contre le chambranle de la porte.

– Salut.

– Salut.

Il sourit, et malgré tout moi aussi.

– Je lavais une voiture de mon père et je vous ai vus passer, explique-t-il.

D'où le marcel, les tongs et le short.

– Ça va ? demande-t-il. Je sais que tu m'as dit que oui par message, mais je voulais être sûr.

– Ça va, je lui dis.

– Le magasin de ton père n'a pas été touché ?

– Non.

– Tant mieux.

Regards. Silence.

Il soupire.

– Si c'est toujours à propos de la capote, je n'en achèterai plus jamais.

– Jamais ?

– Ben, seulement si tu veux que j'en achète.

Et il se dépêche d'ajouter :

– Ça peut attendre. D'ailleurs, t'as même pas besoin de coucher avec moi un jour. Ni de m'embrasser. Merde, si t'as pas envie que je te touche, je…

– Chris, Chris, je lui dis, les mains en l'air pour le calmer, en retenant un éclat de rire. C'est bon. J'ai compris.

– Cool.

– Cool.

Regards. Silence. Encore.

– Je suis désolée, en fait, je lui dis en basculant mon poids d'un pied sur l'autre. Désolée d'avoir fait la morte. Rien à voir avec la capote.

– Oh… (Il fronce les sourcils.) Alors c'était quoi ?

Je soupire.

– J'ai pas envie d'en parler.

– Alors t'as le droit d'être en colère contre moi, mais sans me dire pourquoi ?

– Ça n'avait rien à voir avec toi.

– Si, si le silence radio, il était pour *moi*, dit-il.

– Tu comprendrais pas.

– Peut-être que tu peux me laisser décider ça tout seul ? Je suis là, à t'appeler, à t'écrire et tout, et tu peux pas me dire pourquoi tu m'ignores ? C'est pourri, ça, Starr.

Je lui décoche ce regard qui me donne vraiment l'impression de ressembler à maman ou Grandma quand leurs yeux m'informent que j'aurais mieux fait de me taire.

– Je viens de te le dire, tu comprendrais pas. Alors lâche l'affaire.

– Non. (Il croise les bras.) J'ai pas fait tout ce chemin pour…

– Tout ce chemin ? Wesh, quel chemin ? Le bout de la rue jusqu'ici ?

La Starr de Garden Heights a repris le dessus.

– Ouais, du bout de la rue jusqu'ici, il me rétorque. Mais tu sais quoi ? J'avais pas à le faire. Et je l'ai fait quand même. Et toi, tu peux même pas me dire ce qui se passe !

– T'es blanc, d'accord ? je lui crie. T'es blanc !

Silence.

– Je suis blanc ? dit-il, comme si c'était la première fois qu'il entendait ça. Et qu'est-ce que ça a à voir avec le reste, ça, putain ?

– Tout ! Ça a tout à voir. T'es blanc et je suis noire. T'es riche et pas moi.

– Et alors ? Qu'est-ce que ça peut foutre ? Ça m'intéresse pas ce genre de chose Starr, c'est toi qui m'intéresses.

– Ce genre de chose, ça fait partie de moi !

– D'accord, et… ? C'est pas grave, si ? Putain, sérieux ! C'est ça qui te fout la rage comme ça ? C'est pour ça que tu m'ignores ?

Je le fixe, et je sais – *je sais* – que là tout de suite, je ressemble à Lisa Janae Carter. J'ai la bouche entrouverte, comme elle quand mes frères ou moi « on fait les malins » comme elle dit. Le menton légèrement en retrait, les sourcils levés… Merde, j'ai même la main sur la hanche.

Chris recule d'un pas, comme on fait mes frères et moi dans ce cas-là.

– C'est juste que… c'est n'importe quoi, putain. C'est tout.

– C'est bien ce que je disais : tu peux pas comprendre, tu vois ?

Bim. Si je devais me comparer à ma mère, là, je dirais que je suis en train de lui faire un : « tu vois, je te l'avais dit ».

– Non, faut croire que non, dit-il.

Silence. Encore.

Chris fourre les mains dans ses poches.

– Peut-être que tu peux m'aider à comprendre, non ? Je sais pas. Mais ce que je sais, c'est que ne plus t'avoir dans ma vie, c'est pire que ne pas pouvoir faire du beatbox ou jouer au basket. Et tu sais à quel point ces deux trucs, je les kiffe, Starr.

Je lui décoche un sourire narquois.

– C'est quoi ce couplet à deux balles ?

Il se mord la lèvre inférieure et hausse les épaules. Je me mets à rire. Lui aussi.

– Pas top, hein ?

– Affreux.

On se tait, mais cette fois c'est le genre de silence qui ne me dérange pas. Il tend la main vers la mienne.

Je ne sais toujours pas si je me trahis en sortant avec Chris, mais il m'a tellement manqué que ça en fait mal. Maman trouve normal de venir chez oncle Carlos, mais c'est Chris le genre de normal dont j'ai vraiment envie. Le normal où je n'ai pas à choisir quelle Starr je dois être. Le normal où personne ne te plaint ou ne parle de « Khalil, le dealer ». Juste… normal, quoi.

C'est pour ça que je ne peux pas dire à Chris que le témoin, c'est moi.

Je lui prends la main et tout d'un coup, tout a l'air à sa place. Pas de tressaillements, pas d'images de Khalil et du flic qui me sautent à la gueule.

– Allez, je lui dis. Les hamburgers d'oncle Carlos doivent être prêts.

On s'avance vers le jardin main dans la main. Il sourit et, étonnamment, moi aussi.

DIX

Comme les émeutes ont recommencé dès le coucher du soleil, nous restons dormir chez oncle Carlos. Pour une raison ou pour une autre, l'épicerie a encore été épargnée. On devrait aller à l'église remercier le Seigneur, mais on est tellement fatiguées, maman et moi, qu'on ne pourrait pas tenir une heure où que ce soit. Comme Sekani veut rester un jour de plus chez oncle Carlos, nous rentrons à Garden Heights sans lui le dimanche matin.

À peine sorties de l'autoroute, on rencontre un barrage de police. Une voiture de patrouille garée en travers de la chaussée réduit la circulation à une seule voie et les agents parlent aux conducteurs avant de les laisser avancer.

Brusquement, je sens mon cœur se tordre comme sous l'effet d'une main.

– On peut… (Je déglutis.) On peut pas les éviter ?

– Ça m'étonnerait. Il y a sans doute les mêmes barrages tout autour du quartier.

Maman jette un regard vers moi et fronce les sourcils.

– Ça va, Miam ?

J'attrape la poignée de la portière. Ils peuvent dégainer en une seconde et nous abattre comme Khalil. Le corps qui se vide de son sang sur le bitume devant tout le monde. La bouche béante. Les yeux vers le ciel, qui cherchent Dieu.

– Eh, fait maman en me pinçant la joue. Eh, regarde-moi.

J'essaie, mais j'ai les yeux pleins de larmes. J'en ai tellement marre d'être faible comme ça, putain ! Khalil a peut-être perdu la vie, mais moi aussi j'ai perdu quelque chose et ça me fout en rogne.

– Tout va bien, dit maman. On va gérer ça, d'accord ? Ferme les yeux s'il le faut.

C'est ce que je fais.

Garde tes mains en évidence.

Ne fais pas de mouvement brusque.

Ne parle que si on te pose une question.

Les secondes s'écoulent comme des heures. L'agent demande ses papiers à maman et l'assurance de la voiture, pendant que moi, je supplie Jésus Noir de nous ramener saines et sauves chez nous, en espérant ne pas entendre un coup de feu pendant qu'elle fouille dans son sac.

On finit par repartir.

– Tu vois, mon bébé, dit-elle. Tout va bien.

Avant, ce qu'elle disait faisait de l'effet. Si elle assurait que tout allait bien, c'était que tout allait bien. Mais quand on a tenu dans ses bras deux personnes en train de rendre leur dernier souffle, ce genre de phrase ne veut plus rien dire.

Quand on se gare devant chez nous, je n'ai toujours pas lâché la poignée de la portière.

Papa sort et tape à ma vitre. Maman la baisse à ma place.

– Mes chéries sont de retour ! lance-t-il.

Son sourire se change rapidement en froncement de sourcil.

– Qu'est-ce qui va pas ?

– T'es pressé ? T'as un train à prendre, bébé ? lance maman.

C'est sa façon de lui signifier que la conversation est remise à plus tard.

– Ouais, faut que je passe me réapprovisionner à l'entrepôt.

Il me tapote l'épaule.

– Eh, tu veux venir avec ton papa ? Je te paierai une glace. Un de ces énormes pots qui vont te durer un mois !

Je ris sans envie. C'est le talent de papa.

– Je n'ai pas besoin d'autant de glace.

– J'ai pas dit que t'en avais besoin. En rentrant, on pourra regarder ce truc que tu kiffes tellement, là, *Harry Potter*.

– Nooooon.

– Quoi ?

– Papa, regarder *Harry Potter* avec toi, y'a pas pire. (Je prends une voix grave.) T'arrêtes pas de dire : « Pourquoi ils le descendent pas, ce négro-là, Voldemort ? »

– Ben ouais, avec tous les films et les bouquins qu'ils ont faits, y'en a pas un qu'a pensé à le descendre, c'est n'importe quoi.

– Ou sinon, renchérit maman, tu vas nous sortir ta théorie selon laquelle *Harry Potter* parle de gangs.

– Parce que c'est la vérité ! s'exclame-t-il.

Bon, d'accord, en fait, ça tient la route. Papa prétend qu'en réalité, les maisons de Poudlard sont des gangs. Avec chacun leurs couleurs, leurs cachettes, et leur solidarité entre membres à la vie, à la mort : des gangs, quoi. Harry, Ron, Hermione ne balancent jamais leurs camarades : comme les membres des gangs. Les Mangemorts ont les mêmes tatouages. Et Voldemort ? Ils ont peur de prononcer son nom. Cette façon qu'ils ont de l'appeler, « celui dont on ne doit pas prononcer le nom », ça ressemble à un surnom qu'on se donne dans la rue, ça : encore un truc de gang.

– Vous savez bien que j'ai raison, assure papa. C'est pas parce que ça se passe en Angleterre qu'y a pas d'histoire de gangs dedans.

Il me regarde.

– Alors, ça te dit de traîner un peu avec ton daron ou pas ?

Ça me dit toujours de traîner avec lui.

On roule dans les rues, Tupac qui vibre à fond dans les caissons de basse. Il parle de garder la tête haute, et papa me jette des regards en coin en rappant avec lui, comme s'il me disait à moi ce que chante Tupac.

– « *I know you're fed up, but keep your head up.* » (Il m'attrape le menton.) Je sais que t'en as marre mon bébé, mais garde la tête haute.

Avec le refrain, il chante que les choses vont s'arranger, et je ne sais pas si j'ai envie de pleurer parce que c'est vraiment à moi qu'il parle, là, tout de suite, ou d'éclater de rire tellement papa chante faux.

– Il en avait dans le crâne, ce gars-là. Il en avait grave. Y'en a plus des rappeurs comme ça, aujourd'hui.

– Fais gaffe, papa, tu parles comme un vieux, là !

– Et alors ? C'est la vérité. Les rappeurs d'aujourd'hui, ils en ont qu'après la thune, les filles et les fringues.

– Ton âge, papa, ton âge… je murmure.

– 'Pac aussi parlait de ça, ouais, mais il essayait en plus de filer la pêche aux Noirs. Comme par exemple avec le mot « *nigga* » : il lui a complètement redonné un sens – *Never Ignorant Getting Goals Accomplished.* Jamais ignorants et accomplissant leurs buts. C'est pas rien ça, putain. Et il disait que *Thug Life*, ça voulait dire…

– *The Hate U Give Little Infants F…s Everybody*.

Je ne dis pas « *fuck* », je parle à mon père, quand même.

– Tu connais ?

– Ouais. Khalil m'a expliqué ce que ça voulait dire pour lui. On écoutait Tupac juste avant que… tu sais.

– D'accord, alors ça veut dire quoi, pour toi ?

– Tu sais pas ce que ça veut dire ? je demande.

– Si je sais. Mais je veux entendre ce que toi, t'en dis.

Et voilà. Il me cuisine.

– Khalil disait que ça parlait de ce dont la société nous abreuve quand on est gamins et qui se retourne contre elle plus tard, je dis. Mais moi, je crois que ça parle pas que de la jeunesse. Je crois que ça parle de nous en général.

– Nous qui ? demande papa.

– Les Noirs, les minorités, les pauvres. Tous ceux qui sont en bas de l'échelle.

– Les opprimés, dit-il.

– Ouais. On est ceux qui ont la plus petite part du gâteau mais on est aussi ceux qu'ils craignent le plus. C'est pour ça que le gouvernement s'en est pris aux Black Panthers, pas vrai ? Parce qu'ils les craignaient ?

– Mmm, confirme papa. Les Panthers ont éduqué le peuple et lui ont permis de s'émanciper. Cette tactique d'émancipation des opprimés date même d'avant les Panthers. Tu peux me dire de qui ?

Non, sérieux ! Il faut toujours que je me creuse la tête avec lui. Celle-là me demande une minute de réflexion.

– La révolte des esclaves de 1831, je réponds. Nat Turner a éduqué et émancipé d'autres esclaves, ce qui a conduit à l'une des plus grosses rébellions d'esclaves de toute l'histoire.

– OK, OK. T'as pigé.

Il me tape dans la main.

– Et cette haine qu'ils donnent aux gamins dans la société d'aujourd'hui ?

– Le racisme ?

– Va falloir me donner un peu plus de détails que ça. Pense à Khalil et à sa vie. Avant qu'il meure.

– Il était dealer. (Ça me fait mal de dire ça.) Et peut-être dans un gang.

– Pourquoi il était dealer ? Pourquoi y'a autant de dealers dans notre quartier ?

Je me souviens de ce que Khalil m'a dit – qu'il en avait marre de choisir entre la bouffe et l'électricité.

– Ils ont besoin d'argent, je dis. Et ils n'ont pas beaucoup d'autres moyens d'en obtenir.

– Bien. Le manque d'opportunités, dit papa. L'Amérique des grandes entreprises ne crée pas de boulot dans nos quartiers, et ils sont clairement pas pressés de nous embaucher. Et puis, merde, même si t'arrives à avoir le diplôme à la fin du lycée, y'a pas beaucoup d'écoles du quartier qui nous préparent suffisamment bien. C'est pour ça que, quand ta mère a parlé de vous envoyer à Williamson, toi et tes frères, j'ai dit OK. Nos écoles ici ont pas les moyens de vous équiper pour la vie comme Williamson. Par ici, c'est plus facile de trouver du crack qu'une bonne école. Maintenant, comment les drogues arrivent dans le quartier, hein ? On parle d'une industrie qui brasse des milliards de dollars, là, mon bébé. Cette merde arrive en masse dans nos quartiers, mais je connais personne qui se déplace en jet privé. Et toi ?

– Non.

– Exactement. Les drogues viennent d'ailleurs et elles détruisent notre communauté. T'as des gens comme Brenda, qui sont persuadés qu'ils en ont besoin pour survivre, et puis d'autres comme Khalil, qui sont persuadés qu'ils ont besoin de les vendre pour survivre. Les Brenda peuvent pas décrocher de boulot sauf si elles sont clean, et elles peuvent pas payer leur désintox sauf si elles ont un boulot. Quand les Khalil se font serrer parce qu'ils fourguent, soit ils passent la plus grande partie de leur vie en prison, une autre industrie qui brasse des milliards, soit ils galèrent pour trouver un vrai boulot et, du coup, ils vont probablement se remettre à fourguer. C'est ça la haine qu'ils nous donnent, bébé, un système conçu pour nous écraser. La *Thug Life*, c'est ça.

– Je comprends ce que tu dis, mais Khalil n'était pas obligé de dealer, je lui dis. Toi, t'as bien arrêté.

– Vrai, mais t'étais pas à sa place, tu peux pas le juger. C'est plus facile de tomber dans ce style de vie que de s'en tenir à l'écart, surtout dans une situation comme la sienne. Une autre question maintenant…

– Sérieux ?

Merde, je me suis assez creusé la tête comme ça.

– Ouais, sérieux, il me répond en prenant une voix aiguë pour m'imiter.

Je ne parle même pas comme ça.

– Après tout ce que je viens de dire, continue-t-il, en quoi cette *Thug Life* s'applique aux manifs et aux émeutes ?

Je prends une minute pour réfléchir.

– Tout le monde est vénère parce que Cent-Quinze a pas été inculpé, je dis. Mais aussi parce qu'il est pas le premier à agir comme ça et à s'en sortir. Ça arrive régulièrement et les gens continueront à se révolter jusqu'à ce que ça change. Donc je crois que le système nous en balance en permanence, de la haine. Et au bout du compte, tout le monde se fait niquer.

Papa se met à rire et me tape dans la paume.

– Ouais, bien ! Fais gaffe à ton vocabulaire, mais c'est à peu près ça. Et on continuera à se faire niquer jusqu'à ce que ça change. Parce que la clé c'est ça : faut que ça change.

Je réalise peu à peu – violemment – à quel point tout ça est vrai et une boule se forme dans ma gorge.

– C'est pour ça que les gens ouvrent leur gueule, hein ? Parce que rien ne changera si on ne dit rien.

– C'est ça. On ne peut pas se taire.

– Alors moi non plus.

Papa se fige. Il me regarde.

Je lis dans ses yeux le combat intérieur qu'il est en train de livrer. Je compte plus pour lui qu'une révolte. Je suis son bébé et je le serai toujours, et si ne pas parler me protège, alors il préfère que je me taise.

N'empêche, tout ça a plus de portée que Khalil et moi. C'est de Nous qu'il est question, avec un N majuscule. De tous ceux qui nous ressemblent physiquement, qui se sentent comme nous et vivent cette douleur avec nous même s'ils ne nous connaissent pas. Et mon silence ne Nous aide pas.

Papa regarde de nouveau fixement la route. Il acquiesce d'un signe.

– Non, t'as raison : faut pas se taire.

L'entrepôt, c'est l'horreur.

Partout, des gens poussent maladroitement de gros chariots plateformes chargés à bloc, déjà difficiles à manœuvrer quand ils sont vides. Quand on sort enfin, j'ai l'impression que Jésus Noir vient m'arracher aux profondeurs de l'enfer. Mais papa tient sa promesse et m'offre une glace.

S'approvisionner n'est que la première étape. Il faut ensuite tout décharger au magasin et tout mettre en rayons. Puis on colle (non pardon : *je* colle) les étiquettes de prix sur tous les paquets de chips, les cookies, les bonbons. J'aurais dû y penser avant d'accepter d'accompagner papa. Pendant que je trime, il règle des factures dans son bureau.

Je suis en train d'étiqueter des paquets de Doritos quand quelqu'un frappe à la porte.

– On est fermés ! je crie sans lever les yeux.

Ils ne savent pas lire ou quoi ?

Apparemment non, vu qu'ils continuent à frapper.

Papa apparaît à la porte de son bureau.

– On est fermés ! répète-t-il.

Ça frappe toujours.

Papa disparaît dans son bureau et en ressort avec son Glock. Il n'a théoriquement pas le droit de porter une arme, vu qu'il a fait de la prison. Mais il soutient que techniquement, il n'en porte pas, puisque le Glock reste au magasin.

Il jette un œil sur le type dehors.

– Qu'est-ce que tu veux ?

– J'ai faim, répond une voix masculine. Je peux acheter quelque chose ?

Papa déverrouille la porte et la tient ouverte.

– T'as cinq minutes.

– Merci, dit DeVante en entrant.

Son afro puff a viré à la véritable afro. Il a quelque chose de hagard et je ne dis pas ça à cause de ses cheveux. C'est plutôt dans son regard que ça se passe. Il a les yeux gonflés, rouges, agités. C'est à peine s'il me dit bonjour en passant devant moi.

Papa attend à la caisse avec son flingue.

DeVante jette un œil dehors. Il regarde les chips.

– Fritos, Cheetos ou Dori…

Il jette un nouveau regard dehors, sans prendre le temps

de finir son énumération des marques. Remarquant que je l'observe, il repose les yeux sur les chips :

– Doritos.

– Tes cinq minutes sont presque écoulées, lui dit papa.

– Yo, mec. C'est bon !

DeVante attrape un sachet de Fritos.

– Je peux aller me chercher quelque chose à boire ?

– Magne-toi.

DeVante va jusqu'aux réfrigérateurs. Je rejoins papa à la caisse. C'est évident que quelque chose ne tourne pas rond. DeVante n'arrête pas de tendre le cou pour surveiller l'extérieur. Ses cinq minutes passent au moins trois fois. C'est impossible qu'il faille tant de temps à quelqu'un pour se décider entre un Coca, un Pepsi ou un Faygo. Sérieux, impossible.

– OK, Vante. (Papa lui fait signe d'avancer vers la caisse.) T'essaies de trouver le courage de me braquer ou t'as quelqu'un à tes basques ?

– Tu déconnes, mec, bien sûr que non j'essaie pas de te braquer ! s'offusque DeVante.

Il sort une liasse de billets et la pose sur le comptoir.

– J'ai de la thune. Et je suis un King. Je fuis personne.

– Non, tu te planques juste dans les magasins, je dis.

Il me fusille du regard, mais papa me soutient :

– Elle a raison. Tu te planques. De qui ? Les Kings ou les Disciples ?

– C'est pas ces Disciples du parc, au moins ? je demande.

– Wesh, occupe-toi de tes oignons, toi.

– Ben justement : tu débarques dans le magasin de mon

père qui vend des oignons, alors ouais je m'occupe de mes oignons figure-toi.

– Oh, c'est bon, là ! intervient papa. Bon, dis-moi la vérité : de qui tu te caches ?

DeVante fixe ses Converse élimées, bien trop abîmées pour mon nécessaire de nettoyage.

– King, il marmonne.

– Les Kings ou King ? demande papa.

– King, répète DeVante un peu plus fort. Il veut que je me charge des mecs qui ont buté mon frère. Sauf que j'ai pas envie que ça me colle au cul.

– Ouais, j'ai entendu pour Dalvin, dit papa. Je suis désolé. Il s'est passé quoi ?

– On était à la fête à Big D et des Disciples lui sont tombés dessus. Ils se sont bastonnés et y'en a un qui lui a tiré dans le dos, la sale tarlouze.

Putain, c'était la fête à laquelle on était, Khalil et moi. Il parle des coups de feu qui nous ont fait fuir.

– Big Mav, comment t'as fait pour raccrocher, toi ? demande DeVante.

Papa caresse son bouc en dévisageant DeVante. Puis il finit par répondre :

– À la dure. Mon père était un King Lord. Adonis Carter. Un gangster à l'ancienne. Un vrai de vrai.

– Yo ! s'exclame DeVante. Big Don ? C'est ton reup ?

– Ouaip. Le plus gros dealer que la ville ait connu.

– Yo ! Mec, c'est dingue.

DeVante n'en peut plus là, une vraie groupie.

– J'ai entendu dire qu'il avait des flics qui bossaient pour lui et tout. Il faisait un max de caillasse.

Et moi, j'ai entendu dire que mon grand-père était tellement occupé à se faire un max de caillasse qu'il n'avait pas de temps à consacrer à papa. Il y a plein de photos de papa jeune en manteau de vison, avec des jouets de luxe, ou des bijoux, mais grand-père Don n'est nulle part dessus.

– Probablement, répond papa. J'en sais trop rien. Il est parti en taule quand j'avais huit ans. Il y est toujours. Je suis son seul enfant, son fils unique. Tout le monde s'attendait à ce que je prenne sa suite. Je suis devenu King Lord à douze ans. Bordel, c'était la seule façon de survivre. Y'avait toujours quelqu'un pour vouloir me faire la peau à cause de mon père, mais en tant que King Lord, j'avais des gars pour surveiller mes arrières. Les Kings, c'est devenu ma vie. Juré, j'étais prêt à mourir pour le gang.

Il jette un regard vers moi.

– Puis je suis devenu papa et j'ai réalisé que les King Lords et toute cette merde, ça valait pas la peine de crever pour eux. Je voulais me tirer. Sauf que tu sais comment c'est, il suffit pas de dire terminé bonsoir merci d'être passé. King portait la couronne et c'était mon pote, mais c'était impossible pour lui de me laisser juste partir comme ça. Je gagnais bien en plus, alors honnêtement c'était pas facile de me dire que j'allais arrêter.

– Ouais, King dit que t'es un des meilleurs dealers qu'il a jamais vus, dit DeVante.

Papa hausse les épaules.

– Je tenais ça de mon père, faut croire. Mais en vrai, si j'étais bon c'est juste parce que je me faisais jamais serrer. Et puis un jour, King et moi on est partis chercher une livraison et on s'est fait choper. Les flics voulaient savoir à qui les armes appartenaient. King était en conditionnelle et une inculpation là-dessus lui aurait garanti perpète. Comme moi, j'avais pas de casier, je me suis sacrifié et j'ai pris quelques années et du sursis. On pouvait pas faire plus loyal. Ça a été les trois années les plus dures de ma vie. Quand j'étais gosse, j'en voulais à mon père d'être en taule et de m'avoir laissé tomber. Et je faisais pareil à mon tour, dans la même prison que lui : je voyais pas grandir mon bébé.

DeVante fronce les sourcils.

– T'étais en zonze avec ton reup ?

Papa confirme d'un signe de tête.

– Toute ma vie, les gens m'ont donné l'impression que c'était un vrai roi, tu vois ce que je veux dire ? Une légende. Mais c'était devenu un vieillard chétif, qui regrettait le temps qu'il avait pas passé avec moi. Le truc le plus sincère qu'il m'a jamais dit, c'était « ne fais pas les mêmes erreurs que moi ».

De nouveau, papa me regarde.

– Et pourtant, c'est pile ce que j'ai fait. J'ai raté son premier jour d'école, tout ça. Mon bébé voulait appeler quelqu'un d'autre papa parce que j'étais pas là.

Je regarde ailleurs. Il sait à quel point oncle Carlos et moi étions devenus proches.

– Officiellement, j'étais plus un King Lord, j'en avais fini avec la came, avec tout, continue-t-il. Et comme j'avais pris de la taule pour lui, King a accepté de me laisser raccrocher. Du coup, ces trois ans ont finalement pas servi à rien.

Le regard de DeVante s'éteint comme quand il parle de son frère.

– Il a fallu que t'ailles en taule pour en sortir ?

– Je suis l'exception, pas la règle, précise papa. Quand les gens disent que c'est pour la vie, c'est parce que c'est pour la vie. Faut être prêt à mourir dans le gang ou à mourir pour le gang. T'as vraiment envie de raccrocher ?

– Je veux pas aller en taule.

– Il t'a pas demandé ça, je dis. Il t'a demandé si tu voulais raccrocher.

Pendant un long moment, DeVante ne dit rien. Puis il lève les yeux vers papa.

– Je veux vivre, mec.

Papa se caresse le bouc. Il soupire.

– D'accord. Je vais t'aider. Mais je te promets, si tu te remets à fourguer ou à traîner avec un gang, tu regretteras King quand j'en aurai fini avec toi. Tu vas au lycée ?

– Ouais.

– Elles sont comment tes notes ?

DeVante hausse les épaules.

– Ça veut dire quoi ça, bordel ? fait papa en imitant le geste de DeVante. Tu sais bien les notes que t'as, alors elles sont comment ?

– J'ai des A et des B, répond DeVante, je suis pas teubé.

– D'accord, bien. On va aussi s'assurer que tu lâches pas les études.

– Je peux pas retourner à Garden High, mec, dit DeVante. Y'a tous les King Lords là-bas. Autant me buter direct, tu le sais, pas vrai ?

– J'ai pas dit que t'irais là-bas. On trouvera une solution. En attendant, tu peux bosser ici, au magasin. Le soir, tu fais quoi, tu restes chez toi ?

– Nan. King a envoyé ses gars me surveiller là-bas.

– Bien sûr qu'il a fait ça, grogne papa. On va trouver une solution pour ça aussi. Starr, montre-lui comment on étiquette.

– Tu l'engages pour de vrai ? Juste comme ça ? je demande.

– Starr, elle est à qui l'épicerie ?

– À toi, mais…

– Assez parlé. Montre-lui comment on met les prix.

DeVante ricane. J'ai envie de lui envoyer mon poing en pleine face.

– Suis-moi, je marmonne.

On s'assied en tailleur devant le rayon des chips. Papa ferme la porte à clé et retourne dans son bureau. J'attrape un sachet géant de Hot Cheetos et y colle une étiquette 99 cents.

– T'es censée me montrer comment on fait, dit DeVante.

– Je te montre. T'as qu'à regarder.

J'attrape un autre sachet. Il se penche par-dessus mon épaule, tout près. Trop près. Je sens son souffle dans mon oreille et tout. Je bouge la tête et le regarde.

– Tu permets ?

– C'est quoi ton problème avec moi ? il demande. Tu m'as pris de haut hier, et là dès que je suis entré. Je t'ai rien fait, wesh !

Je colle une étiquette sur des Doritos.

– Non, mais t'as fait un truc à Denasia par contre. Et à Kenya. Et je sais pas à combien d'autres filles à Garden Heights.

– Yo ! J'ai rien fait à Kenya.

– Tu lui as pas demandé son numéro peut-être ? Alors que tu sors avec Denasia ?

– Je sors pas avec Denasia. J'ai juste dansé avec elle à cette soirée. C'est elle qui voulait faire genre c'était ma meuf et qu'a pété un câble parce que je parlais à Kenya. Si j'avais pas eu à gérer leurs histoires, j'aurais… (Il déglutit.) J'aurais pu aider Dalvin. Quand je suis arrivé, il était par terre, plein de sang. Tout ce que j'ai pu faire, c'est le prendre dans mes bras.

Je me vois, moi aussi, assise dans une mare de sang :

– Et essayer de lui dire que tout irait bien même si tu savais que….

– Y'avait zéro chance qu'il s'en sorte, il me coupe.

On se tait.

J'ai une impression bizarre de déjà-vu. Je me vois assise en tailleur comme maintenant, mais en train de montrer à Khalil comment coller les prix.

On n'a pas pu aider Khalil avant qu'il meure. Mais peut-être qu'on pourra aider DeVante.

Je lui tends un sachet de Hot Fries.

– Je vais te montrer comment on se sert de l'étiqueteuse, mais juste une fois, alors t'as intérêt à écouter.

Il me décoche un grand sourire.

– T'as toute mon attention, boss.

Plus tard, pendant que je suis censée dormir, j'entends ma mère qui dit à mon père dans le couloir :

– Il essaie d'échapper à King et toi tu crois qu'il devrait se cacher ici ?

DeVante. Apparemment, papa n'a pas « trouvé de solution » et a décidé qu'il ferait mieux de rester chez nous le soir. Papa nous a déposés tous les deux à la maison deux heures plus tôt avant de retourner au magasin pour le protéger des vandales. Il vient à peine de rentrer. Il assure à maman que King cherchera DeVante partout sauf chez nous.

– Je devais faire quelque chose, dit papa.

– Je comprends, et je sais que tu vois ça comme une façon de te racheter après la mort de Khalil…

– C'est pas vrai.

– Si, dit doucement maman. Je comprends, mon bébé. J'ai des tonnes de regrets concernant Khalil moi aussi. Mais ça ? Ça met notre famille en danger.

– C'est provisoire. DeVante peut pas rester à Garden Heights de toute façon. Ce quartier est toxique pour lui.

– Attends. Il est toxique pour lui, mais pas pour nos enfants ?

– Arrête, Lisa. Il est tard, là. J'ai pas besoin de ça maintenant. J'ai passé toute la nuit au magasin.

– Et moi, je n'ai pas dormi parce que je m'inquiétais pour vous ! Je m'inquiétais pour mes bébés dans ce quartier.

– Ils vont bien ! Ils ont rien à voir avec ces gangs.

Maman pouffe avec mépris.

– Ouais, ils sont tellement bien ici que je dois faire presque une heure de voiture pour les envoyer dans une école digne de ce nom. Et que Dieu me préserve de voir un jour Sekani jouer dehors. Pour ça, il faut que j'aille chez mon frère, où je n'ai pas à m'inquiéter qu'il se fasse tuer comme les copains de sa sœur.

C'est horrible de me dire que je ne sais pas si elle parle plutôt de Khalil ou de Natasha.

– D'accord, imaginons qu'on déménage, dit papa. Et après ? On serait comme tous les lâches qui se barrent et renient le quartier. On peut faire en sorte que les choses changent dans le coin, mais au lieu de ça on se tire ? C'est ça que tu veux apprendre à tes enfants ?

– Je veux des enfants en vie ! Maverick, je comprends, tu veux aider les tiens. Moi aussi. C'est pour ça que je me casse le cul tous les jours à la clinique. Mais quitter le quartier ne voudra pas dire que tu deviens quelqu'un d'autre, et ça ne voudra pas dire non plus que tu ne peux pas aider cette communauté. Il faut que tu décides : qu'est-ce qui est le plus important, ta famille ou Garden Heights ? Moi, j'ai fait mon choix.

– T'es en train de me dire quoi, là ?

– Que je ferai ce que j'ai à faire pour mes bébés.

Bruits de pas. Porte qui se ferme.

Je ne dors presque pas de la nuit, tellement je me demande ce que ça va impliquer pour eux. Pour nous. Bon, d'accord, ils ont déjà parlé de déménager, mais avant la mort de Khalil, ils ne se disputaient pas comme ça.

S'ils se séparent, ça sera un truc de plus que Cent-Quinze m'aura volé.

ONZE

Lundi matin, à peine arrivée à Williamson, je comprends qu'il se trame quelque chose. Tout le monde est super silencieux. Ou plutôt ils chuchotent, en petits groupes dans les couloirs et dans la cour, comme s'ils discutaient tactiques pendant un match de basket.

Je cherche Hailey et Maya du regard, mais elles me repèrent les premières.

– T'as reçu le message ? demande Hailey.

Elle ne prend même pas le temps de dire bonjour.

– Quel message ? je lui dis, comme je n'ai toujours pas récupéré mon téléphone.

Elle me montre une longue conversation de groupe, avec une centaine de noms sur le sien. C'est Remy, le frère aîné d'Hailey, qui l'a lancée :

Manif aujourd'hui en première heure.

Puis une réponse de Luke, le frisé à fossettes :

Grave ! Une journée à rien foutre.

Et réaction de Remy :

Oui c'est l'idée, crétin.

J'ai l'impression qu'on vient d'appuyer sur la touche « pause » de mon cœur.

– C'est pour Khalil ?

– Ouais, répond Hailey, tout excitée. En plus ça tombe trop bien ! J'ai tellement pas révisé pour le contrôle d'anglais. C'est, genre, la première fois que Remy a une bonne idée pour sécher les cours en fait. Bon OK, c'est un peu n'importe quoi de s'indigner de la mort d'un dealer, mais…

Toutes les règles de conduite que je m'étais fixées pour Williamson volent en éclats et la Starr de Garden Heights apparaît :

– Putain, mais sérieux, c'est quoi le rapport, là ?

Leurs bouches s'ouvrent en grand pour former deux O parfaits.

– Ce que je veux dire c'est… si c'était bien un dealer, dit Hailey, ça explique que…

– Qu'on l'ait buté sans raison ? Donc, c'est cool qu'il soit mort, c'est ça ? Avec votre manif, je croyais que vous étiez indignés mais en fait, non ?

– Mais si ! Mon Dieu, Starr, détends-toi. Je pensais que tu serais à fond de notre côté, vu ton obsession sur Tumblr ces temps-ci.

– Tu sais quoi ? Lâche-moi, je lui rétorque, à deux doigts d'entrer en fusion. Amusez-vous bien avec votre petite manif à la con.

J'ai envie de boxer tous ceux que je croise, à la Floyd Mayweather, le poids super-léger. Eux, ils sont complètement excités à l'idée d'éviter une journée de cours. Khalil, lui, il est six pieds sous terre. Impossible d'éviter ça. Et moi aussi je dois faire avec, tous les jours sans exception.

Arrivée en classe, je balance mon sac à dos par terre et me laisse tomber sur ma chaise. Je ne regarde même pas Hailey et Maya quand elles entrent : qu'elles ne s'avisent pas de venir me parler.

Je viole toutes mes règles de conduite et je n'en ai plus rien à foutre.

Chris arrive juste avant la sonnerie, son casque autour du cou. Il repère l'allée où je suis assise et vient me pincer le nez en faisant « pouët pouët » parce que visiblement, il trouve ça très drôle. D'habitude, je lui donne un coup sur la main en riant, mais aujourd'hui... Ben non, je ne suis pas d'humeur. Alors je lui donne juste un coup sur la main. Et pas en douceur en plus.

– Oh ! il s'exclame en secouant les doigts. Ça va pas ou quoi ?

Je ne réponds rien. Si j'ouvre la bouche, j'explose.

Il s'accroupit à côté de mon bureau et me secoue la cuisse.

– Starr ? Ça va ?

M. Warren, notre professeur à moitié chauve et court sur pattes, se racle la gorge.

– Chris Bryant, on n'est pas dans l'*Île de la tentation*. Va t'asseoir s'il te plaît.

Chris se glisse à côté de moi.

– Qu'est-ce qu'elle a ? demande-t-il à Hailey à mi-voix.

Hailey fait l'innocente :

– Chais pas.

M. Warren nous demande de sortir nos Mac et commence son cours de littérature anglaise. Moins de cinq minutes plus tard, quelqu'un lance :

– Justice pour Khalil !

– Justice pour Khalil ! reprennent les autres en chœur. Justice pour Khalil !

Le prof leur dit d'arrêter, mais ils haussent le ton en cognant sur les tables de leur poing fermé.

J'ai envie de vomir, de crier, de pleurer.

Toute la classe se rue dehors. Maya est la dernière à sortir. Elle se retourne pour me regarder, puis elle regarde Hailey qui lui fait signe d'avancer et, finalement, elle lui emboîte le pas.

Cette fois, pour ce qui me concerne, je crois que c'est terminé : je ne suivrai plus jamais Hailey.

Dans le couloir, les slogans pour Khalil retentissent comme des sirènes. Peut-être que certains ne sont pas comme Hailey et s'en fichent qu'il ait été dealer. Peut-être qu'ils sont presque aussi en colère que moi. Mais comme je connais les vraies motivations de Remy, je reste assise.

Chris aussi, pour une raison ou pour une autre. Il colle bruyamment son bureau au mien et essuie mes larmes avec son pouce.

– Tu le connaissais, pas vrai ?

Je confirme d'un signe de tête.

– Oh, dit M. Warren. Toutes mes condoléances, Starr. Tu n'as pas à… tu peux appeler tes parents, tu sais ?

Je m'essuie les joues. Pas question d'affoler maman en lui

montrant que je suis incapable d'encaisser tout ça. Pas question d'en être incapable, d'ailleurs.

– Vous pouvez continuer votre cours, monsieur ? je demande. Penser à autre chose me ferait du bien.

Il sourit tristement et reprend où il en était resté.

Jusqu'à la fin de la journée, Chris et moi sommes souvent les deux seuls en cours. De temps en temps, un ou deux autres élèves nous rejoignent. Les gens se donnent beaucoup de mal pour venir me dire à quel point c'est pourri comment Khalil est mort, mais que les raisons de Remy pour manifester le sont aussi. Comme par exemple cette fille de première, qui s'approche dans le couloir pour m'assurer qu'elle est complètement acquise à la cause mais qu'elle a décidé de retourner en cours quand elle a appris la vraie motivation des manifestants.

Ils font tous comme s'ils me devaient une explication en tant que représentante officielle de la communauté noire. Je crois que je comprends, cela dit. Si moi, je renonce à une manifestation, ça sera interprété comme un message que j'envoie, mais si eux le font, ils passeront pour des racistes.

Au déjeuner, Chris et moi rejoignons notre table près des distributeurs de boissons. Il n'y a que Jess, avec sa coupe pixie toujours aussi parfaite, en train de manger des frites au fromage en lisant sur son téléphone.

– Salut ? je fais.

Ça ressemble plus à une question qu'à une affirmation. Je suis étonnée de la trouver là.

– Salut, elle me répond avec un hochement du menton. Asseyez-vous. Comme vous pouvez voir, y'a plein de place.

Je m'assieds à côté d'elle. Et Chris se met à côté de moi. Jess et moi jouons au basket ensemble depuis trois ans et mon épaule lui sert de repose-tête depuis deux, mais j'ai honte de dire que je ne sais pas grand-chose d'elle. Je sais qu'elle est en terminale, que ses parents sont avocats et qu'elle travaille dans une librairie. Mais je ne savais pas, par contre, qu'elle n'était pas allée manifester.

Je la regarde avec insistance sans doute, parce qu'elle me dit :

– Je me sers pas des morts pour sécher les cours.

Finalement, si je n'étais pas hétéro, je sortirais avec elle direct simplement parce qu'elle a dit ça. Cette fois, c'est moi qui pose la tête sur son épaule.

Elle me caresse les cheveux en disant :

– Les Blancs font des trucs débiles des fois.

Jess est blanche.

Seven et Layla nous rejoignent avec leur plateau. Seven me tend son poing. Je ferme le mien et lui donne un petit coup.

– Seven, fait Jess avant de le saluer de la même façon.

Je ne savais pas qu'ils étaient potes.

– On manifeste contre la manif des branleurs, on dirait, ajoute-t-elle.

– Ouaip, répond Seven, on manifeste contre la manif des branleurs.

Quand on va le chercher à la sortie de l'école, Sekani n'arrête pas de parler des caméras et des journalistes qu'il a vus depuis la fenêtre de sa classe. On dirait que Sekani est né avec un détecteur d'objectifs. Mon téléphone est plein de selfies de lui, yeux plissés et un sourcil levé, en train de faire le BG.

– Vous allez tous passer aux infos ? il demande.

– Non, répond Seven. Pas besoin.

On a le choix entre rentrer tous les trois nous cadenasser chez nous et nous disputer pour avoir la télécommande comme on fait toujours, ou aller donner un coup de main à papa au magasin. On choisit la deuxième option.

Sur le pas de la porte, papa observe une journaliste et son cameraman qui s'installent devant la boutique de M. Lewis. Et bien sûr, dès qu'il voit la caméra, Sekani s'exclame :

– Oh, je veux passer à la télé !

– Tais-toi, je lui réponds. Bien sûr que non, tu veux pas.

– Si ! il me rétorque. Tu peux pas savoir ce que je veux !

À peine garés, Sekani pousse mon dossier vers l'avant si fort que je manque de me cogner le menton contre le tableau de bord.

– Papa, je veux passer à la télé ! s'écrie-t-il en sautant de la voiture d'un bond.

Je me frotte le menton. Un jour, ce petit hyperactif me tuera.

Papa attrape Sekani par les épaules.

– Calme-toi, mon grand. Tu vas pas passer à la télé, non.

– Qu'est-ce qui se passe, demande Seven quand on sort de la voiture à notre tour.

– Des flics se sont fait défoncer au coin de la rue, explique papa, en serrant la main de Sekani pour le calmer.

– Défoncer ? je dis.

– Ouais. Ils les ont sortis de leur voiture et leur ont flanqué une méchante dérouillée. Des Gris.

Le nom de code des King Lords. Merde.

– J'ai entendu ce qui s'est passé à votre lycée, dit papa. Tout va bien ?

– Ouais, je lui réponds pour faire simple. On va bien.

M. Lewis ajuste ses vêtements et passe la main dans son afro. La journaliste dit quelque chose qui le fait glousser.

– Qu'est-ce qu'il va dire, ce crétin ? se demande papa.

– À l'antenne dans cinq secondes, annonce le cameraman.

Et tout ce qui me vient en tête, c'est : non, pitié, pas M. Lewis en direct à la télé.

– Quatre, trois, deux, un…

– Tout à fait Joe, lance la journaliste. Je me trouve en ce moment même avec Cedric Lewis Junior, témoin de l'agression des policiers aujourd'hui. Pouvez-vous nous raconter ce que vous avez vu, monsieur Lewis ?

– Il est témoin de rien du tout, nous dit papa. Il était dans son magasin quand ça s'est passé. C'est moi qui lui ai raconté !

– Sûr que je peux, commence M. Lewis. Ces gars-là ont sorti les policiers de leur voiture. Ils faisaient rien, pourtant. Ils étaient juste là et ils se sont fait tabasser comme des chiens. N'importe quoi. Vous m'entendez ? C'est vraiment n'importe quoi.

Quelqu'un devrait le transformer en mème. Il passe pour un con et il ne s'en rend absolument pas compte.

– Pensez-vous qu'il s'agisse de représailles après l'affaire Khalil Harris ? demande la journaliste.

– Sûr ! C'est stupide. Ces voyous sèment la terreur dans

Garden Heights depuis des années, qu'est-ce qui leur prend tout d'un coup de s'énerver comme ça ? C'est parce qu'ils ont pas descendu le gosse eux-mêmes ? Le président et tous les autres qui font la chasse aux terroristes, moi je peux leur donner un nom maintenant et qu'ils viennent donc le cueillir !

– Fais pas ça, Lewis, prie papa. Fais pas ça.

Mais il le fait, bien sûr :

– Il s'appelle King et c'est ici même qu'il habite, à Garden Heights. Sans doute le plus gros dealer en ville. C'est le chef de ce gang, les King Lords. Venez donc l'attraper lui, si vous voulez attraper quelqu'un. Toute façon, c'est ses gars qui ont fait ça aux policiers. On en a assez ! Ça aussi, ça mérite qu'on se soulève !

Papa bouche les oreilles de Sekani. Sans quoi, à chaque juron qui suit, un dollar finira dans la poche de mon petit frère.

– Merde, marmonne-t-il entre ses dents. Merde, merde, merde. Ce fils de…

– Il a poucavé, fait Seven.

– En live, j'ajoute.

Papa ne peut plus s'arrêter.

– Merde, merde, merde.

– Croyez-vous que le couvre-feu annoncé aujourd'hui par le maire permettra d'éviter des incidents de ce type ? demande la journaliste.

Je me tourne vers papa.

– Quel couvre-feu ?

Il décolle les mains des oreilles de Sekani.

– Tous les magasins de Garden Heights doivent fermer

à vingt et une heures. Et après vingt-deux heures, plus personne dans les rues. Extinction des feux, comme en prison.

– Alors tu seras à la maison, ce soir, papa ? demande Sekani.

Papa sourit et le tire vers lui.

– Ouais, mon grand. Quand t'auras fini tes devoirs, on sortira la console et je pourrai te montrer un truc ou deux dans Madden. Tu vas devenir le roi du football américain.

La journaliste conclut son interview. Papa attend qu'elle et son cameraman soient partis pour aller trouver M. Lewis.

– Vous êtes dingue ? lance papa.

– Quoi ? Parce que j'ai dit la vérité ?

– On peut pas balancer comme ça en direct à la télé, bon sang. Vous êtes un homme mort, vous savez ça, ou pas ?

– J'ai pas peur de ce négro ! braille M. Lewis, pour que tout le monde puisse entendre. T'as peur, toi ?

– Non, mais je connais les règles du jeu.

– Un jeu ? Je suis trop vieux pour jouer, moi ! Et ça devrait être pareil pour toi !

– Monsieur Lewis, écoutez...

– Nan, toi, tu vas m'écouter, mon garçon. J'ai fait la guerre et, quand je suis revenu, j'en ai fait une autre ici. Tu vois ça ?

Il soulève la jambe de son pantalon, pour nous montrer une chaussette écossaise tendue sur une prothèse.

– Perdue au combat. Et puis ça, ici.

Il remonte son tee-shirt sous ses aisselles. Une fine cicatrice rose court de son dos jusqu'à son ventre grassouillet.

– Des Blancs qui m'ont fait ça pendant la ségrégation parce que j'avais bu à leur fontaine.

Il laisse retomber son tee-shirt.

– J'ai connu bien pire que ce soi-disant King. Un roi ? Mon cul ! Il peut rien faire de plus que me tuer, et si c'est comme ça que je dois partir, parce que j'ai dit la vérité, ben c'est comme ça que je partirai.

– Vous pigez pas, dit papa.

– Oh que si, je pige. Toi qui prétends partout dans le quartier que t'es sorti du gang, que t'essaies de faire changer les choses, tu continues à appliquer cette loi du silence. D'ailleurs, c'est ce que t'apprends à tes enfants, pas vrai ? C'est toujours King qui contrôle ton cul et t'es pas assez malin pour t'en rendre compte.

– Pas assez malin ? Comment vous pouvez dire ça alors que vous venez de balancer en direct à la télé ?

Une sirène au son familier nous fait sursauter.

Oh, non...

La voiture de patrouille, gyrophare allumé, avance au pas dans notre direction. Elle s'arrête à la hauteur de papa et de M. Lewis. Deux agents en sortent. Un Noir, un Blanc. Leurs mains s'attardent trop près de l'arme à leur ceinture.

Non, non, non.

– Un problème, par ici ? demande le flic noir, en regardant papa droit dans les yeux.

Il est chauve, comme papa, mais plus vieux, plus grand, plus massif.

– Non, monsieur, répond papa.

Il a sorti les mains des poches de son jean et les tient bien visibles le long du corps.

– Vous êtes sûr ? demande le flic blanc, plus jeune. On aurait pu penser le contraire.

– On faisait que discuter, dit M. Lewis, d'une voix beaucoup plus douce qu'il y a quelques minutes.

Lui aussi a les mains le long du corps. Ses parents ont dû avoir la même conversation avec lui quand il avait douze ans.

– Moi, j'ai eu l'impression que cet homme vous harcelait, monsieur, dit le flic noir, sans quitter papa des yeux.

Il n'a pas encore posé le regard sur M. Lewis. Peut-être parce qu'il ne porte pas de tee-shirt des NWA, lui. Ou parce qu'il n'a pas de tatouages sur les bras. Ni de jean baggy, ni de casquette à l'envers.

– T'as des papiers sur toi ? demande le flic noir à papa.

– Monsieur, je m'apprêtais à retourner à mon magasin.

– Je t'ai demandé tes papiers.

Mes mains tremblent. Mon estomac se retourne, prêt à rendre le petit déjeuner, le déjeuner et tout le reste. Ils vont m'enlever papa.

– Qu'est-ce qui se passe ?

Je regarde derrière moi. C'est Tim, le neveu de M. Reuben, qui s'avance vers nous. Des gens se sont aussi arrêtés sur le trottoir d'en face.

– Je vais attraper mes papiers, dit papa. Ils sont dans la poche arrière de mon jean, d'accord ?

– Papa… je gémis.

Papa ne quitte pas l'agent des yeux.

– Allez tous au magasin. D'accord ? Tout va bien.

Mais on ne bouge pas.

Papa recule lentement le bras vers sa poche arrière et je regarde sa main puis les leurs, pour voir s'ils vont dégainer leur arme.

Papa sort son portefeuille – celui en cuir, que je lui ai offert pour la fête des Pères, avec ses initiales gaufrées dessus. Il le leur montre.

– Vous voyez ? Mes papiers sont là-dedans.

Il n'a jamais eu une aussi petite voix.

Le flic noir prend le portefeuille et l'ouvre.

– Oh, dit-il. Maverick Carter.

Il échange un regard avec son coéquipier.

Tous les deux me regardent moi, maintenant.

Mon cœur s'arrête.

Ils viennent de comprendre qui je suis.

Il doit y avoir un dossier quelque part avec le nom de mes parents. Ou alors les inspecteurs ont vendu la mèche et tout le monde au poste connaît notre nom maintenant. À moins qu'ils ne l'aient appris d'une manière ou d'une autre par oncle Carlos. Je ne sais pas comment ça s'est produit, mais ça s'est produit. Et s'il arrive quelque chose à papa…

Le flic noir le regarde.

– À terre, les mains derrière le dos.

– Mais…

– À terre, à plat ventre ! il crie. Tout de suite !

Papa nous regarde. Je vois sur son visage qu'il s'excuse qu'on doive assister à ça.

Il descend sur un genou et s'allonge sur le trottoir, les mains croisées derrière le dos.

Où il est, le cameraman, maintenant ? Pourquoi ce n'est pas ça qui passe au journal télévisé ?

– Attendez, messieurs, intervient M. Lewis. Lui et moi, on faisait que parler.

– Rentrez chez vous, monsieur, lui dit le flic blanc.

– Mais il a rien fait ! s'indigne Seven.

– Rentre chez toi, mon garçon, dit le Noir.

– Non ! C'est mon père et…

– Seven ! crie papa.

Même allongé sur le ciment, il a assez d'autorité dans la voix pour faire taire mon frère.

Le flic noir fouille papa pendant que son coéquipier surveille tous les badauds du coin de l'œil. On est nombreux maintenant. Mme Yvette et deux de ses clientes, serviettes de toilette sur les épaules, sont sur le pas de la porte de son salon. Une voiture s'est arrêtée dans la rue.

– Tout le monde retourne à ses affaires, dit le Blanc.

– Non, monsieur, fait Tim. Ça, c'est nos affaires.

Le flic noir continue à fouiller papa, un genou calé contre son dos. Il le fouille de haut en bas, une fois, deux fois, trois fois, exactement comme Cent-Quinze avait fait à Khalil. Rien.

– Larry, fait le Blanc.

Le Noir, qui doit être Larry, lève les yeux vers lui, puis vers tous les gens qui se sont attroupés autour d'eux.

Larry libère papa et se relève.

– Debout, dit-il.

Lentement, papa se redresse.

Larry me toise. J'ai un goût de bile dans la bouche. Il se tourne vers papa et dit :

– Je t'ai à l'œil, mon gars. Garde bien ça dans un coin de ta tête.

Papa ne réagit pas.

Les flics remontent dans leur voiture et s'en vont. L'autre voiture qui s'était arrêtée dans la rue démarre à son tour et tous les badauds reprennent le cours de leur vie. Quelqu'un braille :

– Tout va bien, Maverick ?

Papa lève les yeux vers le ciel et bat des paupières comme je fais quand je veux retenir mes larmes. Il serre et desserre les poings.

M. Lewis lui tapote le dos.

– Allez, fiston.

Il guide papa dans notre direction, mais ils passent devant nous sans s'arrêter et pénètrent dans l'épicerie. Tim les suit.

– Pourquoi ils ont fait ça à papa ? demande doucement Sekani.

Il nous regarde, Seven et moi, des larmes plein les yeux.

Seven le prend par la taille.

– Je sais pas, mon grand.

Moi, je sais.

J'entre dans le magasin à mon tour.

DeVante est appuyé à un balai près de la caisse, vêtu d'un de ces affreux tabliers verts que papa veut à tout prix nous faire porter, quand on vient l'aider.

Mon cœur se serre. Khalil aussi en portait un.

DeVante parle à Kenya qui tient un panier plein de courses. Quand la sonnette de l'entrée retentit sur mon passage, tous les deux tournent le regard vers moi.

– Yo, il s'est passé quoi, là ? demande DeVante.

– C'était les keufs, dehors ? ajoute Kenya.

D'ici, je vois M. Lewis et Tim sur le pas de la porte du bureau de papa. Il doit être là-bas avec eux.

– Ouais, je réponds à Kenya, en m'éloignant vers le fond du magasin.

Kenya et DeVante m'emboîtent le pas, en me posant cinquante millions de questions auxquelles je n'ai pas le temps de répondre.

Le sol de la pièce est jonché de documents. Le dos de papa, plié en deux au-dessus du bureau, se soulève pesamment à chacune de ses respirations.

Il donne un coup de poing sur le plateau.

– Putain !

Un jour, papa m'a raconté que tous les hommes noirs portaient en eux la colère de leurs ancêtres. Une colère datant du jour où ils n'avaient pas pu empêcher les esclavagistes de s'en prendre à leur famille. Il m'a aussi dit qu'il n'y a rien de plus dangereux que cette colère quand elle explose.

– Laisse-la sortir, fiston, lui dit M. Lewis.

– Enfoirés de keufs de merde, dit Tim. Ils ont fait ça juste parce qu'ils sont au courant pour Starr.

– Quoi ?

Papa jette un regard par-dessus son épaule. Il a les yeux gonflés et mouillés, comme s'il pleurait.

– De quoi tu causes, Tim ?

– Un des gars vous a vus sortir d'une ambulance sur la scène du crime avec Lisa et ta fille, l'autre soir. Ça s'est su dans le quartier et les gens pensent que c'est elle, le témoin dont ils parlent aux infos.

Putain.

Merde.

– Starr, va encaisser Kenya, dit papa. Vante, finis de balayer.

J'encaisse Kenya, l'estomac noué. Si tout le quartier est au courant, bientôt ça va se savoir en dehors de Garden Heights aussi. Où est-ce que ça va nous mener ?

– T'as passé ça deux fois, dit Kenya.

– Hein ?

– Le lait. Tu me l'as compté deux fois, Starr.

– Oh.

J'annule un lait et je glisse la bouteille dans un sac. Kenya fait sans doute à manger pour Lyric et elle ce soir. Ça lui arrive parfois. J'enregistre le reste de ses courses, prends l'argent qu'elle me tend et lui rends la monnaie.

Elle me regarde un court instant et puis dit :

– C'était vraiment toi qui étais avec lui ?

J'ai la gorge tendue.

– Qu'est-ce que ça change ?

– Tout. Pourquoi t'en parles pas ? On dirait que tu te caches ou un truc comme ça.

– Dis pas ça.

– Sauf que c'est vrai, non ?

Je soupire.

– Kenya, arrête. Tu piges pas, d'accord ?

Kenya croise les bras.

– Qu'est-ce qu'y a à piger ?

– Beaucoup de choses !

Je n'ai pas envie de crier, mais merde à la fin !

– Je peux pas me balader en racontant ça à tout le monde ! je lance.

– Et pourquoi pas ?

– Parce que ! T'as pas vu ce que les flics viennent de faire à mon père justement parce qu'ils savent que le témoin, c'est moi ?

– Donc tu vas laisser la police t'empêcher d'ouvrir ta gueule pour défendre Khalil ? Je croyais qu'il comptait plus que ça pour toi.

– Ben ouais.

Il compte à un point qu'elle n'imaginera peut-être jamais.

– J'ai déjà parlé aux flics, Kenya. Ça a rien changé. Je suis censée faire quoi d'autre ?

– Va à la télé ou je sais pas, dit-elle. Dis à tout le monde ce qui s'est vraiment passé ce soir-là. Ils donnent nulle part cette version de l'histoire. Tu les laisses le traîner dans la boue…

– Pardon ? je la coupe.

– T'entends tout ce qu'ils racontent sur lui aux infos, tu les entends le traiter de voyou et tout ça, alors que tu sais bien qu'il était pas comme ça. Je parie que si c'était un de tes petits potes de l'école privée, tu serais déjà à la télé en train de le défendre.

– Non mais je rêve !

– Mais si, insiste-t-elle. Tu l'as laissé tomber pour ces petits bourges et tu le sais très bien. Tu m'aurais sans doute laissée tomber aussi si je venais pas traîner dans tes pattes à cause de mon frère.

– C'est faux !

– T'es sûre ?

Non.

Kenya secoue la tête.

– Tu sais ce que c'est, le plus pourri, dans tout ça ? Le Khalil que je connaissais se serait jeté devant les caméras en deux minutes pour raconter à tout le monde ce qui s'est passé cette nuit-là si les rôles avaient été inversés. Et toi, t'es incapable de le faire pour lui.

Des mots qui claquent comme une gifle. De la pire espèce, en plus, parce que c'est vrai.

Kenya prend son sac de courses.

– Tu fais ce que tu veux, Starr. Mais si je pouvais changer ce qui se passe chez moi, avec ma mère et mon père, je le ferais. Et toi t'es là, à pouvoir changer ce qui se passe dans *tout notre quartier* et tu te tais. Comme une trouillarde.

Kenya s'en va. Tim et M. Lewis ne tardent pas à faire pareil. En sortant, Tim se tourne vers moi et lève le poing façon *black power*. Sauf que je ne le mérite pas.

Je rejoins papa dans son bureau. Seven est debout sur le pas de la porte et papa toujours assis. Sekani, à côté de lui, acquiesce à tout ce qu'il dit d'un air triste. Ça me rappelle le jour où papa et maman ont eu la conversation avec moi. Visiblement, papa a décidé de ne pas attendre que Sekani ait douze ans.

Papa remarque ma présence.

– Sev', va à la caisse. Et emmène Sekani. Il est temps qu'il apprenne.

– Oh nooon, grogne Sekani, dépité.

Je le comprends. Plus on apprend à en faire, à l'épicerie, plus papa s'attend à ce qu'on en fasse.

Papa tapote maintenant la place laissée vide à côté de lui. Je m'y assieds sans me faire prier. La pièce est à peine assez grande pour contenir un bureau et un classeur à documents. Les murs sont tapissés de photos dans des cadres, comme celle de lui et maman le jour de leur mariage, avec son ventre (alias moi) gros et rond ; celles de moi avec mes frères quand on était bébés ; et cette autre qui date du jour, il doit y avoir sept ans, où mes parents nous ont emmenés tous les trois au centre commercial pour faire une de ces photos de famille qu'ils proposent au grand magasin J.C. Penney. Ils sont habillés pareil : maillot de base-ball, baggy et Timberland. Kitsch.

– Ça va ? demande papa.

– Et toi ?

– Ça ira, dit-il. Ça me fout juste les glandes que toi et tes frères, vous ayez dû assister à ça.

– Tout ça, c'est juste à cause de moi.

– Non, mon bébé. Ils ont commencé avant de savoir qui t'étais.

– Mais ça a pas aidé.

Je balance les jambes d'avant en arrière, les yeux sur mes Jordan.

– Kenya m'a traitée de trouillarde parce que je me tais.

– Elle le pensait pas. Sa vie est pas simple, c'est tout. King malmène Iesha comme une poupée de chiffon tous les soirs.

– Mais elle a raison.

Ma voix se fêle. Je suis à deux doigts de pleurer.

– Je suis une trouillarde. Et depuis que j'ai vu ce qu'ils t'ont fait, j'ai encore moins envie de parler.

– Eh !

Papa m'attrape le menton pour me forcer à le regarder.

– Tombe pas dans ce piège. C'est ce qu'ils veulent. Tu veux pas parler, c'est toi qui décides, mais pas parce qu'ils te foutent la trouille. Tu dois avoir peur de qui, je t'ai dit ?

– De personne à part Dieu. Et maman et toi. Surtout maman quand elle est furax.

Il glousse.

– Ouais. La liste s'arrête là. Faut craindre rien ni personne d'autre. Tu vois ça ?

Il roule la manche de sa chemise pour me montrer le tatouage de moi bébé sur son biceps.

– Ça dit quoi en dessous ?

– Une raison de vivre, une raison de mourir, je lui réponds, sans vraiment regarder.

Ce tatouage, je le connais depuis toujours.

– Exact. Toi et tes frères, vous êtes mes raisons de vivre et mes raisons de mourir, et je ferai tout pour vous protéger.

Il dépose un baiser sur mon front.

– Si t'es prête à parler, mon bébé, parle. Je te soutiendrai.

DOUZE

Je suis en train de faire rentrer Brickz quand je vois passer ce truc devant la maison.

Je le regarde se traîner sur le bitume pendant des plombes avant d'avoir le réflexe d'appeler quelqu'un.

– Papa !

Mon père est dans le jardin, en train de terminer d'arracher des mauvaises herbes autour de ses poivrons. Il lève la tête.

– Dites-moi pas que c'est pas vrai !

Le camion blindé ressemble à ceux qu'on voit à la télé dans les reportages sur le Moyen-Orient. Il est gros comme deux Hummer. Les projecteurs blancs installés devant donnent presque l'impression qu'on est encore en plein jour. Un agent est juché au sommet, avec un gilet pare-balles et un casque. Il tient son fusil pointé devant lui.

Une voix forte sort du véhicule blindé : « Tout individu violant le couvre-feu sera mis en état d'arrestation. »

Papa arrache une dernière touffe d'herbe.

– Non mais n'importe quoi.

Brickz suit la tranche de mortadelle que j'agite devant lui pour l'attirer jusqu'à sa gamelle dans la cuisine. Il reste là, tout content, à la mâchouiller avec son repas. Tant que papa sera à la maison, Brickz se tiendra tranquille.

On est tous un peu comme Brickz, en fait. Quand papa est là, maman ne passe pas la nuit assise à l'attendre, Sekani ne tressaille pas sans arrêt et Seven n'a pas à jouer le rôle du père. Moi aussi, je dors mieux.

Papa entre en frottant la terre séchée sur ses mains.

– Les roses sont en train de crever. T'aurais pas pissé sur mes roses, Brickz ?

Brickz lève la tête. Il fixe papa et baisse le museau.

– Y'a pas intérêt que je te chope en train de faire ça, dit papa. Ou on va avoir un problème, toi et moi.

Brickz baisse les yeux.

J'attrape une serviette en papier et une tranche de pizza dans le carton sur le plan de travail. C'est genre ma quatrième tranche ce soir. Maman en a pris deux énormes chez Sal de l'autre côté de l'autoroute. Le resto est tenu par des Italiens, alors la pâte est fine, herbisée (ça se dit, ça ?) et bonne.

– T'as fini tes devoirs ? demande papa.

– Ouaip, je mens.

Il se lave les mains devant l'évier.

– Pas d'interros cette semaine ?

– Trigonométrie, vendredi.

– T'as révisé ?

– Ouaip, je mens de nouveau.

– Bien.

Il sort le raisin du frigo.

– T'as toujours ton vieil ordi ? Celui que t'avais avant qu'on te paie cette espèce de bécane hors de prix avec fruit collé dessus ?

Je rigole.

– C'est un MacBook Apple, papa.

– Apple ? On l'a pas payé le prix d'une pomme, ça c'est sûr. Bref, t'as toujours le vieux alors, ou pas ?

– Ouais.

– Tant mieux. Apporte-le à Seven et demande-lui de vérifier qu'il marche bien. Je veux le donner à DeVante.

– Pourquoi ?

– C'est toi qui paies les factures ?

– Non.

– Alors, j'ai pas à te répondre.

C'est comme ça qu'il esquive presque toutes les disputes avec moi. Je devrais me prendre un abonnement à un magazine pas cher et dire : « Ben ouais, je paie une facture ! » Mais bon, ça ne changerait rien.

Ma pizza terminée, je file dans ma chambre. Papa est déjà monté. Leur télé est allumée et mes parents sont tous les deux allongés sur le ventre. Maman pianote sur son ordinateur, une jambe posée sur celles de papa. C'est bizarrement adorable. Des fois, je les regarde pour avoir une idée de ce que je voudrais plus tard.

– Tu m'en veux toujours pour DeVante ? lui demande papa.

Elle ne répond rien, les yeux rivés sur son écran. Il plisse le nez et commence à la taquiner.

– Tu m'en veux toujours ? Hein ? Tu m'en veux toujours ?

Elle rit et le repousse d'un air joueur.

– Laisse-moi, un peu ! Non, je ne t'en veux plus. Donne-moi du raisin, tiens.

Il lui décoche un grand sourire et glisse un grain de raisin entre ses lèvres. Je n'en peux plus. C'est tellement mignon que c'est insupportable. Eh oui, c'est mes parents mais je trouve qu'ils vont mieux ensemble que tous les couples de cinéma. Sérieux.

Papa regarde ce qu'elle fait sur l'ordinateur, en lui donnant un grain de raisin chaque fois qu'elle en a mangé un. Elle est sans doute en train de mettre les dernières photos de nous tous sur Facebook pour la famille qui habite loin. Avec tout ce qui se passe, qu'est-ce qu'elle peut leur dire ? « Sekani a vu des flics s'en prendre à son père, mais c'est un excellent élève. #fiertématernelle. » Ou : « Le meilleur ami de Starr est mort sous ses yeux, priez pour elle, mais mon bébé a encore eu les félicitations. #comblée. » Ou même : « Des camions blindés passent devant chez nous, mais Seven a été accepté dans au moins six universités. #lavenirluisourit. »

J'entre dans ma chambre. Mes deux ordinateurs, le vieux et le nouveau, sont au milieu de la pagaille sur mon bureau. Une vieille paire de Jordan de papa trône à côté du vieux. Les semelles jaunies orientées vers la lampe, emballées dans du film plastique, pour fixer mon mélange de lessive et de dentifrice qui va bientôt leur rendre leur aspect d'origine. Voir des semelles jaunies retrouver leur blancheur est un aussi grand kif que s'éclater un point noir et le vider complètement. Fan-tas-tique.

Si on s'en tient à la version du mensonge à papa, je suis censée avoir fini mes devoirs. Mais je me suis autorisé une « Pause Tumblr ». Comprendre : j'ai passé deux heures sur Tumblr et je n'ai rien fait. J'en ai un nouveau – *le Khalil que je connais.* Il n'y a mon nom nulle part, juste des photos de Khalil. Sur la première, il a treize ans et une afro. Oncle Carlos nous avait emmenés sur un ranch pour « goûter un peu à la vie à la campagne ». Khalil, le regard en coin, surveille un cheval à côté de lui. Je me souviens qu'il avait dit : « Si ce truc fait un seul mouvement, je pars en courant ! »

Sur Tumblr, j'ai sous-titré la photo : « Le Khalil que je connais avait peur des animaux. » Je l'ai tagguée. Une personne a aimé et reblogué la photo. Puis une autre et encore une autre.

Ça m'a poussée à en poster davantage, comme une de nous deux dans une baignoire quand on avait quatre ans. Avec la mousse, on ne voit pas nos parties intimes. Je ne regarde pas l'objectif. Mme Rosalie, assise sur le bord de la baignoire, nous fait de grands sourires et Khalil la regarde aussi en souriant. J'ai écrit : « Le Khalil que je connais adorait le bain moussant presque autant que sa grand-mère. »

En deux heures à peine, des centaines de gens ont aimé et reblogué les photos. Je sais que ce n'est pas pareil que de passer aux infos comme l'a suggéré Kenya, mais j'espère que ça aide. En tout cas, ça m'aide moi.

D'autres gens ont posté des trucs sur Khalil, ils ont téléchargé des dessins ou des peintures de lui, des photos qui sont ensuite reprises à la télé. Je crois les avoir tous reblogués, sans exception.

Par contre, c'est marrant, quelqu'un a posté une vidéo de Tupac de la grande époque. Bon, d'accord : toutes les vidéos de Tupac datent un peu de la grande époque. Il a un petit garçon sur les genoux et porte une casquette snapback à l'envers qui serait grave à la mode aujourd'hui. Il explique *Thug Life* comme Khalil m'a raconté – *The Hate You Give Little Infants Fucks Everybody*. Tupac épelle « *Fucks* » lettre par lettre au lieu de le prononcer, à cause du petit garçon qui le regarde en buvant ses paroles. Quand Khalil m'avait expliqué ce que la phrase voulait dire, j'avais plus ou moins compris. Maintenant, je comprends tout à fait.

Alors que j'attrape mon vieil ordi, mon téléphone se met à vibrer sur mon bureau. Alléluia, maman me l'a enfin rendu ! Merci, Jésus Noir. Elle m'a précisé que c'était juste au cas où il y aurait encore des histoires au lycée. Enfin peu importe pourquoi, je l'ai récupéré. J'espère que c'est un SMS de Kenya. Je lui ai envoyé le lien vers mon nouveau Tumblr tout à l'heure. Je me suis dit que ça lui ferait plaisir de le voir, vu que c'est elle qui m'a un peu poussée à le faire.

Mais c'est Chris. Il a pris exemple sur Seven avec ses messages tout en majuscules.

OMG !

CET ÉPISODE DU PRINCE

LE PÈRE DE WILL NE L'A PAS PRIS AVEC LUI

LE CONNARD EST REVENU ET IL L'A DE NOUVEAU LAISSÉ TOMBER

MAINTENANT IL SE FRITTE AVEC TONTON PHIL

JE TRANSPIRE DES YEUX

Pas étonnant. C'est l'épisode le plus triste de toute la série, sérieusement. Je lui réponds :

Pauvre chou :(Et au fait : tu transpires pas des yeux, bébé. Tu pleures.

Il répond :

MENSONGE !

Je dis :

Pas besoin de mentir, Craig. Pas besoin de mentir.

Il répond :

SÉRIEUX ? T'AS VRAIMENT OSÉ ME SORTIR UNE RÉPLIQUE DE FRIDAY, LÀ ??

Regarder des films des années 1990, ça fait aussi un peu partie de notre délire. Je lui rétorque :

Eh oui ;)

Et il répond :

AU REVOIR FELICIA !

J'emporte l'ordinateur dans la chambre de Seven, sans lâcher mon téléphone au cas où Chris sombrerait de nouveau dans la dépression à cause du *Prince de Bel-Air*. Des basses reggae me parviennent dans le couloir, suivies de la voix de Kendrick Lamar qui rappe qu'il est un hypocrite. Seven est assis sur le bord du lit du bas, une tour informatique ouverte à ses pieds. Avec sa tête baissée, ses dreads tombent comme un rideau devant son visage. DeVante est assis en tailleur par terre. Son afro bouge en rythme avec la musique.

Une version afro zombie de Steve Jobs au milieu des affiches de super-héros et de personnages de *Star Wars* les observe depuis le mur. Sur le matelas, il y a une couette Serpentard que je jure de lui voler un jour. Seven et moi sommes des fans d'*Harry Potter* inversés : on a d'abord aimé les films, et ensuite les livres. J'ai aussi rendu Khalil et Natasha accros. Maman avait payé le premier film de la série un dollar dans un bric-à-brac à l'époque où on habitait encore dans les HLM de Cedar Grove. On disait qu'on était des Serpentard, Seven et moi, parce que tous les Serpentard étaient riches. Quand on grandit dans un deux-pièces de HLM, être riche est la meilleure chose qui puisse arriver à quelqu'un.

Seven sort un boîtier métallique de l'ordinateur et l'examine.

– Il est même pas si vieux.

– Qu'est-ce que vous faites ? je demande.

– Big D veut que je répare sa bécane. Il a besoin de nouveaux lecteurs DVD. Il les a cramés en gravant des copies pirates à la chaîne.

Mon frère est le technicien informatique officieux de Garden Heights. Tout le monde – des vieilles dames aux prostituées – le paie pour réparer ordinateurs et téléphones. Et ça lui rapporte pas mal, en plus.

Un sac-poubelle noir débordant de vêtements est appuyé contre le pied du lit. Quelqu'un dans la rue l'a jeté par-dessus la clôture. Seven, Sekani et moi l'avons trouvé en rentrant de l'épicerie. On a d'abord pensé que c'était peut-être à DeVante, mais en regardant à l'intérieur, Seven s'est aperçu que ça n'étaient que des affaires à lui. Tous les trucs qu'il avait chez sa mère.

Il a appelé Iesha. Elle lui a annoncé qu'elle le fichait dehors. Sur ordre de King.

– Seven, je suis désolée…

– T'en fais pas, Starr.

– Mais elle aurait pas dû…

– J'ai dit t'en fais pas.

Il me jette un regard :

– OK ?

– OK, je lui réponds au moment où mon portable se remet à vibrer. Je tends l'ordinateur à DeVante et regarde qui c'est. Toujours pas de réponse de Kenya. C'est Maya qui m'écrit à la place.

T fâchée contre nous ?

– C'est pour quoi faire ? demande DeVante en regardant l'ordi.

– Papa veut te le donner. Mais il veut d'abord que Seven le révise, je lui explique tout en répondant à Maya.

À ton avis ?

– Il veut me le donner ? demande DeVante.

– Peut-être qu'il veut voir si tu sais vraiment t'en servir, je lui dis.

– Bien sûr que je sais me servir d'un ordi, dit DeVante.

Il frappe Seven qui ricane.

Mon téléphone vibre trois fois. Maya a répondu.

Ouais, t fâchée, c clair

On peut parler toutes les 3 ?

Tt est bizarre, ces temps-ci

Typiquement Maya. Quel que soit le désaccord entre Hailey

et moi, elle essaie de recoller les morceaux. Il faut qu'elle sache qu'il ne suffira pas de chanter *Kumbaya* ou n'importe quel autre negro spiritual plein d'espoir pour que tout se résolve comme par magie. Je réponds :

D'accord. Je vous dis quand je suis chez mon oncle.

Une série de coups de feu au loin. Je sursaute.

– Saloperies de fusils d'assaut, s'exclame papa. Bordel de Dieu, les gens se croient en Iran ou chais pas où.

– Pas de gros mots, papa ! lance Sekani depuis le salon télé.

– Pardon, mon grand. Je mettrai un dollar dans le bocal.

– Deux, t'as aussi insulté Dieu.

– D'accord, deux. Starr ? Viens dans la cuisine une seconde.

Dans la cuisine, maman est au téléphone et parle de son « autre voix ».

– Oui madame, nous voulons la même chose.

Elle m'aperçoit.

– Tiens, mon adorable fille vient d'arriver. Vous voulez bien patienter, s'il vous plaît ?

Elle pose la main sur le combiné.

– C'est la procureure. Elle voudrait te parler dans la semaine.

Clairement pas ce à quoi je m'attendais.

– Oh…

– Ouais, chuchote maman. Écoute, mon bébé, si ça te met mal à l'aise…

– C'est bon, je dis.

Je jette un regard vers papa. Il acquiesce d'un signe.

– Je peux le faire, j'ajoute.

– Oh, dit-elle.

Ses yeux se posent sur moi, puis sur papa, puis sur moi.

– Très bien. Si tu en es sûre. Je crois qu'on devrait quand même d'abord aller voir Mme Ofrah. Et peut-être la laisser te représenter, comme elle nous l'a proposé.

– C'est clair, approuve papa. Je leur fais pas confiance aux procureurs.

– Alors voyons-la demain, puis la procureure plus tard dans la semaine, d'accord ? demande maman.

J'attrape une autre tranche de pizza et croque dedans. Elle est froide maintenant mais la pizza froide, c'est encore meilleur.

– Pas de lycée pendant deux jours, alors ? je dis.

– Oh que si tu vas y aller, elle me répond. Tu as mangé un peu de salade avec toute cette pizza ?

– J'ai eu mes légumes. Les petits bouts de poivrons.

– Ça ne compte pas. Trop petits.

– Bien sûr, ça compte. Les bébés, c'est petit mais c'est des êtres humains quand même, non ? Eh ben les petits morceaux c'est pareil, c'est aussi des légumes.

– Ce genre de logique ne marche pas avec moi. Donc on ira voir Mme Ofrah demain et la procureure mercredi. Qu'est-ce que t'en dis, toi ?

– D'accord, sauf pour le lycée.

Maman enlève sa main du combiné.

– Pardon de vous avoir fait attendre. Nous pouvons venir mercredi matin.

– En attendant, dites à vos potes le maire et le chef de la police de virer leurs putains de camions blindés de mon quartier !

tonne papa. (Maman le frappe, mais il est déjà en train de s'éloigner.) Ils demandent aux gens de rester pacifiques et pendant ce temps, ils débarquent ici comme si c'était la guerre, putain !

– Deux dollars, papa ! dit Sekani.

Une fois qu'elle a raccroché, je dis à maman :

– Ça me dérangerait pas de rater un jour. Je veux pas être là s'ils essaient encore de faire grève.

Je ne serais pas surprise d'apprendre que Remy tente de gratter toute une semaine de cours en se servant de Khalil.

– J'ai juste besoin de deux jours.

Maman hausse les sourcils. Alors, je dis :

– Un jour et demi. S'il te plaît ?

Elle pousse un grand soupir.

– On verra. Mais pas un mot à tes frères, tu m'entends ?

En gros, elle dit oui mais sans le dire. Ça me va.

Un jour, dans son prêche, le pasteur Eldridge nous a dit : « avoir la foi, ce n'est pas simplement croire, c'est la vivre tous les jours un peu plus ». Alors quand mon réveil sonne mardi matin, la foi me fait rester au lit, convaincue que maman ne me forcera pas à aller en cours.

Et pour reprendre les mots du pasteur Eldridge, alléluia, Dieu se manifeste et nous montre l'étendue de sa puissance : maman ne me force pas à me lever. Je reste blottie sous les draps, à écouter les autres se préparer pour la journée. Sekani se sent investi du devoir d'informer maman que je ne suis toujours pas levée.

– Occupe-toi de toi, lui répond maman.

La télévision est allumée sur une chaîne d'infos et maman s'affaire en fredonnant. À la mention de Khalil et de Cent-Quinze, le son disparaît presque pour ne remonter que quand ça se met à parler de politique.

Mon téléphone vibre sous mon oreiller. Kenya m'a enfin répondu au sujet de mon nouveau Tumblr. Elle m'a laissée mariner des heures, et son commentaire est grave court :

Pas mal

Je lève les yeux au ciel. Je n'obtiendrai rien qui ressemble plus à un compliment de sa part.

Moi aussi je t'aime

Et elle ?

Je sais :)

Elle me cherche. Je me demande quand même quelque part si ça n'est pas parce qu'il s'est encore passé un truc chez elle qu'elle n'a pas répondu hier soir. Papa dit que King frappe toujours Iesha. Ça lui arrive aussi de s'en prendre à Kenya et Lyric. Kenya n'est pas du genre à en parler comme ça, alors je demande :

Tout va bien ?

Elle répond :

Comme d'hab

Court, mais ça en dit long. Comme je ne peux pas faire grand-chose, je me contente de lui rappeler :

Si t'as besoin de moi, je suis là.

Sa réaction ?

T'as intérêt

Et voilà : elle cherche la merde.

Le truc pourri quand on manque les cours, c'est qu'on se demande toujours ce qu'on aurait fait si on y était allé. À huit heures, je me dis que Chris et moi, on viendrait juste de rentrer en histoire, vu que c'est ce qu'on a en première heure le mardi. Je lui envoie un petit message.

Je serai pas là aujourd'hui

Deux minutes plus tard :

T'es malade ? T'as besoin d'un bisou pour que ça aille mieux. Clin d'œil et re clin d'œil

Il a vraiment tapé ça au lieu des deux émojis. J'avoue, ça me fait sourire. J'envoie :

Et si je suis contagieuse ?

Et il écrit :

M'en fiche, je t'embrasserai où tu veux. Clin d'œil et re clin d'œil

Je demande :

C encore une phrase d'un film ?

Et moins d'une minute plus tard :

C ce que tu veux. JTM Princesse de Bel-Air

Pause. Ce JTM m'a prise totalement par surprise, comme quand un joueur de l'équipe adverse vous vole le ballon pile quand vous allez faire un *lay-up*. Ça vous coupe dans votre élan et vous passez une semaine à vous demander comment le ballon a pu vous échapper comme ça.

Ouais. Chris qui écrit JTM, ça me fait cet effet-là, sauf que je n'ai pas une semaine devant moi pour me poser toutes les questions du monde. Ne rien répondre, c'est déjà une réponse, si j'ose dire. Le chronomètre tourne, il faut que je dise quelque chose.

Mais quoi ? En ne disant pas carrément « je t'aime », il fait genre c'est pas grand-chose. Sérieux, « JTM » et « je t'aime », c'est différent quand même. Une même équipe, mais deux joueurs. Utiliser les initiales, ce n'est pas comme le dire en entier. JTM, quand ça vous tombe dessus, ça peut vous déstabiliser, bien sûr, mais rien à voir avec un *dunk* bien bourrin. C'est plutôt comme un joli *jump shot*.

Deux minutes s'écoulent. Il faut que je dise quelque chose.

JTM aussi

Ça me fait bizarre, comme un mot espagnol que je n'aurais pas encore appris, mais c'est assez drôle pour que ça passe en toute discrétion.

Je reçois un émoji clin d'œil en retour.

Les locaux de Juste la Justice sont installés dans l'ancien Paradis des Tacos de Magnolia Avenue, entre la station de lavage et l'agence de crédit. Papa nous emmenait tous les vendredis dans ce Paradis des Tacos, Seven et moi, pour nous payer des tacos à quatre-vingt-dix-neuf cents, des roulés à la cannelle et un soda à partager. C'était juste après sa sortie de prison, quand il était un peu fauché. D'habitude, il nous regardait manger. De temps en temps, il demandait à la manageuse, une copine de maman, de garder un œil sur nous, le temps d'aller emprunter quelques billets à côté. Plus tard, quand j'ai compris que les cadeaux ne sortaient pas juste d'un chapeau, j'ai réalisé que papa y passait toujours avant Noël ou nos anniversaires.

Maman sonne et Mme Ofrah nous fait entrer.

– Désolée, dit-elle en fermant la porte à clé. Il n'y a que moi ici aujourd'hui.

– Oh, s'étonne maman. Où sont vos collègues ?

– Certains sont au lycée de Garden Heights pour une table ronde. D'autres en tête de cortège dans la manifestation qu'on a organisée à Carnation Street, où Khalil a été assassiné.

Ça fait bizarre d'entendre quelqu'un dire « Khalil a été assassiné » avec une telle facilité. Elle le dit cash, comme ça, sans hésitation dans la voix.

La majeure partie du restaurant a été divisée en box séparés par des cloisons pas très hautes. Ils ont presque autant d'affiches sur les murs que Seven dans sa chambre, mais du genre de celles qui plairaient à papa, comme Malcolm X devant une fenêtre avec un fusil, Huey Newton en prison, le poing levé façon *black power*, et des photos des Black Panthers dans des rassemblements ou distribuant des petits déjeuners à des enfants.

Mme Ofrah nous conduit jusqu'à son box, à côté de l'ancien guichet du drive-in. C'est d'autant plus drôle qu'une tasse Le Paradis des Tacos est posée sur son bureau.

– Merci infiniment d'être venues, dit-elle. J'étais tellement contente quand vous avez appelé, madame Carter.

– Appelez-moi Lisa. Vous êtes installés ici depuis quand ?

– Presque deux ans maintenant. Et au cas où vous vous poseriez la question, oui, il y a parfois un petit malin qui s'arrête devant le guichet et me commande une *chalupa*.

On se met à rire. Quelqu'un sonne à la porte.

– C'est sans doute mon mari, dit maman. Il était en route.

Mme Ofrah nous laisse. Et peu après, on entend la voix de papa qui la suit jusqu'à nous. Il va chercher une chaise dans un autre box et l'installe à cheval entre le box de Mme Ofrah et le couloir. C'est à ce point que les box sont petits.

– Désolé pour le retard. Fallait que je pose DeVante chez M. Lewis.

– M. Lewis ? je demande.

– Ouais, comme je suis pas là, je lui ai demandé de prendre DeVante à son magasin. Ce crétin a besoin de quelqu'un pour surveiller ses arrières. Sans déconner, aller jouer les balances en direct à la télé...

– Vous faites référence à l'homme qui a parlé des King Lords quand on l'a interviewé ? demande Mme Ofrah.

– Ouais, lui, confirme papa. Il tient le salon de coiffure à côté de mon épicerie.

– Ah oui, d'accord. Cette interview fait du bruit, c'est le moins qu'on puisse dire. La dernière fois que j'ai vérifié, elle avait été vue un million de fois sur Internet.

Je le savais. M. Lewis est devenu un mème.

– Il faut un sacré courage pour faire preuve d'une telle franchise, dit-elle. J'étais sincère aux obsèques de Khalil, Starr : c'était très courageux de ta part d'aller parler à la police.

– J'ai pas l'impression d'être courageuse.

Avec Malcolm X qui me regarde depuis le mur, impossible de mentir.

– Je ne vais pas ouvrir ma gueule à la télé comme M. Lewis.

– Et c'est très bien aussi, dit Mme Ofrah. On dirait que la colère et la frustration ont poussé M. Lewis à parler sans réfléchir. Dans une affaire comme celle de Khalil, il est de loin préférable que tu t'exprimes de manière beaucoup plus raisonnée et planifiée.

Elle se tourne vers maman.

– Vous m'avez dit que vous aviez eu un appel de la procureure hier ?

– Oui. Elle aimerait voir Starr demain.

– C'est logique. L'affaire lui a été confiée et elle se prépare à la présenter devant un grand jury.

– Qu'est-ce que ça veut dire ? je demande.

– C'est un jury qui décidera si on doit inculper l'agent Cruise ou pas.

– Et Starr va devoir témoigner, dit papa.

Mme Ofrah confirme d'un signe de tête.

– C'est un peu différent d'un procès normal, explique-t-elle. Il n'y aura ni juge ni avocat de la défense, et la procureure posera des questions à Starr.

– Et si je n'arrive pas à répondre à toutes ?

– Que veux-tu dire ? demande Mme Ofrah.

– Je… Le truc sur le revolver dans la voiture. Aux infos, ils ont dit qu'il y avait peut-être un revolver dans la voiture, comme si ça changeait tout. Honnêtement, je ne sais pas s'il y en avait un ou pas.

Mme Ofrah ouvre un dossier posé sur son bureau et en sort une feuille de papier qu'elle pousse vers moi. C'est une photo de la brosse à cheveux noire de Khalil, celle dont il s'est servi dans la voiture.

– Ce soi-disant revolver, le voilà, dit-elle. L'agent prétend l'avoir aperçu dans la portière et avoir pensé que Khalil se baissait pour l'attraper. Le manche était assez épais et assez noir pour qu'il pense à un revolver.

– Khalil aussi était assez noir, glisse papa.

Une brosse à cheveux.

Khalil est mort à cause d'une putain de brosse à cheveux.

Mme Ofrah remet la photo dans le dossier.

– Ce sera intéressant de voir comment son père va évoquer le sujet dans son interview ce soir.

Stop.

– Une interview ? je demande.

Maman bouge un peu sur sa chaise.

– Euh… le père du policier doit passer à la télé ce soir.

Je la regarde elle, puis papa.

– Et personne ne m'a rien dit ?

– Parce que ça vaut pas la peine d'en parler, dit papa.

Je me tourne vers Mme Ofrah.

– Alors le père peut présenter la version de son fils au monde entier et moi, je peux pas donner la mienne et celle de Khalil ? Après, tout le monde va croire que c'est Cent-Quinze, la victime.

– Pas forcément, objecte Mme Ofrah. Il arrive que ce genre de chose produise l'effet inverse. Et en fin de compte, l'opinion publique n'a pas son mot à dire. C'est le grand jury qui tranchera. S'ils voient assez de preuves, ce qui devrait être le cas, l'agent Cruise sera inculpé puis jugé.

J'insiste sur le *si* en le répétant.

Une vague de silence gêné traverse la pièce. Le père de

Cent-Quinze est la voix de son fils, mais moi, je suis celle de Khalil. Les gens ne connaîtront sa version de l'histoire que si je m'exprime.

Je pose le regard sur la station de lavage de l'autre côté du guichet du drive-in. De l'eau jaillit d'un tuyau, dessinant des arcs-en-ciel face au soleil comme il y a six ans, juste avant que les balles emportent Natasha.

Je me tourne vers Mme Ofrah.

– Quand j'avais dix ans, mon autre meilleure amie est morte, assassinée par des balles tirées depuis une voiture qui passait.

Drôle de voir comment « assassinée » sort aussi facilement, maintenant.

– Oh... fait Mme Ofrah, en se laissant tomber contre le dossier de sa chaise. Je ne savais pas... je suis désolée, Starr.

Je fixe mes doigts et me les tords. Les larmes me montent aux yeux.

– J'ai essayé d'oublier, mais je me souviens de tout. Les coups de feu, la tête que faisait Natasha. Ils n'ont jamais attrapé le coupable. Ça comptait pas assez, j'imagine. Pourtant si, ça comptait. Elle comptait.

Je lève les yeux vers Mme Ofrah, mais c'est à peine si je la vois entre mes larmes.

– Et je veux que tout le monde sache que Khalil comptait aussi.

Mme Ofrah cligne des paupières. Beaucoup.

– Absolument, je... (Elle se racle la gorge.) J'aimerais être ton avocate, Starr. *Pro bono*, en fait.

Pro bono, ça veut dire qu'elle fera ça gratuitement. Maman acquiesce d'un signe de tête, et elle aussi elle a des larmes plein les yeux.

– Je ferai tout ce qui est en mon pouvoir pour que tu sois entendue, Starr. Parce que comme Khalil et Natasha, toi aussi tu comptes, et ce que tu as à dire compte. Je peux commencer par essayer de t'obtenir une interview.

Elle se tourne vers mes parents :

– Si vous êtes d'accord…

– Tant qu'ils ne disent pas qui elle est, ouais, dit papa.

– Ça ne devrait pas poser de problème, assure-t-elle. Nous ferons tout pour que sa vie privée soit respectée.

Une faible sonnerie retentit du côté de papa. Il répond. La personne à l'autre bout du fil crie des mots qui ne parviennent pas jusqu'à moi.

– Calme-toi, Vante. Répète-moi tout ça.

En entendant la réponse, papa se lève d'un bond.

– J'arrive. T'as appelé une ambulance ?

– Qu'est-ce qui se passe ? demande maman.

Il nous fait signe de le suivre.

– Reste avec lui, d'accord ? dit-il à DeVante. On arrive !

TREIZE

M. Lewis a l'œil gauche tellement gonflé qu'il ne peut plus l'ouvrir et une entaille sur la joue qui fait goutter du sang sur sa chemise, mais il refuse d'aller à l'hôpital.

Le bureau de l'épicerie s'est transformé en salle de consultation. Maman s'y affaire auprès de M. Lewis avec l'aide de papa. Je les regarde appuyée au chambranle de la porte. DeVante s'est réfugié tout au fond du magasin.

– Il a fallu cinq gars pour me mettre à terre, raconte M. Lewis. Cinq ! Contre un seul petit vieux. Vous vous rendez compte ?

– C'est incroyable que vous soyez encore vivant, je dis.

Mettre les balances dans l'ambulance, ce n'est pas trop le truc des King Lords. Avec eux, c'est plutôt un aller simple pour le cercueil.

Maman tourne la tête de M. Lewis pour examiner l'entaille sur sa joue.

– Starr a raison, dit-elle. Vous avez vraiment de la chance, M. Lewis. Il n'y a même pas besoin de points.

– C'est King en personne qui m'a fait ça, dit-il. Il a attendu que les autres me mettent à terre pour se pointer. Il ressemble au bonhomme Michelin en noir, le saligaud.

Ça me fait glousser.

– C'est pas drôle, réagit papa. Je vous avais dit qu'ils s'en prendraient à vous.

– Et moi, je t'avais dit : ils me font pas peur ! S'ils sont pas capables de faire mieux que ça, c'est de la bricole !

– Oh si ils auraient pu faire mieux, rétorque papa. Ils auraient pu vous tuer !

– Sauf que c'est pas moi qu'ils veulent voir mort !

Il pointe un doigt grassouillet dans ma direction, mais son regard se pose sur DeVante derrière moi.

– C'est pour lui, là, qu'il faut se faire du mouron ! Je lui ai dit de se planquer avant qu'ils entrent, mais King sait que t'aides ce gamin. Il a dit qu'il le tuerait s'il le trouvait.

DeVante recule encore, effaré.

En moins de deux secondes, juré, papa va attraper DeVante par le cou et le plaque contre le congélateur.

– T'as fait quoi, putain ?

DeVante se tortille, bat des pieds dans le vide et essaie de se libérer en tirant sur la main de papa.

– Arrête, papa ! je hurle.

– Tais-toi ! me répond-il sans se retourner, trop occupé à fusiller DeVante du regard.

– Je t'ai accueilli chez moi et tu m'as pas dit la vérité. Pourquoi tu te planques ? King voudrait pas ta mort si t'avais rien fait, alors t'as fait quoi ?

– Ma-ve-rick !

Maman sait vraiment super bien décomposer son nom.

– Lâche-le, dit-elle. Il ne peut rien expliquer si tu l'étrangles.

Papa obéit. Plié en deux, DeVante essaie de recouvrer son souffle.

– Me touche pas ! dit-il d'une voix menaçante.

– Sinon quoi, hein ? rétorque papa, sarcastique. Vas-y, parle !

– Mec, c'est que dalle. Il délire, King.

J'hallucine !

– T'as fait quoi ? j'insiste.

Toujours hors d'haleine, DeVante se laisse glisser le long du mur et s'assoit par terre. Il cligne des yeux très vite plusieurs secondes. Son visage se tord. Et puis brusquement, il se met à brailler comme un bébé.

Comme je ne sais pas quoi faire d'autre, je m'assieds devant lui. Quand Khalil se mettait à pleurer comme ça parce que sa mère était défoncée, je levais sa tête vers moi.

Je fais pareil avec DeVante.

– C'est rien, je lui dis.

Ça marchait toujours avec Khalil. Et ça marche aussi avec DeVante. Ses pleurs se calment un peu.

– J'ai tiré à peu près cinq mille balles à King.

– Merde ! grogne papa. Sans déconner, t'as quoi dans le crâne ?

– Fallait que je mette ma famille à l'abri ! Je voulais régler leur compte aux gars qu'ont buté Dalvin. Avec tous les Garden

Disciples que j'aurais eus au cul après ça, j'étais mort. Je voulais pas que ma mère et mes sœurs morflent pour moi. Alors je leur ai payé le bus pour se tirer.

– C'est pour ça qu'on n'arrive pas à joindre ta mère, en déduit maman.

Des larmes coulent sur les lèvres de DeVante.

– Toute façon, elle voulait pas que je parte avec elles. Elle me disait que je les ferais tuer. Elle m'a foutu dehors avant de se barrer.

Il se tourne vers papa.

– Chuis désolé, Big Mav. L'autre jour, j'aurais dû te dire. Sauf que finalement, j'ai changé d'avis, je vais pas buter ces mecs. Mais King, il veut ma peau maintenant. S'te plaît, m'emmène pas chez lui. Je ferai tout ce que tu veux. S'te plaît…

– Il a pas intérêt ! lance M. Lewis qui sort en boitant du bureau de papa. Faut aider ce gamin, Maverick !

Papa fixe le plafond comme s'il allait blasphémer.

– Papa, je gémis d'une voix suppliante.

– D'accord ! Viens là, Vante.

– Big Mav, gémit DeVante. Je suis désolé, s'te plaît…

– Je t'emmène pas chez King, mais faut qu'on file d'ici fissa.

Quarante minutes plus tard, maman et moi nous garons derrière le 4x4 de papa devant chez oncle Carlos.

Je suis étonnée que papa connaisse le chemin. Il ne nous accompagne jamais. Ja-mais. Ni pour les vacances, ni pour les anniversaires, rien. Sans doute qu'il ne supporte pas les remarques de Grandma.

DeVante et papa descendent de voiture en même temps que nous.

– C'est là que tu l'emmènes ? s'étonne maman. Chez mon frère ?

– Ouais, répond papa le plus naturellement du monde.

Oncle Carlos sort du garage, en essuyant le cambouis sur ses mains dans une jolie serviette de tante Pam. C'est bizarre qu'il soit là. On est en semaine, en pleine journée, et il n'a jamais pris de congé maladie.

Les yeux plissés face au soleil, DeVante regarde autour de lui comme si on l'avait emmené sur une autre planète.

– Merde, Big Mav, c'est où qu'on est, là ?

– Où est-on, corrige oncle Carlos en lui tendant une main aux articulations encore sales. Je suis Carlos, dit-il. Et toi, tu dois être DeVante.

DeVante fixe la main sans réagir. Impolitesse totale.

– Comment vous connaissez mon nom ?

Oncle Carlos laisse maladroitement retomber le bras le long de sa cuisse.

– Maverick m'a parlé de toi. Nous avons essayé de voir comment t'éloigner du quartier.

– Tiens donc ! fait maman avec un rire creux. Maverick a envisagé un truc comme ça ? (Elle se tourne vers papa et le considère d'un air narquois.) Donc tu sais comment on vient ici, Maverick ?

Papa se retient de s'énerver.

– On parlera de ça plus tard.

– Allez, fait oncle Carlos. Je vais te montrer ta chambre.

DeVante contemple la maison, éberlué.

– Ouah, vous faites quoi pour avoir une maison grande comme asse ?

– T'es bien indiscret, dis donc, je lui dis.

Oncle Carlos glousse.

– Ce n'est rien, Starr. Ma femme est chirurgienne et moi, inspecteur de police.

DeVante se fige. Il se tourne vers papa.

– Putain, mec ?! Tu m'as amené chez un keuf ?

– Fais gaffe comment tu parles, dit papa. Je t'ai emmené chez quelqu'un qui veut bien t'aider.

– Mais c'est un keuf… gémit DeVante. Si mes potes du quartier l'apprennent, ils vont croire que chuis une balance.

– Si tu dois te planquer à cause d'eux, c'est pas des potes, je lui dis. Et puis oncle Carlos te demandera de balancer personne.

– Elle a raison, dit oncle Carlos. Maverick cherche juste à te sortir de Garden Heights. (Maman s'étrangle. Bruyamment.) Il nous a mis au courant et on a voulu aider, continue oncle Carlos. Et j'ai l'impression que tu peux pas refuser notre aide.

DeVante soupire.

– Mec, quand même, c'est pas cool, ça.

– Écoute, je suis en vacances, dit oncle Carlos, inutile de t'inquiéter. Je ne chercherai pas à te soutirer des informations.

– En vacances ? je m'étonne. (D'où le jogging en pleine journée.) Pourquoi ils t'ont donné des vacances ? je demande.

Il jette un regard rapide vers maman, qui ne remarque sans doute pas que je la vois secouer la tête.

– Ne t'occupe pas de ça, petite fille, dit-il en me serrant contre lui. J'en avais besoin.

C'est tellement, tellement évident : c'est à cause de moi.

Grandma nous accueille sur le pas de la porte. La connaissant, elle devait être à sa fenêtre depuis qu'on est arrivés. Elle tire sur sa cigarette, l'autre bras replié contre elle. Elle souffle la fumée vers le plafond tout en dévisageant DeVante.

– Et qui est-ce ? dit-elle.

– DeVante, répond oncle Carlos. Il va habiter avec nous.

– Comment ça il va habiter avec nous ?

– Comme je viens de dire. Il a des petits soucis à Garden Heights et il faut qu'il reste ici.

Quand elle se met à ricaner avec mépris, je comprends d'où maman tient ça.

– Des petits soucis, hein ? Dis-moi la vérité, mon garçon. (Elle baisse la voix, l'œil suspicieux.) Tu as tué quelqu'un ?

– Maman ! fait ma maman.

– Quoi ? Je préfère demander avant de me réveiller morte parce qu'on m'a forcée à coucher dans la même maison qu'un meurtrier !

Non, mais sans déc….

– On peut pas se réveiller morte, je dis.

– Ma fille, tu vois très bien ce que je veux dire !

Elle s'éloigne de la porte.

– Je me réveillerai devant Jésus en me demandant ce qui s'est passé !

– Genre vous irez au paradis, marmonne papa.

Oncle Carlos fait visiter la maison à DeVante. Sa chambre est à peu près aussi grande que la mienne et celle de Seven réunies. Ça fait bizarre qu'il n'ait qu'un petit sac à dos à y laisser. Et quand on arrive dans la cuisine, oncle Carlos lui demande de lui remettre le sac.

– Il y a quelques règles à respecter sous mon toit, lui dit-il. Règle numéro un : on respecte les règles. Règle numéro deux – il sort le Glock du sac –, pas d'armes, pas de drogues.

– Me dis pas que ce truc-là était chez moi, Vante, dit papa.

– King a sans doute mis ma tête à prix. Putain, bien sûr que j'ai un flingue.

– Règle numéro trois, l'interrompt oncle Carlos. On ne jure pas. J'ai deux enfants, de huit et trois ans. Ils n'ont pas besoin d'entendre ça.

Parce qu'ils entendent déjà bien assez de jurons de Grandma. Son préféré en ce moment c'est « nom d'un chien ! ».

– Règle numéro quatre, continue oncle Carlos, on va en cours.

– Mec, grogne DeVante. J'ai déjà expliqué à Big Mav que je pouvais pas retourner au lycée là-bas.

– On sait, dit papa. Quand on aura pu parler à ta mère, on t'inscrira à des cours par correspondance. La mère de Lisa était prof avant la retraite. Elle pourra te filer un coup de main pour que tu finisses l'année.

– Bien sûr et puis quoi encore ? Bon sang de bonsoir ! s'exclame Grandma.

Je ne sais pas où elle est dans la maison, mais je ne suis pas étonnée qu'elle ait l'oreille baladeuse.

– Maman, arrête d'écouter aux portes ! lance oncle Carlos.

– Alors arrête de m'enrôler sans me demander mon avis, nom d'un chien !

– Et toi de jurer !

– Essaie encore de me dire quoi faire et tu vas voir ce que tu vas voir.

Oncle Carlos rougit jusqu'aux oreilles.

On sonne à la porte.

– Carlos, va ouvrir ! lance Grandma depuis sa cachette.

Il se mord les lèvres et disparaît. Je l'entends revenir en parlant à quelqu'un. Puis ce quelqu'un rit. Un rire que je connais parce qu'il me fait rire.

– Regardez qui j'ai trouvé, dit oncle Carlos.

Chris est derrière lui, en polo blanc de Williamson et bermuda en toile. Il porte les mêmes Jordan Twelve rouge et noir que Michael Jordan le jour de la finale de 1997, quand il avait la grippe. Mince, ça lui donne un petit truc en plus. Bizarre. Ou alors je suis fétichiste des Jordan.

– Salut, sourit-il, les lèvres pincées.

– Salut, je souris en retour.

J'oublie que papa est là et que je vais potentiellement avoir un gros problème à gérer sous peu. Ça ne dure pas plus de dix secondes cela dit, parce que papa demande :

– T'es qui toi ?

Chris tend la main à papa.

– Christopher, monsieur. Ravi de vous rencontrer.

Papa le regarde de haut en bas, une fois. Deux fois.

– Tu connais ma fille ?

– Ouais, répond Chris en étirant le mot un peu trop longtemps avant de se tourner vers moi. On est… dans le même lycée ?

J'acquiesce d'un signe de tête. Bonne réponse.

Papa croise les bras devant lui.

– Ben quoi, c'est le cas ou pas ? T'as pas l'air très sûr.

Maman prend rapidement Chris dans ses bras pour lui dire bonjour. Papa le regarde salement autant qu'il peut.

– Comment ça va, mon chéri ? demande-t-elle.

– Ça va. Je ne voulais pas vous interrompre. J'ai vu votre voiture, et comme Starr n'était pas en cours aujourd'hui, je voulais m'assurer que tout allait bien.

– Tout va bien, dit maman. Comment vont tes parents ? Passe leur le bonjour de ma part.

– Eh oh, intervient papa. Vous faites tous comme si ce gars-là faisait partie du paysage.

Il se tourne vers moi.

– Pourquoi j'ai jamais entendu parler de lui ?

Il va me falloir un putain de courage pour que je me bouge pour Khalil. Un putain de courage du genre : « Ouais, un jour j'ai dit à mon père militant de la cause noire que je sortais avec un Blanc. » Si je ne suis pas capable d'affronter papa au sujet de Chris, comment pourrai-je affronter le reste du monde au sujet de Khalil ?

Papa m'a toujours dit qu'il ne fallait jamais avoir peur de dire la vérité aux gens. Lui inclus.

Alors je me lance :

– C'est mon copain.

– Copain ? répète papa.

– Eh ouais, son copain ! claironne Grandma de là où elle se trouve. Ça va mon petit Chris ?

Chris regarde partout autour de lui, perplexe.

– Euh, bonjour, madame Montgomery.

Grâce à ses grands talents de fouine, Grandma avait deviné avant tout le monde pour Chris. Elle m'a dit : « Vas-y, ma fille, fais ton vanille-chocolat » avant de me raconter ses histoires d'amour avec des Blancs que je n'avais pas envie d'entendre.

– Bon Dieu, Starr, s'exclame papa, tu sors avec un Blanc ?

– Maverick ! lui dit maman d'un ton sec.

– Calme-toi, Maverick, intervient oncle Carlos. C'est un bon gars et il la traite bien. C'est tout ce qui compte, non ?

– Tu savais ? s'étonne papa.

Lorsqu'il se tourne vers moi, je ne sais pas si c'est de la colère ou du chagrin que je lis dans ses yeux :

– Il savait et pas moi ?

Voilà ce qui se passe quand on a deux pères. Il y en a toujours un qui risque d'avoir mal, ou alors on se met à culpabiliser à cause de ça.

– Viens avec moi, ordonne maman. Tout de suite.

Papa jette un regard noir à Chris avant de suivre maman sur la terrasse. Malgré l'épaisseur des vitres de la porte, j'entends qu'elle lui passe un savon.

– Allez, DeVante, dit oncle Carlos. Je vais te montrer le sous-sol et la buanderie.

DeVante mesure Chris du regard.

– Ton copain, dit-il avec un léger rire avant de se tourner

vers moi. Wesh, j'aurais dû me douter que tu sortais avec un babtou, toi.

Il disparaît avec oncle Carlos. C'est censé vouloir dire quoi, ça ?

– Désolée, je dis à Chris. Mon père aurait pas dû s'exciter comme ça.

– Ça aurait pu être pire. Il aurait pu me tuer.

Pas faux. Je lui fais signe de s'asseoir au bar pendant que je nous prépare quelque chose à boire.

– C'était qui ce mec avec ton oncle ? demande-t-il.

Tante Pam n'a pas un seul soda dans sa cuisine. Juste du jus, de l'eau plate et de l'eau gazeuse. Par contre, je parie que Grandma a un stock de Sprite et de Coca dans sa chambre.

– DeVante, je lui réponds en attrapant deux briquettes de jus de pomme. Il a des soucis avec les King Lords et papa est venu le cacher ici.

– Pourquoi il me regardait comme ça ?

– Et alors, Maverick, c'est pas la fin du monde ? Il est blanc ! crie maman sur la terrasse. Blanc, blanc, blanc !

Chris rougit. Rougit, et rougit, et rougit.

Je lui tends un jus de pomme.

– C'est pour ça que DeVante te regardait comme ça. T'es blanc.

– D'accord… dit-il, plus sous la forme d'une question que d'une affirmation. C'est un de ces trucs de Noirs que je comprendrai jamais ?

– OK, tu sais quoi ? Si t'étais quelqu'un d'autre, je te mettrais la misère d'avoir dit ça.

– D'avoir dit quoi ? Que c'était un truc de Noirs ?

– Ouais.

– Mais c'est bien ce que c'est, non, pourtant ?

– Pas vraiment, je dis. C'est pas comme si ce genre de truc était exclusivement réservé aux Noirs, tu vois ? Le raisonnement est peut-être différent, mais sinon c'est du pareil au même. Ça ne pose pas de problème à tes parents à toi qu'on sorte ensemble ?

– Problème, c'est pas le mot que j'emploierais, répond Chris, mais on en a parlé, oui.

– Alors c'est pas juste un truc de Noirs, si ?

– OK, t'as gagné.

On s'assied sur les tabourets hauts et je l'écoute me raconter dans le détail la journée au lycée. Personne n'est sorti, parce que la police était là, à attendre qu'il se passe encore quelque chose.

– Hailey et Maya m'ont demandé de tes nouvelles, dit-il. Je leur ai dit que tu étais malade.

– Elles auraient pu me le demander elles-mêmes.

– Je crois qu'elles culpabilisent à cause d'hier. Surtout Hailey. La culpabilité des Blancs, qu'est-ce que tu veux…

Il m'adresse un clin d'œil.

J'éclate de rire. Mon petit ami blanc qui parle de culpabilité des Blancs.

Maman crie :

– Et j'adore te voir tout faire pour sortir l'enfant de quelqu'un d'autre de Garden Heights, alors que tu tiens dur comme fer à ce que les nôtres restent dans ce trou à rats !

– Tu veux qu'ils grandissent dans un lotissement de banlieue, dans cette vie en carton ? dit papa.

– Si c'est du carton, ça, j'échange ma vie tout de suite contre celle-là. J'en ai marre, Maverick, marre ! Les enfants sont scolarisés ici, je les emmène à l'église ici, leurs amis sont ici. On a les moyens de déménager. Mais toi, tu veux quand même rester dans ce bourbier !

– Parce qu'au moins, ils ne seront pas à Garden Heights, maltraités !

– Ils le sont déjà ! Et quand King ne trouvera pas DeVante, attends un peu de voir ce qu'il fera ! Vers qui tu crois qu'il va se tourner ? Nous !

– Je t'ai dit que je m'en occuperais, répond papa. On déménagera pas. Fin de la discussion.

– Ah oui ?

– Oui.

Chris m'adresse un léger sourire.

– C'est gênant, glisse-t-il.

J'ai les joues en feu et je suis bien contente d'avoir la peau trop marron pour que ça se voie.

– Ouais, grave, je confirme.

Il me prend la main et pose le bout de ses doigts contre les miens, l'un après l'autre. Il les enlace et on laisse nos bras retomber et se balancer ensemble entre nous deux.

Papa entre en claquant la porte derrière lui. Ses yeux se posent aussitôt sur nos mains jointes. Mais Chris ne me lâche pas. Un point pour lui.

– On en reparlera, Starr, lance mon père avant de disparaître.

– Si c'était une comédie romantique, commente Chris, tu serais Zoe Saldaña et je serais Ashton Kutcher.

– Hein ?

Il avale une gorgée de son jus.

– Ce vieux film : *Black/White*. Je l'ai vu quand j'avais la grippe il y a quelques semaines. Zoe Saldaña sort avec Ashton Kutcher dedans. Son père n'aime pas qu'elle fréquente un Blanc. Comme nous, quoi.

– Sauf que c'est pas drôle, je dis.

– Ça peut l'être.

– Non. Ce qui est drôle par contre, c'est que tu mates des comédies romantiques.

– Eh oh ! C'était hilarant, se défend-il. C'était plus une comédie qu'une comédie romantique. Bernie Mac jouait le père de la fille. Ce mec était grave poilant, un des quatre mecs de la tournée Kings of Comedy. D'ailleurs, je crois qu'on peut pas parler de comédie romantique juste parce qu'il jouait dedans.

– OK, tu t'en sors pas mal : tu connais Bernie Mac et tu sais qu'il faisait partie des Kings of Comedy...

– Tout le monde devrait savoir ça.

– Vrai. Mais tu vas quand même pas t'en tirer aussi facilement. C'est une comédie romantique, c'est tout. Mais t'inquiète, je ne dirai rien à personne.

Je me penche pour lui faire un bisou sur la joue, mais il bouge la tête et m'oblige à l'embrasser sur la bouche. Et ni une ni deux, on commence à se rouler des pelles, là, dans la cuisine de mon oncle.

– Hum, hum…

Quelqu'un se racle la gorge. Chris et moi, on se sépare illico.

Je croyais qu'il ne pouvait pas y avoir plus embarrassant que mes parents se disputant devant mon mec. Mais en fait, il y a pire : ma mère nous surprenant en train de nous rouler des pelles. Encore une fois.

– N'oubliez pas de respirer, quand même, dit-elle.

Chris rougit jusqu'aux oreilles.

– Je ferais mieux de partir, souffle-t-il.

Un au revoir rapide à maman et il s'éclipse.

Elle me regarde en haussant les sourcils.

– Tu prends bien ta pilule ?

– Maman !

– Réponds-moi. Tu la prends ?

– Ouiii, je grommelle, le front contre le plan de travail.

– À quand remontent tes dernières règles ?

Oh. Mon. Dieu. Je lève la tête et lui décoche le plus faux-cul des sourires faux-cul.

– On ne fait rien. Je te jure.

– Vous êtes gonflés tous les deux. Ton père est à peine sorti que déjà vous vous bavez dessus. Tu connais Maverick, tu sais comment il est.

– On dort ici ce soir ?

La question la prend au dépourvu.

– Qu'est-ce qui te fait croire ça ?

– Parce que papa et toi…

– Avons eu un désaccord, c'est tout.

– Un désaccord dont tout le quartier a profité.

Et un autre, l'autre soir, aussi.

– Starr, tout va bien entre nous. Ne t'en fais pas. Ton père est juste… ton père.

Dehors, quelqu'un klaxonne avec insistance.

Maman lève les yeux au ciel.

– En parlant de ton père, je crois que monsieur Je-Vais-Claquer-Quelques-Portes a besoin que je déplace ma voiture pour partir.

Elle secoue la tête et se dirige vers la porte d'entrée.

Je jette le jus de Chris avant de fouiner dans les placards. Tante Pam est peut-être difficile question boissons, mais elle a toujours de bonnes choses à grignoter et mon estomac crie famine. J'attrape des crackers et les recouvre d'une couche de beurre de cacahuète. Trop bon.

DeVante arrive dans la cuisine.

– Tu sors avec un babtou, yo… j'y crois pas.

Il s'assied à côté de moi et me vole un sandwich de crackers.

– Un qui se prend pour un renoi en plus.

– Tu dis quoi, là ? je réagis, la bouche pleine de beurre de cacahuète. Chris, il est pas comme ça.

– C'est ça, ouais ! Le mec, il porte des Jordan. Les babtous, ils sont en Converse et en Vans, pas en Jordan sauf quand ils essaient de se la jouer renoi.

Ah bon ?

– Pardon, je savais pas que les pompes déterminaient la couleur de quelqu'un.

Il n'a rien à répondre à ça. J'en étais sûre.

– Qu'est-ce que tu lui trouves, de toute façon ? Sérieux ?

Tous ces gonzes à Garden Heights qui bavent sur toi, et toi vazy là, tu baves sur Justin Bieber ?

Je pointe le doigt sur lui.

– L'appelle pas comme ça. Et quels gonzes d'abord ? Presque personne connaît mon nom à Garden Heights, alors va pas me dire qu'y en a qui me kiffent. Même toi, tu m'as appelée « la fille à Big Mav ».

– Parce qu'on te voit jamais. Je t'ai jamais vue à une soirée, rien.

Sans réfléchir, je rétorque :

– Tu veux dire les soirées où les gens se prennent des balles ?

À peine les mots sortis de ma bouche, je me sens conne.

– Oh pardon, je suis désolée. J'aurais pas dû dire ça…

Il fixe le dessus du plan de travail.

– T'inquiète, ça va.

On grignote nos crackers en silence.

– Euh… je fais.

Le silence est brutal.

– Ils sont cool oncle Carlos et tante Pam. Tu vas te plaire ici, je crois.

Il croque dans un autre cracker.

– Ils peuvent être un peu lourds des fois, mais ils sont gentils, je continue. Ils vont bien s'occuper de toi. Connaissant ma tante, elle va te traiter comme un prince. Oncle Carlos sera sans doute plus sévère. Si tu te tiens à carreau, tout ira bien.

– Khalil parlait de toi des fois, dit DeVante.

– Hein ?

– Tu dis que personne te connaît, mais Khalil parlait de toi.

Je savais pas que t'étais la fille à Big Mav qui... Je savais pas que c'était toi, dit-il, mais il parlait de sa pote Starr. Il disait que t'étais la meuf la plus cool qu'il connaissait.

J'ai un petit peu de beurre de cacahuète coincé au fond de la gorge, mais ce n'est pas que pour ça que j'ai du mal à déglutir.

– Comment tu le... Oh. Ouais. Vous étiez tous les deux des King Lords.

Juré, quand je pense à Khalil qui s'est laissé embarquer dans cette vie, j'ai l'impression de le voir mourir une deuxième fois. C'est Khalil qui compte et pas ce qu'il a fait, c'est sûr, mais ça serait mentir que de dire que ça ne me fait rien, que ça ne me déçoit pas. Il aurait pu faire preuve de plus d'intelligence.

– Khalil était pas un King Lord, Starr, dit DeVante.

– Mais à l'enterrement, King a mis un bandana sur lui.

– Pour sauver la face, dit DeVante. Il a essayé de convaincre Khalil de rejoindre le gang, mais il a pas voulu. Puis un keuf l'a buté, alors tu sais, tous les King Lords sont de son côté maintenant. King est pas près d'admettre que Khalil lui a dit non. Alors il fait croire aux gens que Khalil était des leurs.

– Attends, je dis. Comment tu sais qu'il a dit non ?

– Il me l'a dit au parc un jour. Il fourguait là-bas.

– Alors vous étiez tous dealers ensemble ?

– Ouais. Pour King.

– Oh.

– Il voulait pas dealer, Starr, dit DeVante. Personne veut vraiment faire ce genre de truc. Mais il avait pas trop le choix.

– Si, je rétorque, sèchement.

– Non. Écoute, sa mère avait piqué des trucs à King.

King voulait sa peau. Quand Khalil l'a su, il s'est mis à dealer pour rembourser la dette.

– Quoi ?

– Ouais. C'est juste pour ça qu'il s'y est mis. Pour essayer de la sauver.

Je n'arrive pas à le croire.

Mais en fait, si. C'est tellement lui. Peu importe ce que faisait sa mère, il restait son chevalier et continuait à la protéger.

J'ai fait pire que le renier : je l'ai mal jugé. Comme tout le monde.

– Lui en veux pas, dit DeVante.

C'est drôle, en même temps, j'entends Khalil qui me demande la même chose.

– Je lui…

Je soupire.

– Si, d'accord, je lui en voulais un peu. C'est juste que je déteste quand on le traite de voyou et tout, alors que les gens connaissent pas la moitié de l'histoire. Tu viens de le dire, il était pas dans un gang, alors si tout le monde savait pourquoi il dealait…

DeVante termine ma phrase :

– … ils iraient pas penser que c'était un voyou comme moi ?

Merde.

– Je voulais pas…

– T'inquiète, dit-il. Je comprends. Sans doute que je suis un voyou, je sais pas. J'ai fait ce que j'avais à faire. Les King Lords, c'est ce qu'on a eu de plus proche d'une famille, Dalvin et moi.

– Mais ta mère, je dis, tes sœurs ?

– Elles pouvaient pas s'occuper de nous comme les King Lords. Dalvin et moi, on s'occupait d'elles. Avec les King Lords, on avait tout un tas de mecs qui nous protégeaient tout le temps. Ils nous payaient des fringues et tout ça, des trucs que notre mère pouvait pas se permettre. Et on avait toujours de quoi bouffer.

Il baisse la tête.

– C'était cool d'avoir quelqu'un qui prenait soin de nous pour changer.

– Oh.

Réponse pourrie, je sais.

– Comme j'ai dit, personne aime dealer, continue-t-il. Je détestais ça. Sérieux. Mais je détestais aussi voir ma mère et ma sœur crever la dalle, tu vois ?

– Non, je vois pas…

Je n'ai jamais eu à voir ça. Mes parents s'en sont assurés.

– Alors t'as du bol, dit-il. Ça craint qu'ils parlent de Khalil comme ça, n'empêche. C'était vraiment un mec cool. J'espère qu'un jour ils sauront la vérité.

– Ouais, je dis doucement.

DeVante. Khalil. Ni l'un ni l'autre ne pensaient avoir le choix. À leur place, je ne suis pas sûre que j'aurais fait mieux.

Du coup, même si je suis une fille, ça fait aussi de moi un voyou, sans doute.

J'ai le cerveau en bouillie.

– Je vais faire un tour. Tu peux finir les crackers et le beurre de cacahuète si tu veux.

Je m'en vais. Je ne sais pas où. Je ne sais plus rien du tout.

QUATORZE

Je me retrouve chez Maya. À vrai dire, au-delà de chez elle, dans le quartier d'oncle Carlos, pour moi toutes les maisons commencent à se ressembler.

On est à cette heure étrange entre le jour et la nuit où le ciel paraît en feu et où les moustiques sont de sortie. Toutes les lumières chez les Yang sont déjà allumées, et il y en a un paquet. Leur maison est assez grande pour contenir leur famille et la mienne et nous laisser encore un peu d'espace pour respirer. Un coupé Infinity bleu est garé devant, le pare-chocs tout cabossé. Hailey conduit comme un pied.

Je ne vais pas mentir, ça fait un peu mal de savoir que les filles se voient sans moi. Mais c'est ce qui se passe quand on habite aussi loin de ses amies. Je ne peux pas leur en vouloir. Je peux être jalouse, à la rigueur. Mais je ne peux pas leur en vouloir.

Cette manifestation à la con, n'empêche ! Ça, ça fout la

haine. Assez pour sonner. Sans compter que j'ai dit à Maya qu'on pouvait discuter toutes les trois, alors discutons.

Mme Yang vient ouvrir, son casque Bluetooth autour du cou.

– Starr ! dit-elle, ravie, en me prenant dans ses bras. Ça me fait plaisir. Comment ça va, chez toi ?

– Bien, je réponds.

Elle crie à Maya que je viens d'arriver et me fait entrer. L'arôme des lasagnes aux fruits de mer qu'elle a préparées me souhaite la bienvenue.

– J'espère que je ne dérange pas, je dis.

– Pas du tout, ma chérie. Maya est en haut. Hailey aussi. Tu es plus que bienvenue pour le dîner, si tu veux rester… « Non, George, ce n'est pas à vous que je parlais », dit-elle dans son casque, avant de relever la tête vers moi et d'articuler en silence : « Mon assistant » en levant légèrement les yeux au ciel.

Je souris et enlève mes Nike Dunk. Chez les Yang, il faut ôter ses chaussures en entrant, en partie parce que c'est la tradition chinoise et en partie parce que Mme Yang aime que les gens se sentent à l'aise.

Maya se rue en bas de l'escalier. Elle porte un tee-shirt XXL et un short de basket qui lui tombe presque sur les chevilles.

– Starr !

Arrivée en bas, elle tend maladroitement les bras comme si elle voulait m'enlacer, avant de les laisser retomber aussitôt. Je la serre quand même contre moi. Ça fait longtemps que je n'ai pas eu droit à un bon gros câlin de Maya. Ses cheveux sentent le citron et elle me serre fort, comme une maman.

Elle m'emmène dans sa chambre. Des guirlandes lumineuses blanches sont suspendues au plafond. Il y a une étagère pour les jeux vidéo, et partout des figurines et d'autres trucs dérivés du dessin animé *Adventure Time*. Affalée dans un pouf à billes, Hailey est concentrée sur les joueurs de basket qu'elle contrôle sur l'écran plat de Maya.

– Hails, regarde qui est là, dit Maya.

Hailey me jette un bref coup d'œil.

– Salut.

– Salut.

C'est Glauque-Land par ici.

J'enjambe une bouteille de Sprite vide et un sachet de Doritos pour aller m'asseoir sur l'autre pouf. Maya ferme la porte. Un poster à l'ancienne de Michael Jordan, dans sa célèbre pose Jumpman, est accroché derrière.

Maya se jette à plat ventre sur le lit et attrape un joystick par terre.

– Tu veux jouer ?

– D'accord.

Elle me tend une troisième manette et on commence une nouvelle partie : nous trois contre l'ordinateur. Pas très différent de quand on joue en vrai : un mélange de rythme, de chimie et de talent, mais la tension dans la pièce est difficile à ignorer.

Elles n'arrêtent pas de regarder vers moi. Je ne quitte pas l'écran des yeux. Le public de dessin animé acclame le joueur d'Hailey qui vient de marquer un panier à trois points.

– Joli coup, je dis.

– Bon, on arrête de faire genre, là.

Hailey attrape la télécommande et éteint le jeu. Une série policière le remplace sur l'écran.

– Pourquoi tu nous en veux ?

– Pourquoi vous avez manifesté ?

Puisqu'on arrête, autant y aller franco.

– Parce que, dit-elle comme si ça suffisait. Je ne vois pas pourquoi tu en fais tout en plat, Starr. Tu as dit que tu ne le connaissais pas.

– Et alors, ça change quoi ?

– C'est pas bien de manifester ?

– Pas si on le fait juste pour sécher les cours.

– Donc, tu veux que nous, on s'excuse, c'est ça ? Alors que tout le monde a fait pareil ? demande Hailey.

– Ce n'est pas parce que tout le monde le fait que c'est bien.

Merde. On dirait ma mère.

– Arrêtez, les filles ! gémit Maya. Hailey, si Starr veut qu'on s'excuse, pas de problème, on peut s'excuser. Starr, je suis désolée d'avoir manifesté. C'était con de se servir d'une tragédie pour sécher les cours.

On regarde Hailey. Elle se rencogne dans son pouf et croise les bras.

– Je ne vais pas m'excuser alors que je n'ai rien fait. En fait, c'est elle qui devrait s'excuser de m'avoir traitée de raciste la semaine dernière.

– Wow, je fais.

Le truc qui m'agace plus que tout chez Hailey ? Sa façon d'arriver à retourner une dispute pour passer pour la victime.

Elle est très forte à ce jeu-là. Dans le temps, je me laissais avoir, mais maintenant ?

– Je ne vais pas m'excuser pour ce que j'ai ressenti, je dis. Peu importe ton intention, Hailey. Ce commentaire sur les beignets de poulet, je l'ai trouvé raciste.

– D'accord, dit-elle. Et moi, j'ai trouvé que manifester ne posait pas de problème. Vu que ni toi ni moi, on ne va s'excuser pour la façon dont on a senti les choses, on n'a plus qu'à regarder la télé, j'imagine.

– Parfait, je dis.

Maya grogne comme si elle faisait tous les efforts du monde pour ne pas nous étrangler.

– Vous savez quoi ? Vous voulez faire vos têtes de mules ? OK.

Maya zappe d'une chaîne à l'autre. Hailey me regarde du coin de l'œil avant de détourner aussitôt les yeux, comme on fait quand on ne veut pas montrer qu'on s'intéresse à quelqu'un. Au point où on en est, peu importe. Je croyais être simplement venue pour parler, mais en fait non : je veux vraiment des excuses.

Je regarde l'écran. Un télé-crochet, un reality-show, Cent-Quinze, une danse de stars – minute.

– Reviens en arrière, reviens en arrière, je dis à Maya.

Elle repasse sur les chaînes à toute vitesse, et quand il réapparaît je dis : Stop !

J'ai tellement vu sa tête en pensée. En fait, ce n'est pas pareil de le revoir pour de vrai. Mes souvenirs sont plutôt bons : une fine cicatrice dentelée au-dessus de la lèvre, des taches de rousseur plein le visage et le cou.

Mon ventre se noue, j'en ai la chair de poule. Je veux le fuir. Mon instinct se fiche bien que ça soit juste une photo. Il a une croix en argent autour du cou, comme s'il voulait dire que Jésus approuvait ce qu'il a fait. On ne doit pas croire au même Jésus.

Ce qui ressemble à une version plus vieille de lui apparaît à l'écran, mais cet homme-là n'a pas la cicatrice sur la lèvre et il y a plus de rides que de taches de rousseur dans son cou. Il a les cheveux blancs, avec encore quelques mèches brunes par-ci par-là.

– Mon fils craignait pour sa vie, dit-il. Il voulait juste rentrer chez lui, retrouver sa femme et ses enfants.

Des photos se succèdent. Cent-Quinze sourit, les bras autour d'une femme dont on a flouté le visage. Il pêche en mer avec deux jeunes enfants, flous eux aussi. Ils le montrent avec un golden retriever souriant, puis avec son pasteur et d'autres diacres, floutés encore. Ensuite en uniforme.

– L'agent Brian Cruise est dans la police depuis seize ans, dit le commentaire.

Et d'autres photos de lui habillé en flic s'enchaînent. Il est devenu flic l'année où Khalil est né. Si bien que j'en viens à me demander si un coup du sort complètement tordu n'a pas fait que Khalil est né simplement pour être tué par ce type.

– Il a officié la plupart de ces années à Garden Heights, continue la voix, un quartier infesté par la drogue et les gangs.

Je me tends en voyant des images de mon quartier, de chez moi. C'est comme s'ils avaient volontairement choisi les pires endroits – les toxicos qui errent dans les rues, les immeubles délabrés de la cité Cedar Grove, les gangstas en train de faire leurs signes de reconnaissance, les corps recouverts d'un drap blanc sur les trottoirs. Et Mme Rooks et ses Red Velvet, ils sont où ? M. Lewis et son salon ? M. Reuben ? La clinique ? Ma famille ?

Moi ?

Je sens les regards d'Hailey et de Maya posés sur moi. Je ne peux pas les regarder.

– Mon fils adorait travailler dans ce quartier, assure le père de Cent-Quinze. Il a toujours voulu faire une différence dans la vie des gens là-bas.

C'est drôle. Les esclavagistes eux aussi pensaient qu'ils faisaient une différence dans la vie des Noirs. Qu'ils les sauvaient de leurs « manières africaines ». Autre siècle, même logique. J'aimerais que les gens comme eux arrêtent de penser que les gens comme moi ont besoin d'être sauvés.

Cent-Quinze Senior parle de la vie de son fils avant le coup de feu. Un bon garçon qui ne faisait jamais de vagues, qui voulait toujours aider les autres. Qui ressemblait à Khalil, quoi. Puis il enchaîne sur des trucs que Cent-Quinze a faits et que Khalil, lui, ne fera jamais, comme aller à l'université, se marier, fonder une famille.

Le journaliste lui pose des questions sur ce soir-là.

– Apparemment, Brian a demandé au garçon de s'arrêter à cause d'un phare arrière cassé et parce qu'il était en excès de vitesse.

Khalil n'était pas en excès de vitesse.

– Il m'a dit, « papa, dès qu'il s'est arrêté, j'ai eu un mauvais pressentiment », raconte Cent-Quinze Senior.

– Pourquoi ça ? demande le journaliste.

– Il m'a dit que le gosse et sa copine ont tout de suite commencé à l'insulter.

On ne l'a pas ouverte.

– Et ils n'arrêtaient pas de se jeter des regards, comme s'ils manigançaient quelque chose. Brian m'a dit que c'est là qu'il a commencé à prendre peur, parce qu'à deux, ils auraient pu le mettre à terre.

Je n'aurais pu mettre personne à terre. J'avais trop peur. Il nous fait passer pour des surhommes. On est juste des gamins.

– Peu importe la peur dans laquelle vit mon fils, il continuera à faire son métier, dit-il. Et c'est tout ce qu'il a fait ce soir-là.

– Selon certaines sources, Khalil n'était pas armé quand l'incident a eu lieu, dit le journaliste. Votre fils vous a-t-il dit pourquoi il a pris la décision de tirer ?

– Brian m'a dit que lorsqu'il tournait le dos au gamin, il l'a entendu dire « aujourd'hui tu vas morfler ».

Non, non, non. Khalil m'a demandé si j'allais bien.

– En se retournant, Brian a aperçu quelque chose dans la portière. Il a cru que c'était une arme…

C'était une brosse à cheveux.

Ses lèvres frémissent. Mon corps tremble. Il met la main devant sa bouche pour retenir un sanglot. Je mets la main devant la mienne pour ne pas vomir.

– Brian est un bon garçon, dit-il, en larmes. Il voulait juste rentrer chez lui retrouver sa famille, et les gens font de lui un monstre.

C'est tout ce qu'on voulait aussi, Khalil et moi, et *tu* nous fais passer pour des monstres.

Je n'arrive plus à respirer, comme si je me noyais dans les larmes que je refuse de laisser couler. Je ne donnerai pas cette satisfaction à Cent-Quinze et à son père. Ce soir, ils m'ont abattue moi aussi à plusieurs reprises et ils ont tué un bout de moi. Malheureusement pour eux, c'est justement le bout qui hésitait encore à parler.

– La vie de votre fils a-t-elle changé depuis ce soir-là ? demande le journaliste.

– Pour être honnête, nos vies à tous sont devenues un enfer, prétend son père. Brian est quelqu'un de sociable, mais il a peur de se montrer en public maintenant, même pour quelque chose d'aussi simple qu'aller chercher du lait. On l'a menacé de mort et sa famille aussi. Sa femme a démissionné de son poste. Il a même été agressé par des collègues policiers.

– Physiquement ou verbalement ? demande le journaliste.

– Les deux, dit-il.

Et tout d'un coup, ça me revient. Les bleus sur les doigts d'oncle Carlos.

– C'est affreux, commente Hailey. Les pauvres.

Elle regarde Cent-Quinze Senior avec la pitié qui revient à Brenda ou à Mme Rosalie.

Je cligne plusieurs fois des paupières, éberluée.

– Quoi ? je lui dis.

– Son fils a tout perdu parce qu'il essayait de faire son boulot et de se protéger. Sa vie à lui compte aussi, tu sais ?

Impossible d'encaisser ça maintenant. Je me lève, sans quoi je vais dire ou faire quelque chose de vraiment con. Lui envoyer mon poing dans la gueule, par exemple.

– Il faut que… ouais.

J'ai dit tout ce que j'arrivais à dire et je pars vers la porte, mais Maya me retient par le bas de mon gilet.

– Oh oh, les filles ! Vous n'avez pas encore réglé vos histoires, là !

– Maya, je dis, aussi calmement que possible. Lâche-moi, s'il te plaît. Je peux pas lui parler. Tu as entendu ce qu'elle vient de dire ?

– T'es sérieuse, là ? demande Hailey. Pourquoi je ne pourrais pas dire que sa vie compte aussi ?

– Sa vie compte toujours plus ! je lance d'une voix rauque, la gorge serrée. C'est ça le problème !

– Starr ! Starr ! dit Maya en essayant de croiser mon regard.

Je tourne les yeux vers elle.

– Qu'est-ce qui se passe ? Tu ressembles à Harry dans *L'Ordre du Phénix*, ces temps-ci. Pourquoi t'es si en colère ?

– Merci ! s'exclame Hailey. C'est elle qui est en mode rageuse depuis des semaines mais elle veut faire croire que c'est moi.

– Pardon ?

Quelqu'un frappe à la porte.

– Tout va bien, les filles ? demande Mme Yang.

– Ça va, maman. Des histoires de jeux vidéo.

Maya me regarde et baisse la voix.

– S'il te plaît, assieds-toi. S'il te plaît.

Je m'assieds sur son lit. À la télé, Cent-Quinze Senior laisse place aux pubs, qui viennent combler le silence qui s'est installé entre nous.

– Pourquoi tu me suis plus sur Tumblr ? je lâche.

Hailey se tourne vers moi.

– Quoi ?

– Tu me suis plus sur Tumblr. Pourquoi ?

Elle jette un coup d'œil vers Maya – furtif mais qui ne m'échappe pas – avant de dire :

– Je ne vois pas de quoi tu parles.

– Arrête tes conneries, Hailey. Tu m'as lâchée. Il y a des mois. Pourquoi ?

Elle ne répond rien.

Je déglutis.

– C'est à cause de la photo d'Emmett Till ?

– Oh mon Dieu, dit-elle en se levant. Ça recommence. Je ne vais pas rester là et te laisser m'accuser, Starr…

– Tu ne m'écris plus, je dis. Cette photo t'a fait péter un plomb.

– Tu l'entends ? dit Hailey à Maya. Elle me traite encore de raciste.

– Je ne te traite de rien. Je te pose une question et je te donne des exemples.

– Tu insinues des trucs !

– Je n'ai jamais parlé de racisme.

Nouveau silence.

Hailey secoue la tête. Elle a les lèvres pincées.

– J'y crois pas.

Elle attrape sa veste sur le lit de Maya et se dirige vers la porte. Puis elle s'arrête et, sans se retourner, me dit :

– Tu veux vraiment savoir pourquoi je te suis plus sur Tumblr, Starr ? Parce que je sais plus qui tu es !

Elle claque la porte.

À la télé, c'est de nouveau les informations. Ils montrent des images de manifs, pas seulement à Garden Heights mais aux quatre coins du pays. J'espère que personne parmi tous ces gens ne s'est servi de la mort de Khalil comme prétexte pour sécher ou ne pas aller au boulot.

Sans prévenir, Maya dit :

– Ce n'est pas pour ça.

Elle regarde fixement la porte fermée, les épaules un peu raides.

– Hein ? je dis.

– Elle ment, dit Maya. Ce n'est pas pour ça qu'elle a arrêté de te suivre sur Tumblr. Elle a dit qu'elle ne voulait pas de cette merde sur son fil d'actualités.

Je m'en doutais.

– Cette photo d'Emmett Till, pas vrai ?

– Non. Tous ces « trucs de Noirs ». Les pétitions. Les photos des Black Panthers. Ce post sur les quatre petites filles tuées dans cette église, là. Les trucs sur ce mec, Marcus Garvey. L'autre post sur ces Black Panthers tués par le gouvernement.

– Fred Hampton et Bobby Hutton, je dis.

– Ouais, eux.

Waouh. Eh ben, elle suit.

– Pourquoi tu ne m'as rien dit ?

Elle fixe une peluche par terre.

– J'espérais qu'elle changerait avant que tu t'en aperçoives. Sauf que j'aurais dû me douter. Ce n'est pas comme si elle n'avait jamais rien dit de pourri avant.

– De quoi tu parles ?

Maya avale la boule dans sa gorge.

– Tu te souviens de cette fois où elle m'a demandé si ma famille mangeait du chat à Thanksgiving ?

– Quoi ? Quand ça ?

Ses yeux se voilent.

– Quand on était en seconde. Un matin. En SVT, avec Mme Edwards. Juste après Thanksgiving. Le cours n'avait pas encore commencé et on parlait de notre week-end. Je vous ai dit que mes grands-parents étaient venus nous voir, que c'était leur premier Thanksgiving. Hailey a demandé si on mangeait du chat. Parce qu'on est chinois.

La. Vache. Je fouille dans mes souvenirs. La seconde, c'est tellement proche du collège. Il y a d'énormes chances pour que moi aussi j'aie dit quelque chose d'extrêmement stupide. J'ai peur de demander mais je me lance :

– Et moi, j'ai dit quoi ?

– Rien. Tu l'as regardée comme si tu n'arrivais pas à croire qu'elle avait dit un truc pareil. Elle a fait croire que c'était une blague et s'est mise à rire. J'ai fait pareil alors, du coup, toi aussi.

Maya cligne des yeux. Beaucoup.

– J'ai ri seulement parce que je pensais que c'était ce que j'étais censée faire. Et puis le reste de la semaine, je me suis sentie super mal.

– Oh.

– Ouais.

C'est moi, là, tout de suite, qui me sens super mal. Je ne peux pas croire qu'Hailey ait dit ça. Est-ce qu'elle a toujours fait ce genre de blagues ? Est-ce que j'ai toujours ri parce que j'avais l'impression que c'était ce qu'on attendait de moi ?

C'est ça le souci. On laisse les gens dire des trucs, et ils en abusent au point qu'ils ne voient plus le problème. Et que ça devient normal pour nous. À quoi ça sert d'avoir une voix si c'est pour se taire quand il faudrait parler ?

– Maya ? je dis.

– Quoi ?

– On ne peut plus lui laisser dire des trucs comme ça, d'accord ?

Elle sourit.

– Alliance des minorités ?

– Putain, ouais ! je dis.

– Marché conclu !

Et on se met à glousser.

Une partie de NBA 2K15 plus tard (j'ai mis une belle raclée à Maya), je rentre chez oncle Carlos avec un plat de lasagnes aux fruits de mer enveloppé dans du papier d'aluminium. Mme Yang ne me laisse jamais repartir les mains vides et je ne refuse jamais de la nourriture.

Des réverbères en fer forgé bordent le trottoir. J'aperçois oncle Carlos, quelques maisons plus loin, assis sur son perron dans l'obscurité. Il boit quelque chose à grandes gorgées. En m'approchant, je reconnais une Heineken.

Je pose le plat de lasagnes sur les marches avant de m'asseoir à côté de lui.

– J'espère pour toi que tu reviens pas de chez ton petit amoureux, dit-il.

Mon Dieu. Pour lui, Chris est toujours « petit » alors qu'ils font presque la même taille.

– Non, j'étais chez Maya.

Je tends les jambes et bâille. La journée a été longue.

– Tu bois ? J'y crois pas.

– Je bois pas. C'est juste une bière.

– C'est Grandma qui a dit ça ?

Il me fusille du regard.

– Starr !

– Oncle Carlos ! je lui renvoie, sur le même ton.

Et on s'affronte, regard dur contre regard dur. Au premier qui flanchera.

Il pose la bière. Grandma est alcoolique – d'où ma remarque. Elle s'est un peu calmée, mais il suffit d'un verre d'alcool fort et elle redevient « l'autre » Grandma. On m'a raconté comment elle sortait de ses gonds dans le temps, lorsqu'elle était soûle. Elle disait à maman et à oncle Carlos que c'était leur faute si leur père était reparti vivre avec sa femme et ses autres enfants. Elle les fichait dehors puis fermait la porte à clé, les insultait et plein d'autres choses encore.

Alors, non. Une bière n'est pas une bière pour oncle Carlos, qui a toujours été anti-alcool.

– Désolé, dit-il. Mais un soir comme ce soir…

– T'as vu l'interview, c'est ça ? je demande.

– Ouais. J'espérais que toi, tu y aurais échappé.

– Non. Et maman, elle…

– Oh oui, elle l'a vue aussi ! Comme Pam et ta grand-mère. Je ne m'étais jamais trouvé dans une pièce avec autant de femmes en colère.

Il se tourne vers moi.

– Comment tu te sens maintenant ?

Je hausse les épaules. J'ai la haine, oui, mais honnêtement ?

– Je m'attendais pas à ce que son père le fasse passer pour la victime.

– Moi non plus.

Il pose le menton dans sa main, le coude sur un genou. Il ne fait pas si sombre sur le perron. Je distingue bien les contusions sur ses doigts.

– Alors… je dis, en me tapotant les genoux. En vacances, hein ?

Il me scrute du regard, comme s'il essayait de savoir où je veux en venir.

– Oui ?

Silence.

– Tu t'es battu avec lui, oncle Carlos ?

Il redresse le dos.

– Non, on a discuté.

– Ton poing a parlé à son œil, tu veux dire ? Il a dit quelque chose sur moi ?

– Il a braqué son arme sur toi. Ça suffisait amplement.

Sa voix a quelque chose d'étranger. C'est totalement malvenu, mais je me mets à rire. À rire à m'en tenir les côtes.

– Qu'est-ce qui est si drôle ? s'écrie-t-il.

– Oncle Carlos, t'as frappé quelqu'un !

– Eh, je suis de Garden Heights. Je sais me battre ! Je sais cogner !

Je n'en peux plus de rire.

– Ce n'est pas drôle ! dit-il. Je n'aurais pas dû perdre mon sang-froid comme ça. Ce n'était pas pro. Je te montre le mauvais exemple.

– Ouais, Mohamed Ali, t'as raison.

Je ris toujours. Et lui aussi maintenant.

– Chut, fait-il.

Nos rires se calment et il n'y a plus un bruit dehors. Rien d'autre à faire que regarder le ciel et les étoiles. Il y en a tellement ce soir. Peut-être que chez moi, je ne les remarque pas à cause de tout le reste. Parfois, j'ai du mal à croire que Garden Heights et Riverton Hills partagent le même ciel.

– Tu te souviens de ce que je te disais dans le temps ? demande oncle Carlos.

Je m'approche de lui.

– Que si « étoile » ça se dit « star », ce n'est pas parce que je porte le nom des étoiles mais parce que les étoiles portent mon nom ? T'essayais vraiment de me donner la grosse tête, hein ?

Il se marre.

– Non, je voulais juste que tu saches à quel point tu es spéciale.

– Spéciale ou pas, tu n'aurais pas dû risquer ton boulot pour moi. Ton boulot, tu l'adores.

– Mais je t'adore encore plus. C'est en partie pour toi que

j'ai décidé de devenir flic, petite fille. Parce que je vous aime, toi et tous les gens de ce quartier.

– Je sais. C'est pour ça que je ne veux pas que tu risques ta place. On a besoin de flics comme toi.

– De flics comme moi, répète-t-il avec un rire creux. Tu sais, ça m'a mis en colère d'entendre cet homme parler de toi et de Khalil comme ça, mais ça m'a fait réfléchir aux commentaires que j'ai faits sur Khalil l'autre soir dans la cuisine de tes parents.

– Quels commentaires ?

– Je sais que tu écoutais aux portes, Starr. Fais pas genre...

Je lui décoche un sourire narquois. Oncle Carlos a dit « fais pas genre ».

– Tu veux dire quand tu as traité Khalil de dealer ?

Il acquiesce d'un signe.

– Même si c'en était un, je le connaissais. Je l'ai vu grandir avec toi. Il ne se résumait pas aux mauvaises décisions qu'il avait prises, dit-il. Ça me fait mal de voir que j'ai laissé cette envie de trouver une raison à sa mort prendre le dessus. De toute façon, on ne tue pas quelqu'un parce qu'il a ouvert une portière, point. Celui qui fait ça ne devrait pas être flic.

Je me mets à pleurer. Entendre ces mots dans la bouche de mes parents ou de Mme Ofrah, ou voir les manifestants les crier, ça fait du bien. Mais venant de mon oncle flic ? C'est un soulagement, même si du coup la douleur est encore un petit peu plus forte.

– Je l'ai dit à Brian, raconte-t-il en contemplant les articulations de ses doigts. Après lui avoir flanqué un marron. Je l'ai dit au chef aussi. En fait, je crois que je l'ai crié assez fort pour que tout le poste entende. Ça n'enlève rien au reste, cela dit. J'ai quand même fait faux bond à Khalil.

– Mais non…

– Si, insiste-t-il. Je le connaissais, je savais dans quelle situation sa famille était. Quand il a arrêté de t'accompagner lors de tes visites, je ne l'ai plus vu et n'ai plus pensé à lui. Je n'ai pas d'excuse.

Moi non plus je n'ai pas d'excuse.

– Je crois qu'on a tous cette impression, je marmonne. C'est en partie pour ça que papa tient tant à aider DeVante.

– Oui, dit-il. Et moi aussi.

Je lève les yeux vers les étoiles. Papa dit qu'il m'a appelée Starr parce que j'étais sa lumière dans les ténèbres. Là, tout de suite, moi aussi j'aurais bien besoin d'une lumière dans les ténèbres qui m'enveloppent.

– Je n'aurais pas tué Khalil, dit oncle Carlos. Je n'ai pas de certitude sur grand-chose, mais ça, j'en suis sûr.

Mes yeux me piquent et ma gorge se serre. Putain, quelle pleurnicharde. Je me blottis contre mon oncle en espérant que ce geste saura remplacer tous les mots que je n'arrive pas à dire.

QUINZE

Devant mon assiette de pancakes pas entamés, maman finit par me demander :

– Bon, Miam, qu'est-ce qui cloche ?

On a une table pour nous toutes seules chez IHOP. Il est tôt et le restaurant est presque vide. Les seuls autres clients sont des routiers barbus en train de se remplir la panse en passant de la country sur le juke-box.

– J'ai pas très faim, je dis en donnant des coups de fourchette dans mes pancakes.

Moitié bobard, moitié vérité. Avec toutes les émotions d'hier, j'ai la gueule de bois. Il y a eu cette interview. Oncle Carlos. Hailey. Khalil. DeVante. Mes parents.

Maman, Sekani et moi avons passé la nuit chez oncle Carlos. Et je sais que c'est davantage parce que maman en veut à papa qu'à cause des émeutes. Ils ont d'ailleurs annoncé aux infos que le calme était presque revenu la nuit dernière à Garden Heights.

Les manifs n'ont donné lieu à aucun débordement. Ce qui n'empêchait pas les flics de continuer à balancer des lacrymos.

De toute façon, si je mentionne la dispute de mes parents, maman me dira « ne te mêle pas des affaires des adultes ». Vu que c'est en partie à cause de moi, on pourrait penser que ce sont mes affaires à moi aussi, mais non.

– Tu n'as pas faim ? Toi ? C'est difficile à croire, dit maman. Tu as toujours été un ogre.

Je lève les yeux au ciel et je bâille. Elle m'a réveillée trop tôt en me disant qu'on allait petit-déjeuner chez IHOP, juste elle et moi, comme au bon vieux temps d'avant la naissance de Sekani. Il garde un uniforme en rab chez oncle Carlos et pourra aller à l'école avec Daniel. Moi, en revanche, je n'ai qu'un pantalon de jogging et un tee-shirt de Drake – pas vraiment adapté pour le bureau de la procureure. Il va falloir que je passe à la maison me changer.

– Merci de m'avoir invitée, je dis à maman.

Vu ma mauvaise humeur, je lui dois bien ça.

– De rien, bébé, ça me fait plaisir. On n'a rien fait toutes les deux depuis longtemps. Quelqu'un a décidé que je n'étais plus assez cool. Moi qui croyais que je l'étais toujours... Enfin bref, peu importe.

Elle avale une gorgée de café fumant.

– Ça te fait peur de parler à la procureure ?

– Pas vraiment.

Je remarque tout de même qu'il ne reste plus que trois heures avant notre rendez-vous de neuf heures trente.

– C'est cette connerie d'interview, alors ? Quel enfoiré.

Et voilà, rebelote.

– Maman…

– Il a envoyé son foutu père débiter des mensonges à la télé, dit-elle. Il croit qu'il va nous faire gober qu'un adulte peut à ce point avoir eu peur de deux enfants ?

Sur Internet, les gens ont eu la même réaction. Sur Twitter, les Noirs n'y sont pas allés de main morte avec le père de l'agent Cruise. On devrait selon eux l'appeler Tom Cruise, vu ses talents d'acteur. Sur Tumblr, pareil. Certains le croient, j'en suis sûre – Hailey l'a bien cru, elle –, mais Mme Ofrah avait raison : ça s'est globalement retourné contre lui. Des gens qui ne nous ont jamais rencontrés, Khalil et moi, ont l'impression de se faire enfumer.

Alors, même si l'interview me dérange, elle ne me dérange pas à ce point.

– Ce n'est pas vraiment l'interview, je réponds. Y'a d'autres trucs aussi.

– Comme quoi ?

– Khalil, je dis. DeVante m'a raconté des trucs sur lui et je culpabilise.

– Quels trucs ? demande-t-elle.

– Pourquoi il dealait. Il essayait d'aider sa mère à rembourser une dette à King.

Maman écarquille les yeux.

– Quoi ?

– Ouais. Et ce n'était pas un King Lord. Quand King lui a proposé de rejoindre le gang, Khalil a refusé. Et maintenant, King mythonne pour sauver la face.

Maman secoue la tête.

– Pourquoi ça ne me surprend pas ? King est tout à fait capable de ça.

Je fixe mes pancakes.

– J'aurais dû m'en douter. J'aurai dû mieux connaître Khalil.

– Tu n'avais aucun moyen de savoir, bébé, dit-elle.

– C'est bien le problème. Si j'avais été là pour lui, je…

– Tu n'aurais pas pu le faire changer d'avis. Khalil était presque aussi têtu que toi. Je sais qu'il comptait beaucoup pour toi, qu'il était plus qu'un simple ami, mais tu ne peux pas t'en vouloir.

Je lève les yeux vers elle.

– Qu'est-ce que tu veux dire par « plus qu'un simple ami » ?

– Ne fais pas l'innocente, Starr. Vous vous aimez depuis longtemps.

– Tu crois qu'il m'aimait aussi ?

– Seigneur ! fait maman en levant les yeux au ciel. Et c'est moi la vieille, ici…

– Tu viens de dire que t'étais vieille !

– La plus vieille de nous deux, corrige-t-elle en plissant les yeux. Je suis la plus vieille et ça ne m'a pas échappé. Comment tu as fait pour ne pas t'en rendre compte ?

– Je sais pas. Il parlait toujours d'autres filles, pas de moi. C'est bizarre, n'empêche. Je croyais que je m'étais remise de mon *crush*, mais des fois, je me demande.

Maman fait courir un doigt sur le bord de sa tasse.

– Miam, fait-elle avant de lâcher un grand soupir. Écoute, bébé. Tu as du chagrin, d'accord ? Ça peut amplifier tes émotions et te faire ressentir des choses que tu n'as pas ressenties depuis longtemps. Même si tu ressens quelque chose pour Khalil, il n'y a rien de mal à ça.

– Même si je suis avec Chris ?

– Même si tu es avec Chris, oui. Tu as seize ans. Tu as le droit d'avoir des sentiments pour plus d'une personne.

– Donc, tu dis que je peux être une salope ?

– Oh !

Elle brandit un doigt vers moi.

– Ne me force pas à t'envoyer un coup de pied sous cette table. Je te dis juste de ne pas te faire de mauvais sang pour ça. Pleure Khalil autant que tu veux. Vois qu'il te manque, accepte de regretter ce qui aurait pu se passer, n'essaie pas de contrôler ce que tu ressens. Mais comme je t'ai dit, n'arrête pas de vivre. D'accord ?

– D'accord.

– Bien. Deux choses de réglées, dit-elle. Il y a quoi d'autre ?

Qu'est-ce qu'il n'y a pas, plutôt ? J'ai la tête dans un étau, comme si mon cerveau débordait. Les gueules de bois émotionnelles ressemblent sans doute beaucoup à de vraies gueules de bois.

– Hailey, je dis.

Elle avale bruyamment une autre gorgée de café.

– Qu'est-ce qu'elle a fait celle-là, encore ?

Et voilà : elle recommence.

– Maman, tu ne l'as jamais aimée.

– Non, ce que je n'ai jamais aimé, c'était te voir la suivre comme si tu ne pouvais pas penser par toi-même. Nuance.

– Je n'ai…

– Ne mens pas ! Tu te souviens de cette batterie que tu m'as suppliée de t'acheter. Pourquoi tu la voulais, Starr ?

– Hailey avait envie qu'on monte un groupe. Mais moi aussi ça me disait bien !

– Ouais, attends un peu : tu ne m'avais pas dit que tu voulais jouer de la guitare dans ce « groupe » ? Jusqu'à ce qu'Hailey suggère que tu sois la batteuse ?

– Oui, mais…

– Et dans ces Jonas, lequel tu préférais vraiment ?

– Joe.

– Et qui a dit qu'il valait mieux que tu prennes le frisé ?

– Hailey, mais finalement Nick m'allait tout à fait. Et on parle du collège là…

– D'accord ! Alors l'an dernier. L'an dernier, tu m'as suppliée de te laisser te teindre les cheveux en violet. Pourquoi, Starr ?

– Je voulais…

– Non. Pourquoi, Starr ? dit-elle. La vraie raison.

Merde. L'histoire se répète.

– Parce qu'Hailey voulait qu'on ait toutes les trois la même couleur de cheveux, Maya, elle et moi.

– Ex-ac-te-ment ! Bébé je t'aime, mais tu as une fâcheuse tendance à mettre tes désirs de côté pour satisfaire ceux de cette fille. Alors excuse-moi si je ne l'apprécie pas beaucoup.

Face à tout ça, je suis bien obligée d'ouvrir les yeux.

– OK, je vois ce que tu veux dire.

– Tant mieux. Le réaliser, c'est la première étape. Alors, elle a fait quoi ?

– On s'est disputées hier, je dis. Disputées pour de vrai cette fois. C'était tendu depuis un moment entre nous. Elle ne me donnait plus de nouvelles et elle ne me suivait plus sur Tumblr.

Maman tend sa fourchette vers mon assiette et coupe un bout de pancake.

– C'est quoi Tumblr en fait ? C'est comme Facebook ?

– Non et t'as pas le droit d'y aller. Parents non autorisés. Vous avez déjà envahi Facebook.

– Tu n'as pas encore répondu à ma demande d'amitié.

– Je sais.

– J'ai besoin de vies sur Candy Crush.

– C'est pour ça que je ne répondrai jamais.

Elle me lance son regard le plus sombre. Je m'en fous. Il y a des choses que je refuse absolument de faire.

– Donc elle ne te suit plus sur ton Tum-machin, dit maman, qui confirme par ces mots qu'elle ne pourra jamais en avoir un. C'est tout ?

– Non. Elle a aussi dit et fait des trucs débiles.

Je me frotte les yeux. Comme je le disais, il est trop tôt.

– Je suis en train de me demander pourquoi on est copines.

– Eh bien, Miam – elle prend un autre énorme morceau de pancake –, il va falloir que tu décides si cette relation vaut la peine d'être sauvée. Fais un tableau : le positif d'un côté et le négatif de l'autre. Si une colonne l'emporte sur l'autre, tu sais ce qu'il te reste à faire. Fais-moi confiance, cette méthode m'a toujours réussi jusqu'ici.

– C'est ce que t'as fait avec papa quand Iesha est tombée

enceinte ? Parce que pour être honnête, moi je l'aurais foutu dehors. Sans vouloir te vexer.

– Ne t'occupe pas de ça. Beaucoup de gens m'ont traitée d'idiote quand je suis retournée avec ton père. D'ailleurs, ils le pensent peut-être encore. Si elle apprenait ce qui s'est passé, ta grand-mère ferait une crise cardiaque mais en fait, c'est pour elle que je ne l'ai pas quitté.

– Je croyais que Grandma détestait papa ?

Je crois d'ailleurs qu'elle le déteste toujours autant.

La tristesse envahit le regard de maman, mais elle me sourit quand même faiblement.

– Quand j'étais petite, lorsque ta grand-mère avait bu, elle pouvait se montrer blessante, dans ses mots comme dans ses actes. Et puis elle s'excusait le lendemain matin. J'ai compris tôt que les gens font des erreurs et que c'est à chacun de décider si ces erreurs sont plus importantes ou non que l'amour qu'on leur porte.

Elle prend une grande inspiration.

– Seven n'est pas une erreur, je l'adore. Ce qui n'enlève rien au fait que Maverick a commis une faute. Mais tous ses bons côtés et l'amour qu'on partage pèsent plus dans la balance que cette faute.

– Même avec Iesha-la-dingue dans nos vies ? je demande.

Maman glousse.

– Même avec Iesha-la-dingue, aussi insupportable et insortable soit-elle. C'est un peu différent, c'est sûr, mais si le positif l'emporte sur le négatif, garde Hailey dans ta vie, mon bébé.

C'est peut-être bien le problème. Beaucoup des bonnes

choses appartiennent au passé. Les Jonas Brothers, *High School Musical*, notre expérience partagée du deuil. Notre amitié tient sur des souvenirs. Mais qu'est-ce qu'il nous reste de tout ça, maintenant ?

– Et si ce n'est pas le cas ? je demande.

– Alors passe à autre chose, dit maman. Et dans le cas contraire, si elle continue à mal se comporter, il sera toujours temps de revenir sur ta décision. Parce que je te garantis que si ton père me refaisait le coup, j'épouserais Idris Elba sur-le-champ et je dirais : Maverick qui ?

J'éclate de rire.

– Maintenant, dit-elle en me tendant sa fourchette, mange ces pancakes avant que je sois obligée de le faire à ta place.

Je me suis tellement habituée à voir Garden Heights dans la fumée que ça me fait tout drôle qu'il n'y en ait pas à notre retour. Les rues sont mornes et désertes, à cause de l'orage qui a éclaté au petit matin, mais au moins on peut rouler vitres ouvertes. Les émeutes ont beau s'être arrêtées, on croise autant de camions blindés que de mecs au volant de leurs *lowriders* de rappeurs.

À la maison, en revanche, la fumée nous accueille sur le seuil.

– Maverick ! s'écrie maman.

On se précipite toutes les deux dans la cuisine.

Papa est devant l'évier, en train de verser de l'eau sur une poêle qui se met à crépiter en dégageant un nuage de vapeur blanche. Je ne sais pas ce qu'il a brûlé, mais il n'a pas fait les choses à moitié.

– Alléluia ! lance Seven qui lève les bras au ciel depuis la table en nous voyant arriver. Enfin quelqu'un qui sait cuisiner !

– Tais-toi, dit papa.

Maman attrape la poêle pour examiner les restes non identifiables.

– C'était quoi ? Des œufs ?

– Ravi de voir que tu sais encore comment on rentre, rétorque-t-il.

Il passe devant moi sans un regard ni un bonjour. Encore en colère à cause de Chris ?

Maman attrape une fourchette et se met à gratter énergiquement les restes carbonisés accrochés au fond de la poêle.

– Tu veux ton petit déjeuner, Seven chéri ?

Seven la dévisage.

– Euh, non, fait-il. Au fait, elle a rien fait cette poêle, mam.

– Tu as raison, répond-elle, sans s'arrêter de gratter pour autant. Plus sérieusement, je peux te faire cuire quelque chose si tu veux. Œuf. Bacon…

Elle se tourne vers le couloir et crie.

– Porc ! Cochon ! Goret ! Tout ça, quoi !

Tant pis pour le positif censé l'emporter sur le négatif. Je croise le regard de Seven. On déteste les voir se disputer car on se retrouve toujours au milieu de leurs guéguerres. Et nos estomacs sont les premiers à morfler. Si maman est trop en colère pour faire à manger, on doit avaler les repas de fortune de papa, comme par exemple ses spaghettis au ketchup avec des bouts de saucisse à hot dog.

– Je mangerai un truc au lycée, dit-il en lui faisant un bisou sur la joue. Merci quand même.

Il frappe son poing contre le mien en sortant – sa façon de me souhaiter bonne chance.

Papa revient, une casquette à l'envers sur la tête. Il attrape ses clés et une banane.

– Il faut qu'on soit chez la proc à neuf heures et demie, lui dit maman. Tu viens ?

– Oh ? Carlos est pas dispo ? Vu que c'est lui qu'est au courant de tous les secrets et tout ça ?

– Tu sais quoi, Maverick…

– Je serai là, la coupe-t-il.

Et puis il sort pendant que maman continue à s'acharner sur la poêle.

Karen Monroe, la procureure, nous escorte elle-même jusqu'à une salle de réunion. C'est une Blanche entre deux âges qui prétend comprendre ce que je traverse.

Mme Ofrah est déjà là avec d'autres gens du bureau. Mme Monroe nous explique en long, en large et en travers à quel point elle veut que Khalil obtienne justice et s'excuse qu'il ait fallu si longtemps pour qu'on se rencontre.

– Douze jours exactement, souligne papa. Trop long, si vous voulez mon avis.

Ça met visiblement Mme Monroe un peu mal à l'aise.

Elle nous explique le déroulement d'une audition devant le grand jury. Puis nous pose des questions sur cette fameuse soirée. Je lui répète en gros ce que j'ai dit aux flics. Sauf qu'elle ne pose aucune question à la con sur Khalil. Mais quand j'en viens au nombre de coups de feu tirés dans son dos, à l'expression sur son visage...

Mon ventre se met à bouillonner, de la bile me remonte dans la bouche et je suis prise d'un haut-le-cœur. Maman bondit vers une poubelle. Elle me la colle sous le menton juste à temps pour recueillir la gerbe de vomi qui jaillit de ma bouche.

Je pleure, je vomis. Je pleure, je vomis. Sans rien contrôler.

La procureure va me chercher un soda.

– Ça sera tout pour aujourd'hui, ma chérie, dit-elle. Je te remercie.

Papa m'aide à monter dans la voiture de maman. Dans les couloirs, les gens nous regardent, bouche bée. Je suis sûre qu'ils devinent à la morve et aux larmes sur mes joues que je suis le témoin. Ils sont sans doute en train de m'affubler d'un nouveau nom : Pauvre Petite. Comme dans « oh, la pauvre petite ». Ça m'enfonce encore plus.

Je me réfugie dans la voiture, loin de leur pitié, et pose la tête contre la vitre. Je me sens comme une merde.

Maman se range devant le magasin. Papa gare son 4x4 juste derrière nous et s'avance vers la portière de maman. Elle baisse la vitre.

– Je vais passer au lycée. On doit leur dire. Elle peut rester avec toi ?

– Ouais, pas de souci. Elle peut aller se reposer dans le bureau, répond papa.

Une autre conséquence des larmes et du vomi : on fait des

projets pour vous comme si vous n'étiez pas là. La Pauvre Petite est sourde, apparemment.

– Tu es sûr ? demande maman. Sinon, je peux l'emmener chez Carlos.

Papa soupire.

– Lisa…

– Maverick, je ne sais pas quel est ton problème et, pour tout te dire, je m'en tamponne, mais sois là pour ta fille, d'accord ?

Papa contourne la voiture et vient ouvrir ma portière.

– Viens là, bébé.

Je sors en sanglotant comme une petite fille qui vient de s'écorcher le genou. Papa me serre contre lui, me frotte le dos et me couvre les cheveux de baisers. Maman démarre et disparaît.

– Je suis désolé, bébé, dit-il.

Tout d'un coup, les larmes et le vomi ne représentent plus rien. Je suis dans les bras de mon papa.

On entre dans le magasin. Papa allume mais laisse la pancarte « fermé » dans la vitrine. Il disparaît dans son bureau une seconde puis revient vers moi et me prend le menton.

– Ouvre la bouche, dit-il.

Alors je l'ouvre. Il fait la grimace.

– Ouh… dégueu. Va falloir une bouteille entière de bain de bouche. Tu vas réveiller les morts avec cette haleine !

Je me mets à rire, des larmes plein les yeux. Papa est doué pour les trucs comme ça.

Ses mains qui essuient mes larmes sont râpeuses comme du papier de verre, mais je suis habituée. Il les pose ensuite sur mes joues et m'arrache un sourire.

– Voilà, ça c'est mon bébé ! dit-il. Tout va bien se passer.

Je me sens assez normale pour rétorquer :

– Tiens, maintenant je suis ton bébé ? On aurait pas dit.

– Ne commence pas ! dit-il en s'engageant dans le rayon des produits d'hygiène. On dirait ta mère.

– T'étais quand même bien vénère aujourd'hui, non ?

Il revient avec un flacon de Listerine et me le tend.

– Tiens. Avant que tu fasses crever mes fruits et mes légumes.

– Comme toi les œufs ce matin ?

– Eh oh, c'étaient des œufs noirs ! Vous y connaissez rien, c'est tout.

– *Personne* connaît ce truc-là.

Deux ou trois bains de bouche plus tard, tout est revenu à la normale, le marécage de bouts de vomi a disparu. Papa attend sur le banc en bois à l'avant du magasin. D'habitude, nos clients les plus vieux qui ne peuvent plus trop se déplacer s'assoient là pendant que papa, Seven ou moi nous occupons de leurs courses.

Papa tapote la place à côté de lui.

Je m'assieds.

– Tu vas bientôt rouvrir ? je lui demande.

– Dans pas longtemps. Dis donc, qu'est-ce que tu lui trouves à ce Blanc ?

Merde. Je ne m'attendais pas à ce qu'il soit aussi direct.

– À part le fait qu'il est adorable…

Papa fait mine de s'étrangler mais je continue.

– Il est intelligent, drôle et il tient à moi. Beaucoup.

– T'aimes pas les Noirs ?

– Si. Je suis aussi sortie avec des Noirs.

Trois fois. Une fois en CM1, même si ça ne compte pas vraiment, et deux fois au collège, ce qui ne compte pas non plus vu qu'à cet âge, on ne sait pas ce que c'est un couple. On ne sait rien sur rien, d'ailleurs.

– Quoi ? dit-il. Je savais pas.

– Parce que je savais que ça te rendrait fou. Que tu mettrais leur tête à prix ou un truc comme ça.

– Ah, ça me donne une idée, tiens !

– Papa !

Il se met à rire. Je lui tape sur le bras.

– Carlos était au courant ? demande-t-il.

– Non. Il aurait vérifié leur casier judiciaire et il les aurait serrés. Pas cool.

– Alors pourquoi tu lui as parlé du Blanc ?

– Je lui ai rien dit. Il l'a deviné. Chris habite dans la même rue, alors c'était plus difficile de le cacher. Et puis bon, papa, faut être un peu réaliste. Je sais ce que tu penses des couples mixtes, je t'ai entendu. Je voulais pas que tu parles de Chris et moi comme ça.

– Chris ? dit-il d'un ton moqueur. C'est quoi ce prénom de naze ?

Il est tellement mesquin.

– Puisque qu'on en est aux questions… Toi, t'as un problème avec les Blancs ?

– Pas vraiment.

– *Pas vraiment ?*

– Eh ! Je te le dis comme c'est. Le truc, pour moi, c'est que d'habitude, les filles sortent avec des garçons qui ressemblent à leur père et je vais pas te mentir, quand j'ai vu ce Blanc – Chris –, ça m'a foutu le doute. (Il sourit.) J'ai cru que je t'avais dégoûtée des Noirs ou que j'avais pas été un modèle. Je supportais pas l'idée.

Je pose la tête sur son épaule.

– Non, papa. C'est pas un modèle d'homme noir que t'as été, c'est un modèle tout court. T'es bête ou quoi ?

– Bête, moi ?

Il m'embrasse le dessus du crâne.

– Mon bébé…

Une BMW grise freine brusquement devant le magasin.

Papa me donne un coup de coude pour que je me lève.

– File.

Il me tire jusqu'à son bureau et me pousse à l'intérieur. Avant qu'il me ferme la porte au nez, j'aperçois King qui sort de la voiture.

Les mains tremblantes, j'entrouvre la porte.

Papa monte la garde sur le seuil. Sa main descend discrètement vers sa ceinture. Jusqu'à son arme.

Trois autres King Lords sortent de la BMW, mais papa lance :

– Non. Si tu veux parler, on fait ça seul à seul.

King adresse un signe de tête à ses gars pour qu'ils attendent à la voiture.

Papa s'efface devant King, qui entre d'un pas lourd. Ça me fait mal de l'admettre, mais je ne suis pas sûre que papa fasse le poids. Il n'est pas maigre ni petit, mais comparé à l'autre – un tas de muscles de plus d'un mètre quatre-vingt –, il a l'air minuscule. Ça frôle le blasphème, ma remarque, cela dit.

– Il est où ? demande King.

– Qui ?

– Tu sais très bien qui. Vante.

– Comment je saurais ?

– Il bosse ici, non ?

– Ouais, il est venu un jour ou deux. Mais je l'ai pas vu aujourd'hui.

King fait les cent pas. Il pointe son cigare vers papa. De la sueur ruisselle sur les bourrelets de graisse à l'arrière de sa tête.

– Tu mens.

– Pourquoi je mentirais, King ?

– Après tout ce que j'ai fait pour toi, c'est comme ça que tu me remercies ? Dis-moi où il est, Big Mav.

– Je sais pas.

– Où ? crie King.

– Je sais pas, je t'ai dit ! Il est venu me taxer deux cents balles l'autre jour et je lui ai dit qu'il fallait qu'il bosse pour les avoir. Alors il a bossé. Vu que j'avais pitié, je lui ai avancé la thune comme un crétin. Il était censé venir aujourd'hui et il s'est pas pointé. Fin de l'histoire.

– Pourquoi il faudrait qu'il te taxe du fric alors qu'il m'a déjà carotté cinq mille billets ?

– Comment tu veux que je sache ? demande papa.

– Si j'apprends que tu mens…

– T'inquiète, j'ai déjà bien assez de problèmes comme ça.

– Ah ouais, je suis au courant, dit King avec un air mesquin.

J'ai entendu que c'était Starr-Starr qui était avec Khalil. J'espère qu'elle sait se taire.

– Qu'est-ce que t'essaies de me dire, là, bordel ?

– Toujours intéressantes, ces affaires, dit King. Ils fouinent, les keufs. Chaque fois, ils essaient d'en savoir plus sur celui qu'est mort que sur celui qu'a tué. Façon de dire bon débarras, quoi. Ils disent déjà que Khalil dealait. Ce qui veut dire que tous ses petits potes de combine risquent d'avoir des problèmes. Ceux qui vont parler au procureur ont intérêt de faire gaffe à ce qu'ils disent. Je voudrais pas qu'ils se créent des ennuis.

– Nan, dit papa. C'est les gens qui mouillent dans le business qui devraient faire gaffe à ce qu'ils disent et même à ce qu'ils envisagent de faire.

Pendant quelques interminables secondes, papa et King se toisent. Papa tient sa main à hauteur de sa taille, comme si elle était bloquée là.

Finalement, King s'en va. Il pousse la porte tellement fort qu'il manque de la faire sortir de ses gonds. La sonnette tinte furieusement. Il monte dans sa BMW. Ses larbins l'imitent et il démarre sur les chapeaux de roue, laissant la vérité derrière lui.

Si je le dénonce, il me défoncera.

Papa se laisse lourdement tomber sur le banc des vieux. Ses épaules se voûtent, et il inspire un bon coup.

On ferme en avance et on passe chercher quelque chose chez Reuben pour dîner.

Pendant le court trajet pour rentrer, aucune voiture derrière nous n'échappe à mon attention, encore moins si elle est grise.

– Il te fera rien, je le laisserai pas, dit papa.

Je sais. Mais quand même.

À notre arrivée, maman est en train de s'acharner sur des steaks. D'abord c'était la poêle, et maintenant la viande rouge. Rien n'est en sécurité dans la cuisine.

Papa brandit le sac devant elle.

– J'ai pris de quoi dîner, bébé.

Ce qui ne l'empêche pas de continuer à martyriser les steaks. On s'assied tous autour de la table de la cuisine, et commence le dîner le plus silencieux que la famille Carter ait jamais connu. Mes parents ne disent rien. Seven ne dit rien. Je ne dis rien. Et je ne mange pas davantage. Entre le désastre au bureau de la procureure et King, les travers de porc et les haricots blancs me filent la nausée. Sekani s'agite sur sa chaise comme s'il mourait d'envie de nous raconter les moindres détails de sa journée. J'imagine qu'il se rend compte que personne n'est d'humeur. Brickz mâchouille des restes de travers dans son coin en bavant.

Puis maman lève la table.

– Bon, les enfants, allez finir vos devoirs maintenant. Et ne t'inquiète pas, Starr, tes professeurs m'ont donné les tiens.

Pourquoi ça m'inquiéterait ?

– Merci, je dis.

Elle s'apprête à ramasser l'assiette de papa, mais il pose une main sur son bras.

– Laisse, je m'en occupe.

Il lui prend toutes les assiettes, les met dans l'évier et ouvre le robinet.

– Maverick, c'est pas la peine.

Il envoie une giclée de liquide vaisselle dans le bac. Trop, comme d'habitude.

– T'inquiète, ça me dérange pas. T'embauche à quelle heure demain matin ?

– Je ne bosse pas demain non plus. J'ai un entretien.

Papa se retourne.

– Un autre ?

Un *autre* ?

– Oui. Au Markham Memorial toujours.

– C'est là-bas que tante Pam travaille, je remarque.

– Oui, dit maman. Son père est au conseil d'administration et il m'a recommandée. Pour le poste d'infirmière-chef en pédiatrie. En fait, c'est mon deuxième entretien. Avec des gens plus haut placés dans la hiérarchie cette fois.

– C'est génial, ma belle, la félicite papa. Ça veut dire que t'es à deux doigts de décrocher le poste, ça, non ?

– J'espère, dit-elle. D'après Pam, c'est déjà dans la poche.

– Pourquoi vous nous avez rien dit ? demande Seven.

– Parce que c'est pas vos affaires, répond papa.

– Et on ne voulait pas vous donner de faux espoirs, ajoute maman. Il y a beaucoup de candidats.

– Ça gagne combien ? demande Seven le malpoli.

– Plus que ce que je gagne à la clinique. Plus de cent mille dollars.

– Plus de cent mille dollars ?

– Maman va être millionnaire ! s'exclame Sekani.

Je vous jure, il a rien dans le crâne, ce gosse.

– Cent mille c'est pas un million, Sekani.

– Ah. Mais c'est beaucoup quand même.

– À quelle heure il est ton entretien ? demande papa.

– Onze heures.

– OK, nickel.

Il se retourne pour laver une assiette.

– Ça veut dire qu'on pourra aller voir des maisons avant, il ajoute.

Maman porte la main à son cœur et recule d'un pas.

– Tu as dit quoi, là ?

Il me regarde, puis la regarde elle.

– Je vais nous sortir de Garden Heights, ma belle. Cette fois c'est une promesse.

Habiter ailleurs qu'à Garden Heights ? Aussi improbable qu'un panier à quatre points. Genre, on va y croire. Mais si c'est papa qui le dit… Papa ne dit jamais des trucs comme ça sans vraiment les penser. Ça a dû méchamment le secouer que King nous ait menacés.

Il récure la poêle sur laquelle maman s'est acharnée ce matin.

Elle la lui enlève, la pose et lui prend la main.

– Je le ferai.

– Je t'ai dit que c'était bon. Je peux faire la vaisselle.

– Oublie la vaisselle.

Puis elle le tire dans leur chambre et ferme la porte.

Leur télé se met soudain à hurler, avec par-dessus les Jodeci qui braillent dans les enceintes de la chaîne hi-fi. Si cette femme se retrouve avec un fœtus dans l'utérus, je ne réponds plus de rien. De rien.

– Merde, c'est dégueu… commente Seven, qui a compris lui aussi. Ils sont trop vieux pour ça.

– Trop vieux pour quoi ? demande Sekani.

– Pour rien, Seven et moi répondons d'une seule voix.

– Tu crois que papa était sérieux ? je demande à Seven. On déménage ?

Il fait tourner une de ses dreads à la racine. C'est un tic.

– On dirait bien que vous allez tous partir, ouais. Surtout si maman décroche ce boulot.

– *Vous* ? Tu vas pas rester à Garden Heights !

– Je viendrai vous voir, c'est clair, mais je peux pas laisser ma mère et mes sœurs, Starr. Tu le sais bien.

– Ta mère t'a fichu dehors, dit Sekani. Tu vas aller où, gros teubé ?

– C'est qui que tu traites de teubé ?

Seven se colle la main sous l'aisselle puis la plaque sur le nez de Sekani et frotte. Il m'a fait ça une fois aussi, quand j'avais neuf ans. Il a fini avec la lèvre en sang, et moi je me suis bien fait engueuler.

– De toute façon, tu seras pas chez ta mère, je lui fais remarquer. Alléluia, tu pars à la fac ! Merci Jésus Noir !

Seven hausse les sourcils.

– Toi aussi t'en veux une de main roulée sous les aisselles ? Et puis je vais à la fac à Central Community pour pouvoir habiter dans la maison de ma mère et m'occuper de mes sœurs.

Ça fait mal. Un peu. Moi aussi, je suis sa sœur. Pas juste elles deux.

– *Sa* maison, je répète. Tu dis jamais que c'est chez toi.

– Bien sûr que si, rétorque-t-il.

– Non.

– Si.

– Ta gueule.

Fin de la conversation.

– Ooh ! fait Sekani en tendant la main. Donne-moi mon dollar !

– Ça risque pas, putain ! je dis. Ça marche pas sur moi ces conneries.

– Trois dollars !

– Bon d'accord. Je te donnerai un billet de trois dollars.

– J'ai jamais vu de billet de trois dollars, dit-il.

– T'as tout compris.

DEUXIÈME PARTIE

CINQ SEMAINES APRÈS LES FAITS

SEIZE

Mme Ofrah m'a organisé une interview avec un des journaux télévisés nationaux – exactement une semaine avant mon témoignage devant le grand jury lundi prochain.

Il est à peu près dix-huit heures quand la limousine envoyée par la chaîne arrive chez nous. Ma famille m'accompagne. Je doute qu'ils poseront des questions à mes frères, mais Seven veut me soutenir. Sekani aussi, à ce qu'il prétend, mais la vérité, c'est qu'il espère être « repéré » d'une manière ou d'une autre, avec toutes ces caméras autour de nous.

Mes parents lui ont tout raconté. Il a beau me taper sur les nerfs, quand il m'a donné une carte qu'il avait fabriquée et qui disait « Je suis triste pour toi », j'ai trouvé ça mignon. Avant de l'ouvrir en tout cas. Car à l'intérieur, je me suis vue en train de pleurer Khalil… avec des cornes de diable. Sekani m'a expliqué qu'il voulait que son dessin « fasse vrai ». Petit con.

On sort de la maison et on se dirige vers la limousine sous les regards curieux des voisins sur leur terrasse ou dans leur jardin. Maman nous a tous forcés à nous mettre sur notre trente et un – papa inclus – comme pour aller à l'église du Temple du Christ : pas franchement endimanchés comme un jour de Pâques, mais pas non plus décontractés façon « église de la diversité ». Pour elle, hors de question d'avoir l'air de « rats de ghetto » devant les gens de la télé.

Alors avant de monter dans la limousine, elle nous assaille de conseils :

– Quand on sera là-bas, ne touchez rien et ne parlez que si quelqu'un vous adresse la parole. C'est « oui madame » et « oui monsieur » ou « non madame » et « non monsieur ». Compris ?

– Oui madame, on répond tous les trois en chœur.

– Allez, Starr ! lance un de nos voisins en levant la main.

J'ai droit à ça presque tous les jours dans le quartier, maintenant. La rumeur s'est répandue que j'étais le témoin. Ce « allez » qui accompagne leur signe de la main, c'est plus qu'un simple bonjour. C'est ce que les gens ont trouvé pour me témoigner leur soutien.

Le plus cool dans tout ça ? C'est que c'est toujours « Allez, Starr ! » Jamais : la fille à Big Mav qui bosse au magasin.

On s'éloigne dans la limousine. Je regarde le quartier qui défile en tapotant mon genou du bout des doigts. J'ai parlé aux enquêteurs, puis à la procureure, et la semaine prochaine, ce sera au tour du grand jury. Je l'ai racontée tant de fois cette nuit que je peux réciter mon histoire en dormant. Mais là, c'est le monde entier qui va voir ça.

Mon téléphone vibre dans la poche de mon blazer. Deux SMS de Chris.

Ma mère veut savoir de quelle couleur est ta robe pour le bal de fin d'année.

Demande urgente du tailleur apparemment.

Oh, merde. Le bal a lieu samedi prochain. Je n'ai pas acheté la robe. Avec la mort de Khalil et tout le reste, je ne suis pas sûre de vouloir y aller. Maman m'a dit qu'il fallait que je me change les idées. Je n'étais pas d'accord. Elle m'a fait sa plus belle moue.

Ce petit côté dictateur ? Pas cool. Mais je vais y aller, à ce bal. J'écris à Chris.

Euh... bleu ciel ?

Il répond :

T'as pas encore de robe ?

Je tape :

J'ai largement le temps. Je suis juste débordée.

C'est vrai. Mme Ofrah m'a entraînée pour cette interview tous les jours après le lycée. Et quand on finissait plus tôt, je restais à Juste la Justice pour donner un coup de main. Au téléphone, à la distribution de tracts, partout où ils avaient besoin d'aide. Parfois, quand l'équipe était en réunion pour discuter de propositions de réforme de la police, de l'importance d'expliquer à la communauté qu'il fallait manifester sans tout casser, je tendais l'oreille.

J'ai demandé au proviseur Davis si Juste la Justice pouvait organiser à Williamson la même table ronde que celle qu'ils avaient organisée à Garden. Il m'a répondu qu'il n'en voyait pas l'intérêt.

Chris répond à mon message sur la robe :

D'accord, si tu le dis

Vante te passe le bjr

Jv le défoncer à Madden

Mais tu lui diras qu'il arrête de m'appeler Bieber

Après toutes ces conneries qu'il a sorties sur « le petit Blanc qui joue au renoi », DeVante traîne plus souvent chez Chris que moi. Chris l'a invité à jouer à Madden et tout d'un coup, ils sont « frères ». Chris est blanc mais DeVante trouve que sa méga collection de jeux vidéo compense.

J'ai traité DeVante de pute à jeux. Il m'a dit de la fermer. Mais on déconnait, c'est tout.

Nous arrivons devant un hôtel chic du centre-ville. Un Blanc avec un sweat-shirt à capuche attend sous la marquise qui mène à la porte. Il a une planche à pince sous le bras et un gobelet Starbucks entre les doigts.

Il parvient quand même à ouvrir la portière de la limousine et à nous serrer la main quand on descend.

– Je suis John, le producteur. Ravi de faire votre connaissance.

Il me serre la main une deuxième fois.

– Et laissez-moi deviner, Starr, c'est vous.

– Oui, monsieur.

– Merci beaucoup d'avoir trouvé le courage de faire ça.

Ce mot. Le courage. Les gens courageux n'ont pas les jambes qui tremblent. Les gens courageux n'ont pas envie de vomir. Les gens courageux n'ont clairement pas besoin de se rappeler comment respirer quand ils pensent un peu trop à cette soirée. Si le courage est un état de santé, tout le monde a établi un mauvais diagnostic à mon sujet.

John nous emmène dans un labyrinthe de couloirs. Je suis contente de ne pas porter de talons. Il n'arrête pas de parler, de dire à quel point cette interview est importante, à quel point ils veulent que la vérité sorte. Il ne m'aide pas beaucoup à faire sortir mon « courage ».

Dans la cour de l'hôtel, des cameramans et d'autres techniciens installent le plateau. Au cœur du chaos, Diane Carey, la journaliste qui va mener l'interview, se fait maquiller.

Ça fait bizarre de la voir en chair et en os et non plus comme un amas de pixels sur un écran. Quand j'étais petite, chaque fois que je passais la nuit chez elle, Grandma me forçait à porter une de ses longues chemises de nuit, à prier pendant au moins cinq minutes et à regarder le journal de Diane Carey pour être « au courant des choses du monde ».

– Bonjour !

Mme Carey s'illumine en nous voyant. Elle s'approche. Respect à la maquilleuse qui la suit et continue à travailler sans se démonter. Une vraie pro. Mme Carey nous serre la main.

– Diane. Je suis ravie de vous rencontrer tous. Vous devez être Starr, dit-elle en se tournant vers moi. Ne stressez pas trop. Ça n'est rien qu'une conversation entre vous et moi.

Pendant qu'elle nous parle, un type prend des photos. Juste une conversation normale, c'est ça...

– Starr, on se disait qu'on pourrait faire quelques plans de Diane et vous en train de discuter en vous promenant dans la cour, dit John. Puis on montera dans la suite pour la conversation avec Diane, puis avec Mme Ofrah, et pour finir avec vos parents. Après, on sera bons.

Un type m'installe le micro pendant que John me briefe sur cette promenade-discussion.

– C'est juste un plan de transition, dit-il. Rien de compliqué.

Rien de compliqué, mon cul. La première fois, je marche presque au pas. La deuxième, on dirait que j'avance dans un cortège d'enterrement et je suis incapable de répondre aux questions de Diane. Je ne m'étais jamais rendu compte que parler en marchant exigeait une telle coordination.

Une fois que la prise est bonne, nous montons au dernier étage par l'ascenseur. John nous emmène dans une suite immense – on dirait un appartement de luxe, je ne rigole pas – avec une vue plongeante sur le centre-ville. Une douzaine de personnes sont en train d'installer caméras et projecteurs. Mme Ofrah est là, en jupe, avec un de ses tee-shirts à l'effigie de Khalil. John me dit qu'ils n'attendent plus que moi.

Je prends place dans le petit canapé en face de Diane. Je n'ai jamais réussi à croiser les jambes, quelles que soient les circonstances, alors c'est hors de question que je le fasse aujourd'hui. Ils vérifient mon micro et la journaliste me dit de me détendre. Les caméras ne tardent pas à tourner.

– Des millions de gens autour du monde ont entendu le nom de Khalil Harris, dit-elle, et ils se sont fait leur propre idée de la personne qu'il était. Et pour vous, qui était-il ?

– Un de mes meilleurs amis.

Sans doute qu'il n'a jamais réalisé à quel point.

– On se connaissait depuis qu'on était bébés. S'il était là, il dirait qu'il avait cinq mois, deux semaines et trois jours de plus que moi. (On se met toutes les deux à glousser.) Il est comme ça... Il était.

Merde. Ça me fait mal de me corriger.

– Il aimait rire. Il voyait toujours la lumière, même dans les ténèbres. Et il...

J'ai la voix qui flanche.

Je sais que c'est cucul, mais j'ai l'impression qu'il est là. Il viendrait fureter comme une petite fouine pour s'assurer que je dis ce qu'il faut. Sans doute qu'il dirait que je suis sa fan numéro un ou qu'il m'affublerait d'un autre qualificatif énervant dont il avait le secret.

Il me manque.

– Il avait un grand cœur, je dis. Je sais que certains le traitent de voyou, mais si vous le connaissiez, vous sauriez que ce n'était pas du tout le cas. Je ne dis pas que c'était un ange ni rien, mais ce n'était pas quelqu'un de méchant. C'était un... (Je hausse les épaules.) C'était un gamin.

Diane acquiesce d'un signe.

– C'était un gamin.

– Ouais, un gamin.

– Que pensez-vous des gens qui se concentrent sur son côté pas-si-positif? demande-t-elle. Sur le fait qu'il vendait peut-être de la drogue?

Mme Ofrah m'a dit un jour que mon arme, c'était ça: ma voix.

Alors je me bats avec mon arme.

– Je déteste ça. Si les gens savaient pourquoi il vendait de la drogue, ils ne diraient pas la même chose de lui.

Mme Carey se redresse un peu sur son siège.

– Et pourquoi en vendait-il ?

Je jette un regard vers Mme Ofrah. Elle secoue la tête. Pendant nos réunions de préparation, elle m'a conseillé de ne pas donner trop de détails. Elle m'a dit que le public n'avait pas besoin de savoir.

Mais en regardant la caméra, tout d'un coup je prends conscience que des millions de gens vont regarder ça dans quelques jours. King sera peut-être parmi eux. Même si sa menace résonne fort dans ma tête, elle fait moins de bruit que ce que Kenya m'a dit l'autre jour au magasin.

Khalil me défendrait, lui. Alors il faut que je le défende.

Je m'apprête à frapper un grand coup.

– La mère de Khalil est tox. Tous ceux qui le connaissaient savaient à quel point il le vivait mal, et à quel point il détestait la drogue. Il n'en vendait que parce qu'il aidait sa mère à se sortir d'une situation où elle s'était mise avec le plus gros dealer et chef de gang du quartier.

Mme Ofrah soupire ostensiblement. Mes parents écarquillent les yeux.

Je balance sans dire de nom. Mais je balance. Tous ceux qui connaissent un tant soit peu Garden Heights sauront de qui je parle. Et ceux qui ont vu l'interview de M. Lewis sauront aussi.

Mais bon, si King veut faire croire partout que Khalil avait rejoint son gang, je peux dire au monde entier que Khalil était obligé de dealer pour lui.

– Sa mère était en danger de mort, je continue. Il n'aurait fait ça pour aucune autre raison. Et il n'était pas dans un gang.

– Ah non ?

– Non, madame. Il n'a jamais voulu vivre ce genre de vie. Mais sans doute que…

Pour une raison ou pour une autre, je me mets à penser à DeVante.

– Je ne comprends pas pourquoi tout le monde semble se dire que s'il était dealer ou dans un gang, ce n'est pas grave qu'il soit mort.

Dans ta face.

– Qui « tout le monde » ? Les médias ? demande-t-elle.

– Oui, madame. On dirait qu'ils passent leur temps à parler de ce qu'il a peut-être dit, de ce qu'il a peut-être fait, de ce qu'il n'a peut-être pas fait. Je ne savais pas qu'un mort pouvait être inculpé de son propre meurtre, vous le saviez, vous ?

Les mots qui viennent de jaillir de ma bouche cognent comme un direct du droit.

Mme Carey me demande de raconter ce qui s'est passé ce soir-là. Je ne peux pas donner beaucoup de détails – Mme Ofrah m'a dit de ne pas le faire –, mais je lui dis tout de même qu'on a obéi à tout ce que Cent-Quinze demandait sans jamais l'insulter une seule fois, contrairement à ce que prétend son père. Je lui parle de ma peur panique, de Khalil tellement inquiet pour moi qu'il a ouvert la portière pour voir comment j'allais.

– Donc il n'a jamais lancé de menaces de mort à l'agent Cruise ? demande-t-elle.

– Non, madame. Mot pour mot, la dernière chose qu'il a dite c'est : « Ça va, Starr ? » Et puis…

Je pleure à chaudes larmes en décrivant le moment où les

coups de feu ont résonné et où le regard de Khalil s'est posé sur moi pour la dernière fois. Je pleure en racontant comment je l'ai pris dans mes bras dans la rue et le moment où j'ai vu ses yeux se voiler. Je lui dis aussi que Cent-Quinze a braqué son arme sur moi.

– Il a braqué son arme sur vous ? demande-t-elle.

– Oui, madame. Et il ne l'a pas baissée avant l'arrivée des autres policiers.

Derrière les caméras, maman pose la main devant sa bouche. Les yeux de papa lancent des éclairs de fureur.

Mme Ofrah a l'air abasourdie.

Nouveau direct du droit.

Le truc, c'est que ça, je ne l'avais raconté qu'à oncle Carlos jusqu'ici.

Mme Carey me tend des Kleenex et m'accorde un instant pour me reprendre.

– Avez-vous peur de la police depuis ce jour-là ? finit-elle par demander.

– Je ne sais pas, je réponds honnêtement. Mon oncle est policier. Je sais qu'ils ne sont pas tous mauvais. Et ils risquent leur vie, vous savez ? J'ai toujours peur pour mon oncle. Mais j'en ai marre que la police parte du principe qu'on est tous des voyous. Surtout les Noirs.

– Vous aimeriez voir davantage de policiers qui n'auraient pas d'idées préconçues sur les Noirs ? clarifie-t-elle.

– Oui. Tout ça, ça s'est passé parce qu'*il* – je n'arrive pas à dire son nom – est parti du principe qu'on faisait quelque chose de louche. Parce qu'on est noirs et à cause de l'endroit où on vit. On était juste deux jeunes qui ne faisaient rien de mal. Ses préjugés ont tué Khalil. Ils auraient pu me tuer, moi aussi.

Bam. Coup de pied en plein dans les côtes.

– Si l'agent Cruise était assis là, en face de vous, dit Mme Carey, que lui diriez-vous ?

Je bats des paupières plusieurs fois. Avale le trop-plein de salive dans ma bouche. Pas question de me mettre à pleurer ou à vomir parce que je pense à ce type.

S'il était assis là ? Je n'ai pas assez de Jésus Noir en moi pour lui dire que je lui pardonne. Sans doute plutôt que je lui enverrai mon poing dans la figure. Sans hésitation.

Mais Mme Ofrah dit que cette interview, c'est ma façon à moi de livrer bataille. Et quand on se bat, on s'expose, sans se soucier de savoir qui on blesse ou si on va être blessé.

Alors je balance un coup de plus, en plein dans la gueule de Cent-Quinze :

– Je lui demanderais s'il aurait aimé me tuer aussi.

DIX-SEPT

Mon interview a été diffusée hier dans l'émission *Friday Night News Special* de Diane Carey. John, le producteur, nous a appelés ce matin pour nous annoncer qu'elle avait été l'une des plus regardées dans l'histoire de la chaîne.

Un ou une millionnaire, qui tient à rester anonyme, a proposé de financer mes études. John a précisé que l'offre avait été faite juste après la diffusion. Je me dis que c'est Oprah, la présentatrice vedette noire, mais c'est juste dans ma tête, parce que j'ai toujours imaginé qu'elle était ma bonne fée et qu'un jour, elle viendrait chez moi pour m'annoncer : « Tu vas avoir une voiture ! »

La chaîne a déjà reçu pas mal d'emails de soutien qui me sont adressés. Je ne les ai pas vus, mais de toute façon, ils ne peuvent pas battre le message de Kenya pour me mettre du baume au cœur.

Il était temps

Te la pète pas trop qd mm, mtnt que t une vedette

L'interview a fait le buzz. J'ai jeté un œil ce matin, les gens en parlaient encore. La communauté noire sur Twitter et Tumblr est de mon côté. Mais il y a aussi des connards qui veulent me voir morte.

King n'est pas franchement en joie non plus. Kenya m'a dit qu'il était furax que j'aie balancé, même si je n'ai pas donné de nom.

Ils ont aussi fait une analyse de l'interview aux informations d'aujourd'hui, disséqué mes propos comme si j'étais genre le Président. Une chaîne est scandalisée par « mon mépris de la police ». Je ne vois pas bien où ils ont entendu ça dans l'interview. Ce n'est pas comme si je me l'étais jouée « Nique la police » façon NWA. J'ai simplement dit que je demanderais au type s'il aurait aimé me tuer aussi.

De toute façon, je m'en fous. Je ne vais pas m'excuser pour ce que je ressens. Les gens peuvent dire ce qu'ils veulent.

Mais aujourd'hui, on est samedi et je suis dans une Rolls Royce en route pour le bal de fin d'année avec un mec qui ne dit pas un mot. Chris est plus intéressé par son téléphone.

– T'es beau sapé comme ça, je lui dis.

Et c'est vrai. Son smoking noir avec le veston bleu ciel et la cravate sont assortis à la robe corolle bustier mi-longue que je porte. Ses Converse Chuck Taylor en cuir noir vont bien avec les miennes, ornées de sequins argentés. C'est le dictateur, alias maman, qui m'a acheté ma tenue. Elle a plutôt bon goût.

– Merci, toi aussi, répond Chris, mais d'une voix de robot, comme s'il disait juste ce qu'on attend de lui et pas ce qu'il a envie de dire.

Et comment peut-il savoir à quoi je ressemble ? Depuis qu'il est venu me chercher chez oncle Carlos, il m'a à peine regardée.

Je ne sais pas ce qu'il a. Tout se passait bien entre nous, pour autant que je sache. Et maintenant, tout d'un coup, il est grincheux et silencieux. Je pourrais demander au chauffeur de me ramener, mais je suis trop apprêtée pour rentrer à Garden Heights.

Des ampoules bleues éclairent l'allée du country club, surplombée d'arches en ballons dorés. Nous sommes la seule Rolls Royce dans une mer de limousines, alors forcément, tous les regards se tournent vers nous quand on s'arrête devant l'entrée.

Le chauffeur nous ouvre la portière. M. Silencieux sort le premier et me tend quand même la main sous les acclamations et les sifflets de nos camarades de classe. Chris me prend par la taille et nous sourions pour la photo, comme si tout allait bien dans le meilleur des mondes. Puis il me prend la main et m'entraîne à l'intérieur sans un mot.

La musique gronde. Des lustres et des jeux de lumière éclairent la salle de bal. Un comité quelconque a décidé que la soirée aurait pour thème « Minuit à Paris », d'où la gigantesque tour Eiffel en guirlandes lumineuses. On dirait presque que tous les premières et les terminales de Williamson sont sur la piste.

Les soirées à Garden Heights et à Williamson n'ont décidément rien en commun. À la soirée de Big D, les gens dansaient le Nae Nae, le Hit the Quan, le twerk et tout ça. Au bal de fin d'année, honnêtement, je suis incapable de mettre des noms sur la façon dont certains bougent. Ça saute et ça lève beaucoup les poings, ça tente des twerks à droite à gauche. Ce n'est pas nul. Juste différent. Très différent.

C'est bizarre cela dit – j'hésite moins à danser ici qu'à la soirée de Big D. Sans doute parce qu'à Williamson, comme je l'ai déjà dit, étant noire, je suis cool par défaut. Du coup, je peux me mettre à danser n'importe quelle chorégraphie que j'aurais inventée et tout le monde pensera que c'est le nouveau truc à la mode. Les Blancs partent du principe que les Noirs sont des experts en tendances et tout ça. Jamais de la vie, par contre, je ne me risquerais à faire ça dans une soirée à Garden Heights. Là-bas, on se ridiculise une fois et c'est fini : tout le quartier l'apprend et personne n'oublie.

À Garden Heights, j'observe comment on fait pour être cool. Et à Williamson, je mets en pratique ce que j'ai appris. Je ne suis pas si cool que ça, en vrai, mais tant que ces Blancs pensent le contraire, ça m'aide beaucoup à naviguer dans la petite société lycéenne.

Je commence à demander à Chris s'il veut danser, mais il lâche ma main et fonce vers ses copains.

Quelqu'un peut me rappeler ce que je fais ici ?

– Starr !

Je balaie deux fois la salle du regard et finis par repérer Maya qui me fait de grands signes à une table.

– Waouh, meuf ! s'exclame-t-elle à mon arrivée. T'as trop la classe ! Chris a dû devenir fou en te voyant.

Non. Il a failli me rendre folle, en revanche.

– Merci, je dis en détaillant rapidement sa tenue.

Elle porte une robe bustier rose sous le genou. Une paire de talons aiguille à paillettes qui la grandissent de douze bons centimètres. Je l'applaudis d'avoir réussi à marcher avec jusqu'ici. Je déteste les talons.

– Mais si y'en a une qui a trop assuré niveau tenue ce soir, c'est toi, Shorty.

– Ne m'appelle pas comme ça ! Surtout que c'est Celle-Dont-On-Ne-Doit-Pas-Prononcer-Le-Nom qui m'a donné ce surnom.

Wow. Elle a Voldemorté Hailey.

– Maya, tu n'es pas obligée de choisir un camp, tu sais.

– C'est elle qui ne nous parle plus, tu te souviens ?

Hailey nous fait la gueule depuis la dernière fois. Merde à la fin, ça veut dire quoi ? Si je fais remarquer un truc, j'ai forcément tort et du coup on me snobe ? Nan, elle n'essaie pas de me culpabiliser comme ça. Pas possible. Et quand Maya a avoué à Hailey qu'elle avait vendu la mèche pour Tumblr, Hailey a commencé à faire la gueule à Maya aussi. Elle dit qu'elle ne nous adressera plus la parole tant qu'on ne s'excusera pas. Elle n'est pas habituée à nous voir nous retourner contre elle comme ça.

Bref, peu importe. Chris et elle peuvent ouvrir un club, ça m'est égal. Ils n'ont qu'à appeler ça La Ligue des Boudeurs des Beaux Quartiers.

Je suis quand même un peu hors de moi. Ça m'énerve de voir que Maya s'est retrouvée embarquée là-dedans.

– Maya, je suis désolée…

– Pas besoin, dit-elle. Je ne sais pas si je te l'ai dit mais je lui ai aussi reparlé de l'histoire du chat. Après lui avoir raconté pour Tumblr.

– Sérieux ?

– Ouais. Elle m'a répondu que c'était pas la fin du monde.

Maya secoue la tête.

– Je m'en veux toujours de l'avoir laissée dire sur le coup.

– Ouais. Moi aussi je m'en veux.

Nous nous taisons toutes les deux.

Maya me donne un petit coup de coude.

– Eh. Il faut que les minorités se serrent les coudes, tu te souviens ?

Je glousse.

– OK, OK. Il est où, Ryan ?

– Allé chercher un petit truc à manger. Il est beau, ce soir, sans vouloir me vanter. Et ton mec, il est où ?

– Chais pas et, si tu veux tout savoir, je m'en fiche.

Ce qu'il y a de bien, c'est que les meilleures amies sentent quand on n'a pas envie de parler et elles n'insistent pas. Maya passe son bras sous le mien.

– Allez. Je ne me suis pas faite belle pour rester assise là.

On part se mêler aux danseurs qui sautillent, en battant la mesure de leurs poings levés. Maya ôte ses chaussures à talon et continue pieds nus. Jess, Britt et quelques autres filles de l'équipe ne tardent pas à nous rejoindre et on se met toutes à danser en cercle. Quand Beyoncé, ma cousine par alliance, commence à chanter, on se lâche complètement. (Jay-Z et moi, on est cousins éloignés, obligé vu qu'on a le même nom de famille).

On s'égosille à en perdre la voix, avec ma cousine Bey. Maya et moi, on est à fond. Je n'ai peut-être plus Khalil, Natasha, ni même Hailey, mais j'ai Maya. Et ça me suffit.

Six chansons plus tard, on retourne à notre table, bras dessus bras dessous, une chaussure de Maya dans ma main et l'autre qui pend par la lanière à son poignet à elle.

– T'as vu M. Warren faire le robot ? demande Maya entre deux éclats de rire.

– Si je l'ai vu ? Je savais pas qu'il avait ça en lui.

Maya s'arrête. Elle regarde autour d'elle, mais comme si elle ne regardait rien.

– Te retourne pas, juste à gauche, murmure-t-elle.

– Hein quoi ? Qui c'est ?

– À gauche, répète-t-elle entre ses dents. Mais sois discrète.

Je tourne précautionneusement le regard vers la gauche. Hailey et Luke prennent la pose sous les flashs du photographe à l'entrée. Je ne peux même pas les pourrir – ils sont mignons en robe blanc et or et en smoking blanc. D'accord, on est en froid, mais j'ai quand même le droit de lui faire un compliment, non ? Ça me fait même plaisir de la voir avec Luke. Il leur en aura fallu, du temps.

Ils s'avancent vers nous mais passent sans s'arrêter, l'épaule d'Hailey à quelques centimètres à peine de la mienne. Elle nous jette un regard de tueuse. C'est quoi cette meuf, sans déconner ? Du coup, sans doute que je lui renvoie le même. Je jette parfois de sales regards aux gens sans même m'en rendre compte.

– Ouais, c'est ça, lance Maya dès qu'Hailey a le dos tourné. Tu fais bien de pas t'arrêter, tiens.

Mon Dieu. Maya s'enflamme en deux secondes.

– Allons chercher un truc à boire, je dis en l'entraînant à ma suite. Avant que tu brûles tout sur ton passage.

On se sert un punch avant de rejoindre notre table où Ryan est en train de se goinfrer de mini-sandwichs et de boulettes de viande. Son smoking est couvert de miettes.

– Vous étiez passés où tous ? demande-t-il.

– On dansait, répond Maya en lui volant une crevette. Tu n'as rien mangé de la journée, pas vrai ? dit-elle.

– Non. J'allais tomber d'inanition.

Il hoche la tête vers moi.

– Comment ça va, *black girlfriend* ?

On plaisante souvent là-dessus, sur le fait que tout le monde nous voit comme les « deux seuls Noirs du bahut qui du coup devraient forcément sortir ensemble ».

– Ça va et toi, *black boyfriend* ? je réponds en volant une crevette à mon tour.

Tiens tiens, Chris se souvient qu'il est venu accompagné et s'approche de notre table. Un bonjour à Maya et Ryan, puis il me demande :

– Tu veux qu'on aille faire des photos ou je sais pas quoi ?

Il parle de nouveau comme un robot. Sur l'échelle de l'exaspération graduée de un à dix, je frise les cinquante.

– Non merci, je lui réponds. Pas de photos avec quelqu'un qui n'a pas envie d'être avec moi.

Il soupire.

– Pourquoi tu fais ta tête à claques ?

– Moi ? C'est toi qui me snobes !

– Merde, Starr ! Tu veux la faire cette putain de photo ou pas ?

L'exaspéromètre explose. Boum. En mille morceaux.

– Tu rigoles ? Va la faire tout seul et fous-toi-la dans le cul.

Je tourne les talons et m'éloigne la tête haute, sans prêter attention à Maya qui me crie de revenir. Chris m'emboîte le pas. Il cherche à m'attraper par le bras mais je me libère et continue vers la porte. Malgré la nuit noire, je trouve facilement la Rolls Royce. Le chauffeur n'est pas là, sans quoi je lui aurais demandé de me ramener chez moi. Je saute à l'arrière et verrouille les portières.

Chris toque à la vitre.

– Starr, allez, merde.

Il met ses mains en jumelles et essaie de m'apercevoir à travers le verre fumé.

– On peut parler ?

– Ah tiens ? Maintenant, tu veux me parler ?

– C'est toi qui me fais la gueule !

Il penche la tête et colle son front à la vitre.

– Pourquoi tu ne m'as pas dit que c'était toi le fameux témoin ? demande-t-il.

Sa voix est douce, mais la question me fait l'effet d'un coup de poing dans le ventre.

Il est au courant.

Je déverrouille la portière et lui fais de la place sur la banquette. Il s'installe à côté de moi.

– Comment tu l'as su ?

– L'interview. Je l'ai regardée avec mes parents.

– Pourtant, ils n'ont pas montré mon visage.

– Je connais ta voix, Starr. Et puis ils t'ont montrée de dos en train de marcher avec cette journaliste. Je t'ai assez souvent regardée t'éloigner pour pouvoir te reconnaître de dos et… j'ai l'air d'un pervers avec ce que je dis, non ?

– Tu veux dire que t'as reconnu mon cul ?

– Je… ouais.

Il rougit.

– Mais il y avait aussi autre chose. Tout collait, comme ta colère quand il y a eu la manif au lycée ou quand on te parlait de Khalil. Je dis pas que ça méritait pas qu'on s'énerve, parce que bien sûr que ça le méritait, mais… (Il soupire.) Je m'enfonce, là. Enfin bref, je savais que c'était toi. Et c'était bien toi, pas vrai ?

Je confirme d'un signe de tête.

– T'aurais dû me dire, princesse. Pourquoi tu m'as caché un truc comme ça ?

Je penche la tête sur le côté.

– Wow. Quelqu'un a été assassiné devant moi et toi, tu fais la tronche parce que je te l'ai pas dit ?

– Ce n'est pas ce que je voulais dire.

– Réfléchis deux secondes, d'accord ? Ce soir, tu pouvais à peine aligner trois mots parce que je ne t'ai pas parlé d'une des pires expériences de ma vie. T'as déjà vu quelqu'un mourir ?

– Non.

– Moi, deux fois.

– J'étais pas au courant ! dit-il. Je suis ton mec et j'en savais rien !

Il me regarde, avec le même regard blessé que quand j'ai retiré mes mains des siennes il y a plusieurs semaines.

– Tu m'as caché tout un pan de ta vie, Starr. Ça fait plus

d'un an qu'on est ensemble et tu n'as jamais mentionné Khalil, alors que c'était ton meilleur ami d'après ce que tu dis, ni l'autre personne que tu as vue mourir. Tu ne me faisais pas assez confiance pour me le dire.

Je n'arrive plus à respirer.

– Ce… ce n'est pas ça…

– Ah bon ? Alors c'est quoi ? On est quoi tous les deux ? Juste le *Prince de Bel-Air* et des bisous ?

– Non.

Mes lèvres tremblent et ma voix est toute petite.

– Je… je ne peux pas partager cette partie de moi ici, Chris.

– Pourquoi ?

– Parce que les gens s'en servent contre moi, je dis d'une voix rauque. Je suis soit la pauvre Starr qui a vu sa copine se faire tuer dans la rue par une voiture qui passait, soit la Starr qu'il faut aider parce qu'elle vit dans le ghetto. C'est comme ça que les profs me voient.

– D'accord, je comprends que tu ne peux pas le crier sur tous les toits au lycée, dit-il. Mais je ne suis pas eux. Je ne m'en servirais jamais contre toi. Un jour tu m'as dit que j'étais le seul avec qui tu pouvais être toi-même à Williamson. Alors qu'en vrai, tu ne me faisais toujours pas confiance.

Je suis à deux doigts de fondre méchamment en larmes.

– T'as raison, je dis. Je ne te faisais pas confiance. Je ne voulais pas que tu me voies juste comme une fille du ghetto.

– Tu ne m'as même pas donné une chance de te montrer que tu avais tort. Je veux être là pour toi. Mais il faut que tu me laisses t'aider.

Seigneur. C'est tellement fatigant d'être deux personnes différentes. Je me suis façonné deux voix différentes et j'ai appris à trier ce que je disais en fonction des gens à qui je m'adressais. Je suis devenue une pro. J'ai beau dire que je n'ai pas à choisir quelle Starr je suis avec Chris, peut-être que sans m'en rendre compte, je dois pourtant choisir. Quelque chose en moi a l'impression de ne pas pouvoir exister en compagnie de gens comme lui.

Je ne vais pas pleurer, je ne vais pas pleurer, je ne vais pas pleurer.

– S'il te plaît… dit-il.

Et c'est parti. Tout sort en cascade.

– J'avais dix ans. Quand ma copine est morte, je lui dis en regardant le vernis sur mes ongles. Elle aussi elle avait dix ans.

– Comment elle s'appelait ?

– Natasha. C'est une balle perdue qui l'a tuée… dans un *drive-by*. C'est en partie pour ça que mes parents nous ont inscrits à Williamson, mes frères et moi. C'était ce qu'ils pouvaient faire de mieux pour nous protéger un peu. Ils se sont crevé le cul pour nous payer ce bahut.

Chris ne dit rien. Pas besoin.

Je prends une grande inspiration tremblotante et je regarde autour de moi.

– Tu ne sais pas à quel point c'est dingue que je sois là, assise dans cette voiture, je dis. Une Rolls Royce, putain. J'habitais dans un deux-pièces dans une cité. Je partageais une chambre avec mes frères, et mes parents dormaient dans un canapé-lit.

Brusquement, les détails de la vie à l'époque me reviennent comme si c'était hier.

– L'appartement sentait tout le temps la clope. Mon père fumait. Nos voisins du dessus et d'à côté fumaient. Je faisais tout le temps des crises d'asthme. On n'avait que des boîtes de conserve dans les placards, à cause des rats et des cafards. Il faisait toujours trop chaud l'été et trop froid l'hiver. On était obligés de garder nos manteaux dedans comme dehors. Des fois, papa vendait les bons alimentaires de l'aide sociale pour nous acheter des fringues. Il n'arrivait pas à trouver de boulot parce qu'il avait fait de la taule. Quand il a été engagé à l'épicerie, il nous a emmenés au Paradis des Tacos et nous a dit de commander ce qu'on voulait. Pour moi, c'était le top du top. C'était presque mieux que le jour où on a quitté la cité.

Chris sourit faiblement.

– Le Paradis des Tacos… classe.

– Ouais.

Je baisse de nouveau les yeux vers mes mains.

– Khalil était avec nous ce jour-là. On n'avait pas un rond, mais Khalil, c'était genre le plus pauvre que nous qu'on avait décidé d'aider. Tout le monde savait que sa mère prenait du crack.

Je sens les larmes me monter aux yeux. Putain, j'en ai marre.

– On était super proches à l'époque. Mon premier baiser c'est lui. Mon premier *crush* aussi. Avant sa mort, on ne se voyait plus si souvent. Je ne l'avais pas vu depuis des mois, je veux dire et…

Ça y est, je pleure comme une madeleine.

– … et ça me tue parce qu'il en chiait tellement dans sa vie et je n'étais plus là pour lui.

Chris essuie mes larmes du bout du pouce.

– Tu n'as pas à t'en vouloir.

– Pourtant si, je dis. J'aurais pu l'empêcher de dealer. Comme ça les gens ne le traiteraient pas de voyou. Et je suis désolée de ne t'avoir rien dit. Je voulais mais tous ceux qui savent que j'étais dans la voiture me traitent comme si j'étais en sucre. Toi, tu me traitais normalement. Tu étais ma normalité.

Je suis une loque maintenant. Chris me prend la main et me fait monter à califourchon sur ses genoux. Je fourre la tête contre son épaule et pleure comme un gros bébé. Son smoking est mouillé, mon maquillage est foutu. Affreux.

– Je suis désolé, dit-il en me frottant le dos. Je me suis comporté comme un trou du cul.

– Ouais, un vrai trou du cul.

– Un cul aussi beau que celui que je regardais s'éloigner tout à l'heure ?

Je le dévisage et lui envoie un grand coup de poing dans le bras. Il se met à rire et l'entendre me fait rire à mon tour.

– Tu sais très bien ce que je veux dire ! Tu es ma normalité. Et c'est tout ce qui compte.

– Ouais.

Il sourit.

Je lui prends la joue et laisse mes lèvres refaire connaissance avec les siennes, douces et parfaites. Elles ont goût de cocktail de fruits.

Chris recule en mordillant doucement ma lèvre inférieure. Il pose son front contre le mien et me regarde.

– Je t'aime.

Pas « JTM » cette fois. Le truc en entier. Ma réponse coule toute seule.

– Moi aussi, je t'aime.

Deux grands coups frappés contre la vitre nous font sursauter. Seven a le nez collé au carreau.

– Vous avez pas intérêt à être en train de faire ça !

Le plus grand tue-l'amour ? L'apparition du grand frère.

– Seven, fiche-leur la paix, gémit Layla derrière lui. On partait danser, là.

– Ça peut attendre. Faut que je m'assure qu'il fait pas de cochonneries avec ma sœur.

– Toi non plus t'en feras pas, si tu continues comme ça.

– Je m'en fiche. Starr, descends de cette voiture ! Je rigole pas !

Chris rit contre mon épaule nue.

– Votre père lui a demandé de te surveiller ?

Connaissant papa…

– Sans doute, je réponds.

Ses lèvres s'attardent sur mon épaule quelques secondes.

– On est plus fâchés ?

Je l'embrasse.

– On est plus fâchés.

– Parfait. Allons danser.

Seven, en nous voyant sortir, nous accuse de nous être éclipsés sans rien dire et nous menace de tout raconter à papa.

– Et si elle nous pond un petit Chris dans neuf mois, tu vas avoir des problèmes, mon poto ! crie-il tandis que Layla le tire à l'intérieur.

Ridicule. Putain, ri-di-cu-le.

La musique est toujours à fond. J'essaie de ne pas rire en voyant Chris massacrer un Nae Nae. Maya et Ryan, qui viennent de nous rejoindre sur la piste, le regardent puis se tournent vers moi d'un air de dire : « C'est quoi ça ? » Je hausse les épaules avant de me joindre à lui.

Vers la fin de la chanson, Chris se penche vers moi.

– Je reviens tout de suite, me chuchote-t-il à l'oreille.

Il disparaît dans la foule. Je n'en pense rien jusqu'à ce qu'une minute après, sa voix sorte des enceintes. Il est à côté du DJ aux platines.

– Salut tout le monde, dit-il. Ma copine et moi, on s'est disputés tout à l'heure.

Oh, Seigneur. Il va raconter toutes nos histoires. Je baisse la tête vers mes Converse, une main devant le visage.

– Et je voulais vous passer cette chanson, notre chanson, pour te montrer à quel point je t'aime et à quel point tu comptes pour moi, Princesse de Bel-Air.

Une poignée de filles poussent un grand : Oh ! Ses potes l'acclament. Je me dis, pourvu qu'il ne chante pas. Et puis il y a ce *boumfp… boumfp, boumfp, boumfp* familier.

– « *Now this is a story all about my life got flipped turned upside down. And I'd like to take a minute, just sit right there, I'll tell you how I became the prince of a town called Bel Air.* »

J'affiche un bien trop grand sourire. *Notre* chanson. Je chante avec lui, et presque tout le monde se joint à nous. Même les profs. À la fin, je l'acclame plus fort que tout le monde.

Chris redescend et on rit, on s'enlace, on s'embrasse. Puis on danse et on fait des selfies débiles qui vont inonder les fils d'actualité tout autour du monde. Le bal terminé, on laisse Maya, Ryan, Jess et quelques autres copains monter avec nous dans la Rolls jusqu'à IHOP. Tout le monde a quelqu'un sur ses genoux. Chez IHOP, on se gave de pancakes et on danse au son du juke-box. Je ne pense ni à Khalil, ni à Natasha.

C'est une des meilleures soirées de ma vie.

DIX-HUIT

Dimanche, on est de sortie mes parents, mes frères et moi.

Je m'attendais d'abord à une visite comme une autre chez oncle Carlos, jusqu'à ce qu'on traverse son quartier sans s'arrêter. Un peu plus de cinq minutes après, un panneau en brique entouré d'arbustes multicolores nous accueille à Brook Falls.

Des maisons de plain-pied bordent des rues fraîchement goudronnées. Des enfants – noirs, blancs et toutes les nuances entre les deux – jouent sur les trottoirs et dans les jardins. Les portes des garages sont ouvertes sur le bric-à-brac entassé à l'intérieur. Vélos et trottinettes gisent sur les pelouses. Personne n'a peur de se faire voler en pleine journée.

Ça me rappelle le quartier d'oncle Carlos mais en même temps, c'est différent. D'abord, il n'y a pas d'enceinte tout autour. On n'empêche donc personne d'entrer ni de sortir, et pourtant les gens s'y sentent visiblement en sécurité.

Les maisons sont plus petites, plus douillettes. Et puis, surtout ? Il y a plus de gens comme nous.

Papa se gare dans l'allée d'une maison en brique brune au fond d'une impasse. Des buissons et des arbustes ornent le jardin, et une allée pavée mène à la porte d'entrée.

– Allez, tout le monde, on descend ! lance papa.

On saute de voiture en s'étirant et en bâillant après quarante-cinq minutes de trajet. Dans l'allée de la maison voisine, un Noir rondouillet nous salue de la main. Après l'avoir salué à notre tour, nous emboîtons le pas à mes parents. À travers la vitre de la porte d'entrée, la maison a l'air vide.

– C'est chez qui ? demande Seven.

Papa glisse la clé dans la serrure et ouvre.

– Bientôt chez nous, si tout va bien.

En passant le seuil, on se retrouve directement dans le salon. Ça pue la peinture et le parquet ciré. Chaque côté de la pièce donne sur un couloir. La cuisine – placards blancs, plans de travail en granite et électroménager en inox – est juste à côté du salon.

– On voulait vous la montrer, dit maman. Faites un petit tour.

Je ne vais pas mentir, je n'ose pas bouger.

– C'est chez nous ?

– Si tout va bien, comme je viens de dire, répond papa. On attend la réponse de la banque.

– Mais on a les moyens ? demande Seven.

Maman hausse un sourcil.

– Oui.

– Mais, et l'apport et tout ça ?

– Seven ! je siffle.

Il se mêle toujours de ce qui ne le regarde pas.

– On s'est occupés de tout, dit papa. On louera la maison de Garden Heights pour aider à rembourser le prêt. Et puis…

Il se tourne vers maman avec son petit sourire coquin que je trouve plutôt adorable, j'avoue.

– J'ai eu le poste d'infirmière-chef au Markham Memorial, dit-elle, tout sourire. Je commence dans quinze jours.

– Sérieux ? je dis.

– Waouh, s'exclame Seven, pendant que Sekani crie :

– Maman est riche !

– Y'a personne qu'est riche, fils, dit papa. Calme-toi.

– Mais ça aide, dit maman. Beaucoup.

– Papa, t'es d'accord pour qu'on habite ici avec les gens en carton ? demande Sekani.

– Sekani, d'où tu sors ça ? demande maman.

– Ben c'est ce qu'il dit tout le temps. Que les gens par ici sont en carton et que Garden Heights, c'est la vraie vie.

– Ouais, il dit ça, c'est vrai, confirme Seven.

J'acquiesce.

– Tout. Le. Temps.

Maman croise les bras.

– Tu m'expliques, Maverick ?

– Je le dis pas *tant* que ça.

– Si, tu le dis, on lance tous en chœur.

– D'accord, je le dis beaucoup. Peut-être que j'avais pas à cent pour cent raison…

Maman tousse, mais on entend le « ah ah, qu'est-ce que je disais » caché derrière.

Papa la fusille du regard.

– J'ai pigé que la vraie vie, ça n'a rien à voir avec où on habite. Le truc le plus vrai que je peux faire, c'est protéger ma famille et ça, ça veut dire qu'il faut se barrer de Garden Heights.

– Et quoi d'autre ? lui demande maman comme si elle le cuisinait devant toute une classe.

– Et qu'habiter dans une banlieue résidentielle plutôt que dans le ghetto ne nous rend pas moins noirs.

– Merci, dit-elle avec un sourire satisfait.

– Bon, vous voulez pas visiter ou quoi ? lance papa.

Seven hésite à bouger, et du coup, Sekani aussi. Mais merde, moi j'ai bien envie d'être la première à choisir ma chambre !

– Elles sont où les chambres ? je demande.

Maman désigne le couloir sur la gauche. On dirait que Seven et Sekani ont compris pourquoi je posais la question. On échange des regards, tous les trois.

Et on fonce. Sekani arrive le premier et – même si je ne suis pas très fière de moi – j'attrape le morpion par le col pour le faire reculer.

– Maman, elle m'a tiré ! gémit-il.

J'arrive dans la première chambre avant Seven. C'est plus grand que ma chambre actuelle, mais pas encore assez grand. Seven entre dans la deuxième, regarde autour de lui, et visiblement, il n'accroche pas. C'est donc sans doute la troisième la plus grande. Et elle se trouve au fond du couloir.

On s'y précipite, Seven et moi. On dirait Harry Potter et

Cedric Diggory se disputant la coupe de feu. J'attrape Seven par le tee-shirt et tire de toutes mes forces pour passer devant. Arrivée avant eux, j'ouvre la porte.

Elle est plus petite que la première.

– Prems ! s'écrie Sekani.

Il se met à danser le shimmy sur le seuil de la première chambre – la plus grande des trois.

Seven et moi jouons la suivante à pierre feuille ciseau. Comme Seven choisit toujours la pierre ou la feuille, je gagne les doigts dans le nez.

Papa s'en va chercher à déjeuner, pendant que maman nous fait visiter le reste de la maison. On va encore devoir partager une salle de bains et des toilettes, mes frères et moi. Mais bon, je vais faire avec : Sekani a enfin appris à viser droit et maîtrise désormais l'art de tirer la chasse. L'autre couloir mène à la suite parentale. Il y a aussi une buanderie, un sous-sol aménageable et un garage pour deux voitures. Maman nous dit qu'on va acheter un panier de basket sur roulettes qu'on pourra sortir du garage pour jouer dans l'impasse. Le jardin de derrière est entouré d'une clôture en bois et assez grand pour le potager de papa et pour Brickz.

– Brickz déménage aussi, hein ? je demande.

– Bien sûr. On ne va pas l'abandonner.

Papa revient avec des hamburgers et des frites, qu'on mange assis par terre dans la cuisine. C'est super calme par ici. On entend quelques chiens aboyer, mais de la musique à faire trembler les murs et des coups de feu ? Il n'y en a pas.

– Bon, dans quelques semaines, la maison sera à nous,

dit maman, mais comme on est presque à la fin de l'année, on attendra les vacances d'été pour déménager.

– Parce qu'un déménagement, c'est pas de la rigolade, ajoute papa.

– Avec un peu de chance, on sera installés avant que tu partes à la fac, Seven, dit maman. Comme ça, tu auras le temps d'aménager ta chambre, pour quand tu reviendras pour les vacances.

Sekani avale bruyamment une gorgée de son milkshake à la paille et dit, la bouche bordée de mousse :

– Seven a dit qu'il irait pas à la fac.

– Quoi ? fait papa.

Seven fusille Sekani du regard.

– J'ai pas dit ça. J'ai dit que je *partirai* pas à la fac. Je vais m'inscrire à Central Community, pour pouvoir m'occuper de Kenya et Lyric.

– Jamais de la vie ! dit papa.

– Tu plaisantes ? dit maman.

Central Community, c'est l'Institut universitaire à deux pas de Garden Heights. Il y a tellement d'élèves du lycée qui vont là avec toutes leurs histoires et leurs problèmes que certains l'appellent Garden Heights 2.0.

– Ils ont des cours pour les ingénieurs, assure Seven.

– Mais ils n'offrent pas les mêmes débouchés que ces établissements où tu as rempli des dossiers, remarque maman. Tu te rends compte de quoi tu vas te priver ? Les bourses, les stages…

– Et moi, adieu ma seule chance de vivre une vie sans Seven, j'ajoute avant d'aspirer bruyamment une gorgée de milkshake à la paille.

– Qui t'a autorisée à parler ? fait Seven.

– Ta mère, je réponds, du tac au tac.

Coup bas, je sais, mais c'est tout ce qui m'est venu. Seven me jette une frite. Je l'intercepte avant qu'elle m'atteigne et m'apprête à lui répondre par un doigt d'honneur quand maman me coupe sur ma lancée en disant :

– Si j'étais toi, je m'abstiendrais !

Je baisse le doigt.

– Écoute, t'es pas responsable de tes sœurs, dit papa, mais moi par contre, je suis responsable de toi. Et je vais pas te laisser gâcher tes chances parce que tu te sens obligé de faire ce que deux putains d'adultes arrivent pas à faire.

– Un dollar, papa ! lance Sekani.

– Je trouve ça super que tu t'occupes de Kenya et Lyric comme ça, mais y'a des limites à ce que tu peux faire pour elles. Peu importe la fac où t'iras, tu réussiras. Mais faut que tu choisisses par rapport à là où tu veux aller. Pas parce que t'essaies de rattraper le coup pour quelqu'un. Tu m'entends ?

– Ouais, répond Seven.

Papa passe les bras autour du cou de Seven et le tire vers lui. Il lui dépose un baiser sur la tempe.

– Je t'aime. Et je serai toujours là pour toi.

Après le déjeuner, on passe au salon pour la prière, main dans la main et tête baissée.

– Jésus Noir, merci de nous avoir donné cette chance, dit papa. Même si au début, déménager nous emballait pas tant que ça…

Maman se racle la gorge.

– D'accord, moi, ça m'emballait pas, corrige papa, mais tu as fait ce qu'il fallait. Merci pour le nouveau boulot de Lisa. Aide-la s'il te plaît et continue à l'accompagner dans ses heures sup à la clinique. Aide Sekani à réussir ses contrôles de fin d'année. Et merci, Seigneur, d'aider Seven à faire quelque chose que j'ai pas fait : obtenir un diplôme au lycée. Guide-le dans son choix d'une université et montre-lui que tu veilles sur Kenya et Lyric. Bon, Seigneur, demain c'est un grand jour pour ma petite fille parce qu'elle va témoigner devant ce grand jury. S'il te plaît, arme-la de courage et apporte-lui la paix. J'ai vachement envie de te demander de tout faire pour que le truc tourne comme il faut, mais je sais que tu as déjà un plan. Je te demande juste un peu de miséricorde, Dieu. C'est tout. De miséricorde pour Garden Heights, pour la famille de Khalil, pour Starr. Aide-nous à traverser tout ça. En ton nom, Seigneur.

– Attends, l'interrompt maman.

J'entrouvre un œil. Papa aussi. Jamais, au grand jamais, maman n'interrompt la prière.

– Ouais, bébé ? fait papa. J'étais en train de finir.

– J'ai quelque chose à ajouter. Bénis ma mère, Seigneur, et merci de l'avoir incitée à piocher dans son épargne retraite pour nous donner l'apport dont on avait besoin. Aide-nous à lui aménager un studio au sous-sol pour qu'elle puisse nous rendre parfois visite.

– Non, Seigneur, surtout pas, dit papa.

– Si, Seigneur, dit maman.

– Non, Seigneur.

– Si.

– Non-amen !

On rentre à temps pour voir les matchs de qualification.

La saison de basket, c'est la guerre assurée à la maison. Je suis une fan de LeBron James, où qu'il joue : Miami, Cleveland, peu importe – je suis avec lui. Papa roule pour les Lakers, mais ça ne l'empêche pas de bien aimer LeBron. Seven, en revanche, ne jure que par les Chicago Spurs. Maman déteste le principe « LeBron sinon rien ». Sekani ? Lui, il adore n'importe quelle équipe tant qu'elle gagne.

Ce soir, c'est Cleveland contre Chicago. Chacun a choisi son camp – papa et moi d'un côté, Seven et maman de l'autre. Seven aussi a pris en grippe mon côté « LeBron sinon rien ».

Je mets mon maillot LeBron. Sérieux, chaque fois que j'oublie, son équipe perd. En plus c'est vrai. Je dois aussi m'abstenir de le laver. Maman a mis le précédent à la machine juste avant la finale et Miami a perdu contre les Spurs. Je suis sûre qu'elle l'a fait exprès.

Je m'assieds à mon endroit porte-bonheur, par terre, devant le canapé d'angle. Seven entre et me fourre son pied nu sous le nez en m'enjambant. Je le repousse d'une claque.

– Me fous pas ton pied râpeux dans la tronche ! je m'exclame.

– On va voir tout à l'heure qui va rigoler. Prête pour la raclée ?

– Prête à t'en foutre une, ouais !

Maman passe la tête dans l'encadrement de la porte.

– Tu veux de la glace, Miam ?

Je la regarde, bouche bée. Elle le sait que je ne mange pas

de produits laitiers pendant les matchs ! Les produits laitiers, ça me donne des gaz. Et les gaz, ça porte malheur.

Elle sourit.

– Un sundae, alors ? Avec des vermicelles multicolores, du coulis de fraise, et de la crème fouettée.

Je me bouche les oreilles.

– La la la la la, va-t'en, ennemie de LeBron. La la la la.

Je vous l'avais dit : la saison de basket, c'est la guerre. Et dans ma famille, on ne recule devant rien.

Maman revient avec un grand bol de glace, qu'elle avale à grosses cuillerées. Assise sur le canapé, elle vient me coller le bol sous le nez.

– Tu es sûre que tu n'en veux pas, Miam ? C'est ta préférée à toi aussi. Goût pâte brisée. Mmm, délicieux !

Tiens bon, je me dis, mais merde, cette glace, elle fait trop envie. Le coulis de fraise luisant et la grosse spirale de chantilly joliment posée dessus. Je ferme les yeux.

– Le championnat, c'est plus important.

– Sauf que tu vas perdre, alors autant profiter de la glace.

– Et toc ! fait Seven.

– Qu'est-ce que c'est que toutes ces saloperies que j'entends ? lance papa en entrant.

Il s'installe sur la méridienne du canapé, sa place porte-bonheur à lui. Sekani vient s'asseoir derrière moi et pose ses pieds nus sur mes épaules. Ça ne me gêne pas. Ils ne sont pas encore assez vieux pour sentir le fromage.

– Je proposais du sundae à Miam, dit maman. Tu en veux, bébé ?

– Euh, non. Tu sais que je mange pas de produits laitiers pendant les matchs.

Quand je vous dis que c'est du sérieux.

– Vous avez intérêt à vous préparer pour la claque que Cleveland va vous mettre, Seven et toi, dit papa. Peut-être pas une raclée à la Kobe, mais une sacrée bonne raclée quand même.

– Exactement ! j'acquiesce, sauf pour la partie sur Kobe.

– Ouais, ouais, c'est ça, lui dit maman. Tu choisis toujours des pauvres équipes. D'abord, les Lakers…

– Eh, la coupe papa, des triples champions ? Une pauvre équipe ? Déconne pas, bébé. En plus je choisis pas toujours les pauvres équipes. (Il sourit.) J'ai bien choisi la tienne, non ?

Maman lève les yeux au ciel, mais elle sourit en même temps. Dieu qu'ils sont mignons !

– Oui, dit-elle. C'est bien la seule fois où tu as fait le bon choix.

– Ouais, ouais, c'est ça, fait papa. Vous voyez, les enfants, votre maman jouait dans l'équipe de Saint-Mary et un jour, ils ont disputé un match contre le lycée de Garden Heights, mon lycée.

– On leur a mis une belle raclée, précise maman en léchant sa cuillère. Elles avaient pas le dessus ces filles-là, c'est moi qui vous le dis.

– Bref, je venais pour voir jouer des potes du quartier après le match des filles, dit papa en regardant maman.

C'est tellement adorable que c'est insupportable.

– Je suis arrivé en avance et là… j'ai vu la plus belle fille que j'avais jamais vue, qui donnait tout ce qu'elle avait sur le terrain.

– Dis-leur ce que tu as fait, dit maman, même si on le sait déjà.

– Wow, j'essayais de…

– Nan, nan, nan, dis-leur ce que tu as fait, insiste-t-elle.

– J'ai essayé d'attirer ton attention.

– Ouais, ouais ! dit maman en se levant. (Elle me tend son bol et se plante devant la télé.) T'étais comme ça sur la ligne de touche, dit-elle.

Elle se déhanche alors d'un côté, une main calée entre ses jambes et se lèche les lèvres. On éclate de rire. En plus, je vois tout à fait papa faire ça.

– En plein milieu du match ! continue-t-elle. Il était là, à me regarder comme ça. On aurait dit un pervers.

– Ouais mais tu m'as remarqué, se défend papa. Pas vrai ?

– Parce que t'avais l'air ridicule ! Et puis, pendant la mi-temps, j'étais assise sur le banc et lui, il était derrière moi, en train de dire (elle prend une voix plus grave) Eh ! Eh, petite. C'est quoi ton nom ? Tu sais que t'es bonne quand tu joues ? C'est quoi ton numéro ?

– Mince, papa, tu l'avais mis où ton mojo ? dit Seven.

– Le mojo ? Mais je l'avais graaave ! se défend papa.

– Et elle te l'a donné, son numéro ?

– J'y travaillais mais…

– Tu l'as eu ou pas ? insiste Seven.

– Non, avoue-t-il.

Et on est tous pliés.

– Ouais, bon, bref. Allez-y, marrez-vous. N'empêche que j'ai fini par y arriver.

– Oui, reconnaît maman en passant les doigts dans mes cheveux. Oui, t'y es arrivé.

Quand démarre le deuxième quart-temps de Cleveland contre Chicago, on est déjà tous à s'exciter devant la télé. LeBron intercepte le ballon, je me lève d'un bond et bam ! Il met un *dunk*.

– Dans ta face ! je crie à Seven et maman. Dans ta face !

Papa me tend sa paume ouverte : tapes-en cinq ! Et il applaudit.

– Je l'avais dit ! il s'exclame.

Maman et Seven lèvent les yeux au ciel.

Je me rassieds dans ma position spécial match – genoux contre le torse, bras droit derrière la tête, main sur l'oreille gauche et pouce gauche à la bouche. Pas besoin de s'énerver. Tout va bien. La défense et l'attaque de Cleveland sont dans les clous.

– Allez, du nerf, Cavs !

Un bruit de verre brisé. Et puis *pow, pow*. Des coups de feu.

– À plat ventre ! hurle papa.

C'est déjà fait. Sekani me rejoint, puis maman qui nous enveloppe de ses bras. J'entends les pas de papa se diriger vers l'avant de la maison, et les gonds de la porte d'entrée qui s'ouvre. Des crissements de pneus.

– Putain de sa ra…

Ils ont eu papa.

Mon cœur s'arrête. L'espace d'une seconde, j'imagine un monde sans mon père et ça n'a pas du tout l'air d'un monde.

Mais des bruits de pas de nouveau, qui courent vers nous.

– Ça va ? demande-t-il.

Le poids qui m'écrase disparaît. Maman répond que oui, et Sekani aussi. Seven fait de même.

Papa a son Glock à la main.

– Je leur ai tiré dessus à ces crétins, dit-il, hors d'haleine. Je crois que j'ai touché un pneu. J'avais encore jamais vu cette bagnole.

– Ils ont tiré sur la maison ? demande maman.

– Ouais, deux balles dans la fenêtre de devant, dit-il. Ils ont aussi balancé un truc. Ça a atterri dans le salon.

Je me lève pour aller voir.

– Starr ! Reviens ici ! crie maman.

Je suis trop curieuse et trop têtue. Des éclats de verre luisent sur le beau canapé de maman. Une brique gît au milieu de la pièce.

Maman appelle oncle Carlos. Une demi-heure plus tard, il est chez nous.

Papa n'a pas arrêté de faire les cent pas, sans lâcher son Glock. Seven emmène Sekani au lit. Maman me tient contre elle sur le canapé et ne veut pas me lâcher.

Des voisins sont passés voir si tout allait bien, comme Mme Pearl et Mme Jones. M. Charles, le voisin d'à côté, est arrivé à la rescousse sur-le-champ, avec son arme à lui. Personne n'a vu les responsables.

De toute façon, peu importe. C'était un message pour moi, clairement.

Je me sens toute nauséeuse, comme quand je mangeais

de la glace et que je jouais trop longtemps dehors dans la chaleur, petite. Mme Rosalie disait que la chaleur me faisait « bouillir l'estomac » et qu'un peu de fraîcheur ferait du bien. Mais ça, par contre, rien de frais n'en viendra à bout.

– Vous avez appelé la police ? demande oncle Carlos.

– Sûrement pas ! répond papa. Comment je peux savoir que c'était pas eux ?

– T'aurais dû appeler quand même, Maverick, dit oncle Carlos. Il faut qu'il y ait une trace de ça quelque part, et ils pourront t'envoyer quelqu'un pour surveiller la maison.

– J'ai déjà quelqu'un pour surveiller la maison, t'en fais pas pour ça. Et ça sera certainement pas un flic pourri qu'est peut-être mêlé à tout ça.

– C'est peut-être aussi les King Lords ! s'exclame oncle Carlos. Tu m'as dit que King avait menacé Starr à demi-mot à cause de son interview ?

– J'y vais pas demain, je dis.

Mais j'ai plus de chance d'être entendue à un concert de Drake.

– C'est pas une coïncidence si quelqu'un essaie de nous foutre la trouille le jour avant son témoignage devant le grand jury, dit papa. C'est un truc que tes potes pourraient faire, ça.

– Si tu savais combien d'entre nous veulent que justice soit faite dans ce dossier, tu serais étonné, rétorque oncle Carlos. Mais bien sûr, pour toi, tous les flics sont forcément des pourris – du Maverick tout craché.

– J'y vais pas demain, je répète.

– J'ai jamais dit que tous les flics étaient des pourris, mais je vais pas rester là comme un crétin à faire comme si y se passait rien. Ils m'ont fait mettre à plat ventre sur le trottoir, bordel. Et pourquoi ? Parce qu'on les laisse faire.

– Essayer de deviner qui c'était ne nous mènera nulle part, intervient maman. Le principal, c'est de s'assurer qu'il n'arrivera rien à Starr demain…

– J'ai dit que j'y allais pas ! je crie.

Ça y est, ils m'entendent. Ça bouillonne dans mon ventre.

– Ouais, c'était peut-être les King Lords, je dis, mais si c'étaient les flics ?

En me tournant vers papa, je me souviens de ce moment, il y a plusieurs semaines, devant le magasin.

– J'ai cru qu'ils allaient te tuer. À cause de moi.

Il s'agenouille devant moi et pose le Glock à mes pieds. Il me prend le menton.

– Point numéro un du programme en dix points. Dis-le.

Mes frères et moi avons appris par cœur le programme en dix points des Black Panthers comme d'autres ont appris le serment d'allégeance au drapeau des États-Unis.

– « Nous voulons la liberté. Nous voulons les pleins pouvoirs. Définir le destin de notre peuple noir opprimé. »

– Dis-le encore.

– « Nous voulons la liberté. Nous voulons les pleins pouvoirs. Définir le destin de notre peuple noir opprimé. »

– Point numéro sept.

– « Nous voulons l'arrêt immédiat de la brutalité policière et des meurtres des Noirs, des autres gens de couleur et des opprimés. »

– Encore.

– « Nous voulons l'arrêt immédiat de la brutalité policière et des meurtres des Noirs, des autres gens de couleur et des opprimés. »

– Et selon le frère Malcolm X, notre objectif, c'est quoi ?

Seven et moi, on était déjà capables de citer du Malcolm X dans le texte à treize ans. Ce sera bientôt le tour de Sekani.

– La liberté, la justice et l'égalité pleines et entières, je dis, par tous les moyens nécessaires.

– Encore.

– La liberté, la justice et l'égalité pleines et entières, par tous les moyens nécessaires.

– Alors pourquoi tu veux te taire ? demande papa.

Parce que le programme en dix points n'a pas fonctionné pour les Panthers. Huey Newton est mort accro au crack, et le gouvernement a écrasé les responsables du mouvement, les uns après les autres. « Tous les moyens nécessaires » n'ont pas empêché Malcolm X d'être assassiné, peut-être par quelqu'un de son propre peuple. Les intentions ont toujours plus de gueule sur le papier que dans la réalité. La réalité, c'est que je n'arriverais peut-être pas jusqu'au tribunal demain matin.

Deux coups violents frappés contre la porte nous font sursauter.

Papa se redresse, prend son Glock et va ouvrir. Il salue quelqu'un et on entend des paumes claquer l'une contre l'autre. Puis une voix d'homme dit :

– On surveille tes arrières, Big Mav, compte sur nous.

Papa revient avec des grands types baraqués habillés en gris et noir. Un gris plus clair que celui de King et sa bande. Il faut avoir habité longtemps dans le ghetto pour remarquer la nuance. C'est un autre groupe de King Lords.

– Je vous présente Goon, dit papa en désignant le plus petit, devant, avec la queue-de-cheval. Lui et ses gars vont s'occuper de notre sécurité ce soir et demain.

Bras croisés sur la poitrine, oncle Carlos dévisage les King Lords d'un air mauvais.

– T'as demandé aux King Lords de monter la garde chez toi alors que ce sont peut-être les King Lords qui nous ont mis dans cette situation ?

– Ils ont rien à voir avec King, dit papa. C'est des King Lords de Cedar Grove.

Merde, alors autant engager des Garden Disciples. En matière de gang, c'est l'appartenance à tel ou tel groupe qui fait toute la différence, pas les couleurs. Les King Lords de Cedar Grove et les King Lords du West Side se cherchent la merde depuis un moment.

– Tu veux qu'on se tire, Big Mav ? demande Goon.

– Nan, vous occupez pas de lui, répond papa. Vous allez tout faire comme prévu.

– T'inquiet', cousin, on va gérer, c'est que dalle pour nous ça, dit Goon en frappant son poing contre celui de papa.

Lui et ses gars ressortent.

– Tu es sérieux là ? crie oncle Carlos. Tu crois vraiment que des gangsters vont te protéger ?

– Ils ont des flingues, pas vrai ? dit papa.

– C'est ridicule !

Oncle Carlos se tourne vers maman.

– Écoute, je vous accompagnerai au tribunal demain à condition que ces types ne viennent pas aussi.

– Pauvre con, s'énerve papa. T'es même pas foutu de protéger ta nièce correctement parce que t'as peur de ce que vont penser tes collègues flics si tu bosses avec des gangsters.

– Oh, tu veux jouer à ça, Maverick ? dit oncle Carlos.

– Carlos, calme-toi.

– Non, Lisa. Je veux m'assurer que j'ai bien compris. Il parle bien de la nièce dont je me suis occupé quand il était derrière les barreaux, non ? Celle que j'ai accompagnée à l'école le jour de sa première rentrée parce qu'il avait couvert son soi-disant « copain » ? Celle que je prenais dans mes bras quand elle pleurait en réclamant son père ?

Il parle fort et maman s'est plantée devant lui pour l'empêcher de s'approcher de papa.

– Tu peux m'insulter autant que tu veux, Maverick, mais je ne te laisserai pas dire que je ne fais rien pour ma nièce ou mes neveux ! Oui, exactement : mes neveux ! Seven aussi. Quand tu étais en taule…

– Carlos, intervient maman.

– Non, il faut qu'il entende. Quand tu étais en taule, j'ai aidé Lisa chaque fois que cette pauvre mère immature que Seven se coltine l'abandonnait chez ta femme pendant des semaines. Oui : moi ! Je lui ai acheté des vêtements, je l'ai nourri, je lui ai offert un toit. Moi, l'oncle Tom, le vendu aux Blancs ! Alors non, j'ai pas envie de bosser avec des bandits, mais n'insinue jamais que je me soucie pas de ces enfants !

Papa se pince les lèvres. Il ne répond rien.

Oncle Carlos attrape ses clés, dépose deux baisers rapides sur mon front et disparaît. La porte d'entrée claque derrière lui.

DIX-NEUF

Je suis réveillée par l'odeur du bacon fumé et des voix bien trop nombreuses.

Je cligne des paupières pour soulager mes yeux agressés par le bleu électrique de mes murs. Il me faut quelques minutes pour réaliser que c'est le jour du grand jury.

Le temps est venu de savoir si je vais trahir Khalil ou pas.

Je glisse les pieds dans mes chaussons et me dirige vers ces voix que je ne reconnais pas. À cette heure-ci, Seven et Sekani sont déjà partis en cours, et puis ils n'ont pas la voix si grave. Ça devrait m'inquiéter que des inconnus me voient en pyjama, mais c'est toute la beauté de dormir en débardeur et en short de basket. Ils n'y verront que du feu.

La cuisine est bondée. Des types en pantalon noir, chemise blanche et cravate s'empiffrent à hauteur de la table ou adossés au mur. Ils ont des tatouages sur le visage et les mains. Deux ou trois me saluent vite fait d'un hochement de tête en marmonnant « ça va ? » la bouche pleine.

Les King Lords de Cedar Grove. Merde, ils ont grave la classe sapés comme ça.

Maman et tante Pam sont aux fourneaux. Les flammes bleues dansent sous les poêles où grésillent des œufs au bacon. Grandma sert le jus de fruit et l'eau sans s'arrêter de parler.

Maman regarde à peine par-dessus son épaule et me lance :

– Bonjour Miam. Ton assiette est au micro-ondes. Viens me sortir ces biscuits du four s'il te plaît.

Tante Pam et elle se décalent pour me faire de la place, sans s'arrêter de remuer les œufs et de retourner le bacon. J'attrape un torchon et fais basculer la porte du four. Je prends en plein visage la bonne odeur des biscuits au beurre et un déferlement de chaleur. Même avec le torchon, le plat est trop chaud pour que je puisse le tenir longtemps.

– Par ici, petit chef, fait Goon devant la table.

Je suis bien contente de m'en débarrasser. Le plat est vidé en moins de deux minutes. J'attrape vite mon assiette recouverte d'une serviette en papier dans le micro-ondes avant que les King Lords la vident aussi.

– Starr, apporte ces deux autres assiettes à ton père et ton oncle, me lance tante Pam. Dehors, s'il te plaît.

Oncle Carlos est là ?

– Oui, m'dame, je réponds à tante Pam en empilant leurs assiettes sur la mienne.

J'attrape la sauce piquante et des fourchettes avant de

m'éclipser quand Grandma se met à raconter un de ses souvenirs de théâtre.

Dehors, le soleil brille si fort qu'en comparaison, le bleu de mes murs a l'air pâle. Les yeux plissés, je balaie la rue du regard, à la recherche de papa ou d'oncle Carlos. Le coffre de la Tahoe de papa est relevé et ils sont tous les deux assis à l'arrière.

Mes chaussons traînent contre le ciment avec un bruit de balais. Papa tourne la tête vers moi.

– Y'a mon bébé qu'arrive.

Je leur tends à chacun une assiette. Papa me remercie d'un bisou sur la joue.

– Bien dormi ? il demande.

– Mouais, je réponds.

Oncle Carlos enlève le pistolet qu'il a posé entre eux et me fait signe de m'asseoir.

– Viens nous tenir un peu compagnie.

Je saute à côté d'eux. On déballe les assiettes qui débordent de biscuits, de bacon et d'œufs. Il y en a assez pour tout un régiment.

– Je crois que celui-là, c'est le tien, Maverick, dit oncle Carlos. C'est du bacon de dinde.

– Merci, mec, répond papa.

Ils échangent leurs assiettes.

J'asperge mes œufs de sauce piquante avant de la passer à papa. Oncle Carlos tend la main pour qu'elle vienne ensuite vers lui.

Papa la lui fait passer avec un sourire narquois.

– Je pensais que t'étais trop raffiné pour ce genre de sauce.

– Tu réalises qu'ici, c'est la maison où j'ai grandi, pas vrai ?

Il fait disparaître entièrement ses œufs sous une épaisse couche de sauce, pose la bouteille et se lèche les doigts pour enlever ce qui a coulé.

– Mais n'allez pas dire à Pam que j'ai mangé tout ça. Elle veut que je surveille ma consommation de sel.

– Je dirai rien si tu dis rien non plus, répond papa.

Ils cognent leurs poings pour sceller le contrat.

Je me suis visiblement réveillée sur une autre planète ou dans une réalité parallèle. En tout cas, il y a un truc.

– Vous êtes potes, finalement ?

– On a parlé, dit papa. Tout est réglé.

– Ouaip, fait oncle Carlos. Certaines choses sont plus importantes que d'autres.

Je veux des détails, mais je n'en obtiendrai pas. Si tout va bien de leur côté, cela dit, alors du mien aussi. Et honnêtement, il était temps !

– Vu que tante Pam et toi vous êtes là, il est où DeVante ? je demande à oncle Carlos.

– À la maison pour une fois et pas à jouer avec ton petit amoureux.

– Pourquoi faut toujours que tu dises qu'il est « petit » ? Il est pas petit !

– J'espère que vous parlez juste de sa taille, dit papa.

– Exactement, répond oncle Carlos et de nouveau ils cognent leurs poings l'un contre l'autre.

Donc, ils ont trouvé un sujet de lamentations commun : Chris. Allez comprendre.

Notre rue est globalement calme ce matin. Comme d'habitude. Les emmerdes viennent toujours de l'extérieur. À deux maisons de chez nous, Mme Lynn et Mme Carol papotent dans la cour de Mme Lynn. Elles sont sans doute en train de s'échanger des ragots. Mieux vaut ne rien leur confier si on ne veut pas le voir se répandre dans tout Garden Heights comme une traînée de poudre. En face, Mme Pearl s'affaire dans ses plates-bandes avec Fo'ty Ounce pour l'épauler un peu. Fo'ty Ounce, tout le monde l'appelle comme ça parce qu'il fait toujours la manche en disant qu'il a besoin de monnaie pour aller « se chercher vit' fait une Fo'ty Ounce au coin de la rue ». Au coin de la rue, c'est le magasin d'alcool. Et la Forty Ounce, c'est la bière des poivrots. Son caddie rouillé avec toutes ses affaires est garé dans l'allée de Mme Pearl, avec un grand sac de terreau en dessous. Apparemment, il a la main verte. Il s'esclaffe si fort en entendant quelque chose que lui dit Mme Pearl qu'on peut sans doute l'entendre à deux pâtés de maisons d'ici.

– Je peux pas croire que ce type soit en vie, commente oncle Carlos. Je pensais qu'il s'était déjà noyé dans l'alcool.

– Qui ? Fo'ty Ounce ? je demande.

– Ouais. Il était déjà là quand j'étais gosse.

– Bah, il est increvable, dit papa. L'alcool ça le conserve, à ce qu'il dit.

– Mme Rooks habite toujours au coin de la rue ? demande oncle Carlos.

– Ouaip, je confirme. Et elle fait encore les meilleurs Red Velvet de la terre.

– Waouh ! J'ai dit à Pam que je n'avais encore jamais goûté

de gâteau Red Velvet aussi bon que ceux de Mme Rooks. Et… hum…

Il claque des doigts.

– Le type qui réparait les voitures. Il vivait à l'angle.

– M. Washington, dit papa. Toujours là aussi et il fait encore du meilleur boulot que n'importe quel garage dans le coin. Maintenant, y'a aussi son fils qui lui file un coup de main.

– Petit John ? demande oncle Carlos. Celui qui jouait au basket avant de tomber dans cette saloperie ?

– Ouais, dit papa. Il est clean depuis un petit moment maintenant.

– La vache… (Oncle Carlos joue avec ses œufs rouges de sauce dans son assiette.) Des fois, le quartier me manquerait presque.

Je regarde Fo'ty Ounce aider Mme Pearl. Les gens par ici ne sont pas bien riches, mais ils s'entraident autant qu'ils peuvent. Une sorte de famille bizarre et gravement dysfonctionnelle, mais une famille quand même, quoi. Jusqu'à récemment, je ne m'en étais pas vraiment rendu compte.

– Starr ! me crie Grandma sur le seuil de la maison.

Les gens qui habitent à deux rues l'entendent sans doute aussi bien qu'ils ont entendu Fo'ty Ounce.

– Ta mère te dit de te dépêcher. Il faut que tu te prépares. Eh, Pearl !

La main en visière, Mme Pearl regarde dans notre direction.

– Adele ! On ne vous voit plus. Vous allez bien ?

– Je tiens le coup, ma fille. Elles sont magnifiques, les fleurs ! Je passerai plus tard récupérer quelques oiseaux de paradis.

– D'accord.

– Et moi, Adele, vous venez pas me saluer ? lance Fo'ty Ounce.

Quand il parle, les mots fusionnent dans sa bouche pour n'en former plus qu'un seul.

– Certainement pas, vieux taré ! répond Grandma.

Et elle claque la porte.

J'éclate de rire avec papa et oncle Carlos.

Mes parents et moi partons avec oncle Carlos, suivis par deux voitures de King Lords de Cedar Grove. Un des collègues d'oncle Carlos qui n'est pas en service occupe le siège passager. Grandma et tante Pam sont aussi derrière nous.

Tout ce monde, et pas un seul ne sera autorisé à m'accompagner dans la salle du grand jury.

En un quart d'heure nous sommes dans le centre-ville. Il y a toujours un immeuble en construction quelque part là-bas. À Garden Heights, des dealers font le planton au coin des rues, mais dans le centre-ville des gens en costume et tailleur attendent aux carrefours que le feu piéton passe au vert. Je me demande s'il leur arrive d'entendre les coups de feu venant de mon quartier et tout le reste.

Au moment où on tourne dans la rue du tribunal, je suis prise d'un étrange déjà-vu. J'ai trois ans et oncle Carlos nous emmène là, maman, Seven et moi. Maman pleure. J'aimerais que papa soit là parce qu'il sait toujours la consoler. On franchit tous les trois la porte d'une salle d'audience. Maman nous tient la main. Un flic fait entrer papa. Il porte une combinaison orange. Il ne peut pas nous prendre dans ses bras parce qu'il a des menottes. Je lui dis que j'aime bien sa combinaison, l'orange est une de mes couleurs préférées. Mais il me regarde d'un air sérieux et me dit : « Jamais tu porteras ça, tu m'entends ? »

Tout ce dont je me souviens après ça, c'est du juge en train de dire quelque chose. Des sanglots de maman. Et de papa nous lançant qu'il nous aime alors que les flics l'emmènent. Pendant trois ans, j'ai détesté le tribunal parce qu'il nous avait pris papa.

Je ne suis pas enchantée d'y retourner. Des camions de la télé sont garés en face, entourés par des barricades de police. Je comprends soudain pourquoi tout le monde parle de « cirque médiatique ». On dirait sérieusement qu'un cirque s'installe en ville.

Deux voies de circulation séparent le tribunal de l'agitation des journalistes. Mais je le jure, j'ai l'impression qu'ils sont à des années-lumière. On entre par la porte de derrière. Goon et un autre King Lord nous rejoignent. Ils se postent de part et d'autre de moi et laissent la sécurité les fouiller sans problème pour s'assurer qu'ils ne sont pas armés.

Un autre vigile nous escorte dans les couloirs. Plus on avance, moins on croise de gens. Mme Ofrah attend à hauteur d'une porte indiquant « Salle du grand jury » sur une plaque en laiton.

Elle me prend dans ses bras.

– Prête ? me demande-t-elle.

Pour une fois, oui, je suis prête.

– Oui, madame.

– Je resterai dehors jusqu'à la fin, je ne m'éloignerai pas, dit-elle. Si tu as besoin de venir me demander quelque chose, tu as le droit.

Elle se tourne vers mon entourage.

– Désolée, mais les parents de Starr sont les seuls à pouvoir assister à l'audience depuis le salon télé.

Oncle Carlos et tante Pam me prennent dans leurs bras. Grandma me tapote l'épaule en secouant la tête. Goon et ses gars hochent rapidement le menton et s'en vont avec eux.

Les yeux de maman se voilent de larmes. Elle me serre fort contre elle et c'est à ce moment-là entre tous que je réalise que je suis plus grande qu'elle maintenant, de trois ou quatre centimètres. Elle me couvre le visage de baisers et me serre encore plus fort.

– Je suis fière de toi, bébé. Tu es tellement courageuse.

Ce mot. Je le déteste.

– Non.

– Oh que si.

Elle recule et dégage une mèche de cheveux de mon visage. Je n'arrive pas à expliquer son expression, mais c'est une expression qui me dit qu'elle me connaît plus que je me connais moi-même. Une expression qui m'enveloppe et me réchauffe du dedans.

– Tu peux très bien être courageuse et avoir peur quand même, Starr, dit-elle. Être courageuse, ça veut dire ne pas se laisser abattre par sa peur. Et c'est ce que tu fais.

Elle se hausse légèrement sur la pointe des pieds et dépose un baiser sur mon front, comme si ça devait valider le message. Et ça fonctionne plutôt bien sur moi.

Papa nous prend toutes les deux dans ses bras.

– Tu vas assurer, ma fille.

La porte de la salle du grand jury s'ouvre dans un grincement et la procureure, Mme Monroe, apparaît.

– Nous sommes prêts, si vous l'êtes aussi.

J'entre seule, mais bizarrement mes parents sont là quand même.

La pièce lambrissée n'a pas de fenêtres. Une vingtaine d'hommes et de femmes sont installés autour d'une table en U. Certains sont noirs, d'autres non. Ils regardent Mme Monroe me conduire à une table devant eux, équipée d'un micro.

Un des collègues de Mme Monroe me fait prêter serment et, la main sur la Bible, je jure de dire la vérité. Dans ma tête, je fais la même promesse à Khalil.

– Pouvez-vous s'il vous plaît vous présenter aux grands jurés ?

Je m'approche du micro et m'éclaircis la gorge.

– Je m'appelle…

J'ai une tellement petite voix qu'on dirait que j'ai cinq ans.

Je me redresse et essaie de nouveau.

– Je m'appelle Starr Carter. J'ai seize ans.

– Le micro sert simplement à vous enregistrer, pas à amplifier votre voix, indique Mme Monroe. Pendant notre échange, il est important que vous parliez assez fort pour que tout le monde vous entende, d'accord ?

– Oui…

Mes lèvres frôlent le micro. Je suis trop près. Je recule un peu et recommence.

– Oui, madame.

– Bien. Vous êtes ici de votre plein gré, est-ce correct ?

– Oui, madame.

– Vous avez un avocat, Mme April Ofrah, est-ce correct ?

– Oui, madame.

– Vous avez compris que vous avez le droit de la consulter, correct ?

– Oui, madame.

– Vous comprenez que vous n'êtes inculpée de rien, correct ?

Ouais, genre… Depuis que Khalil est mort, c'est notre procès à lui et à moi.

– Oui, madame.

– Aujourd'hui, nous voulons vous entendre raconter avec vos propres mots ce qui est arrivé à Khalil Harris, d'accord ?

Je regarde les jurés, sans arriver à lire sur leurs visages s'ils veulent vraiment entendre ce que j'ai à dire. J'espère que oui.

– Oui, madame.

– Bon, puisque tout est clair à présent, parlons de Khalil, vous voulez bien ? Vous étiez amis, n'est-ce pas ?

Je fais signe que oui, mais Mme Monroe dit :

– Dites-le de vive voix, s'il vous plaît.

Je me penche vers le micro.

– Oui, madame.

Merde. J'ai oublié que les jurés ne m'entendent pas plus fort comme ça, que c'est juste pour l'enregistrement. C'est ridicule d'être aussi stressée.

– Vous connaissiez Khalil depuis combien de temps ?

La même histoire, encore une fois. Je me change en robot

et répète que je connaissais Khalil depuis mes trois ans, qu'on a grandi ensemble, puis leur dis quel genre de garçon c'était.

Quand j'ai fini, Mme Monroe enchaîne :

– D'accord, maintenant, nous allons discuter en détail de la nuit de sa mort, vous voulez bien ?

La part de moi pas si courageuse, c'est-à-dire presque moi tout entière, me crie que non. Elle veut aller se carapater dans un coin et faire comme si rien de tout ça n'était arrivé. Mais tous ces gens dehors prient pour moi. Mes parents me regardent. Khalil a besoin de moi.

Je me redresse et permets à la toute petite part courageuse de moi de parler.

– Oui, madame.

TROISIÈME PARTIE

HUIT SEMAINES APRÈS LES FAITS

VINGT

Trois heures. Je suis restée trois heures dans la salle du grand jury. Mme Monroe m'a posé tout un tas de questions. Comment Khalil était-il tourné quand il a été abattu ? D'où a-t-il sorti son permis et les papiers de la voiture ? Comment l'agent Cruise l'a-t-il fait descendre du véhicule ? L'agent Cruise avait-il l'air en colère ? Qu'a-t-il dit ?

Elle voulait tous les détails. Je lui en ai fourni autant que je pouvais.

Plus de deux semaines ont passé depuis mon témoignage, et maintenant nous attendons leur décision, ce qui revient à attendre la chute d'une météorite. On sait qu'elle arrive, mais on ne sait juste pas exactement quand ni où elle va frapper. Et dans l'intervalle, la seule chose qu'on puisse faire, c'est continuer à vivre.

Alors on vit.

Le soleil est de sortie aujourd'hui, mais la pluie s'est mise à tomber dru pile au moment où on s'est engagés dans le parking de Williamson. Pour Grandma, quand il pleut comme ça malgré le soleil qui brille, c'est que le diable est en train de battre sa femme. En plus, on est vendredi 13, le jour du diable, toujours selon elle. Elle est sans doute terrée chez elle comme si c'était le jour du Jugement dernier.

Seven et moi sortons de la voiture en vitesse et nous précipitons à l'intérieur du lycée. Comme d'habitude, le hall est plein d'élèves qui discutent en petits groupes. Vu qu'on arrive à la fin de l'année scolaire, le niveau de déconnade est à son maximum et question déconne, les Blancs forment une catégorie à part entière. Désolée de dire ça, mais c'est vrai. Hier, un élève de deuxième année a dévalé les escaliers dans la poubelle du gardien. Le débile a fini avec un bleu au cul et une exclusion. N'importe quoi.

Je remue les orteils. Juste le jour où je mets des Converse, il pleut. Miraculeusement, mes pieds sont secs.

– Tout va bien ? demande Seven.

Je doute qu'il me demande ça à cause de la pluie. Il s'est montré bien plus protecteur que d'habitude ces derniers temps, depuis qu'on sait que King est toujours furax que j'aie balancé. J'ai entendu oncle Carlos dire à papa que ça donnait une raison de plus aux flics de surveiller King de près.

À moins que ce soit lui qui ait jeté la brique, King n'a rien fait. Pas encore. Alors Seven reste sur ses gardes, même à Williamson.

– Ouais, je lui dis, ça va.

– D'accord.

Il me fait un check et part vers son casier.

Je me dirige vers le mien. Hailey et Maya discutent devant celui de Maya, pas loin. En fait, c'est surtout Maya qui parle. Hailey a les bras croisés devant elle et lève régulièrement les yeux au ciel. En me voyant dans le couloir, elle prend un air satisfait.

– Parfait, dit-elle quand j'arrive à leur hauteur. La menteuse est là.

– Pardon ?

Il est bien trop tôt pour entendre des conneries pareilles.

– Pourquoi tu ne racontes pas à Maya comment tu nous as complètement menti ?

– Quoi ?

Hailey me tend deux photos de Khalil. Une avec sa « tête de caillera » comme dit papa. Elle faisait partie de celles qu'ils ont montrées aux infos. Hailey l'a trouvée sur Internet et imprimée. Khalil sourit d'un air suffisant, une liasse de billets à la main et deux doigts tendus à l'horizontale façon rappeur. Sur l'autre, il a douze ans. Je le sais parce que moi aussi j'ai douze ans dessus. C'est à mon anniversaire, le jour où on était allés à ce laser game en ville. Je suis au milieu, entourée de Khalil en train de se gaver de gâteau à la fraise et d'Hailey qui, comme moi, affiche un grand sourire.

– Je me disais bien que je l'avais déjà vu ! dit Hailey d'une voix aussi satisfaite que son expression. C'est bien le Khalil que tu connaissais, pas vrai ?

Je regarde fixement les deux Khalil. Les photos ne montrent pas grand-chose. Pour certains, sur la première, avec sa tête de caillera, il se résume à ça : une caillera. Mais moi, je vois quelqu'un qui est content d'avoir enfin du fric, peu importe d'où il vient. Quant à l'autre, celle de l'anniversaire ? Je me souviens que ce jour-là, Khalil s'était tellement bâfré de gâteau et de pizza qu'il s'en était rendu malade. Comme sa grand-mère n'avait pas encore touché sa paie, chez eux, il n'y avait pas grand-chose à manger.

Moi, je connais Khalil en entier. C'est pour celui-là que j'ai fait tout ce que j'ai fait ces derniers temps. Je ne devrais rien renier de ce qu'il était. Même à Williamson.

Je rends la photo à Hailey.

– Ouais, je le connaissais. Et alors ?

– Tu ne crois pas que tu nous dois une explication ? dit-elle. Et que tu me dois aussi des excuses ?

– Euh… quoi ?

– En gros, tu t'en es pris à moi parce que tu étais bouleversée par ce qui lui est arrivé, dit-elle. Tu m'as même accusée d'être raciste.

– Mais tu as dit et fait des trucs racistes, intervient Maya en haussant les épaules. Alors, peu importe si Starr a menti ou non, ça n'excuse rien.

Alliance des minorités activée.

– Alors, parce que j'ai arrêté de la suivre sur Tumblr pour la simple et bonne raison que je ne voulais plus voir d'images de ce gamin mutilé sur mon fil d'actualité…

– Il s'appelait Emmett Till, l'interrompt Maya.

– Ouais, peu importe. Juste parce que je ne veux pas voir ces trucs dégoûtants, je suis raciste ?

– Non, corrige Maya. C'est le commentaire que tu as fait qui l'était. Et ta blague sur Thanksgiving, elle, elle était clairement raciste aussi.

– Oh mon Dieu, ce truc te travaille encore ? s'exclame Hailey. C'était il y a tellement longtemps !

– Ça n'excuse rien, je dis. Et t'es même pas capable de demander pardon.

– Pourquoi je demanderais pardon ? C'était une blague ! crie-t-elle.

– Connasse…

Je prends une grande inspiration. Je ne peux pas faire la Noire en Colère. On a bien trop de public.

– Ta blague m'a fait mal, je lui dis, aussi calme que possible. Et si tu en avais quelque chose à faire de Maya, tu demanderais pardon ou en tout cas, tu essaierais de comprendre pourquoi ça l'a blessée.

– Putain, ce n'est pas ma faute si elle ne s'est toujours pas remise d'une blague de troisième ! Et ce n'est pas plus ma faute si tu ne te remets pas de ce qui est arrivé à Khalil.

– Donc, je suis censée « me remettre » du fait qu'il ait été tué ?

– Oui, remets-toi ! Il serait sans doute mort bientôt de toute façon.

– T'es sérieuse, là ? dit Maya.

– C'était un dealer et il était dans un gang, dit Hailey. Quelqu'un allait forcément finir par le tuer.

– Me « remettre » ? je répète.

Elle croise les bras et fait ce drôle de mouvement avec son cou.

– Ben… ouais ? C'est bien ce que j'ai dit non ? Le flic a sans doute rendu service à tout le monde. Un dealer de moins dans la….

D'un geste, j'écarte Maya et balance mon poing en plein dans la joue d'Hailey. Ça fait mal, mais qu'est-ce que ça soulage !

Hailey se tient la joue, les yeux écarquillés et la bouche béante.

– Connasse ! glapit-elle.

Elle essaie aussitôt de m'empoigner les cheveux – le truc habituel des filles –, mais pas de bol, ce sont des vrais, pas des extensions. Ma queue-de-cheval tient bon.

Je roue Hailey de coups de poing, pendant qu'elle me gifle et me griffe le crâne. Je la repousse. Elle tombe, la jupe en l'air. Tout le monde a vue sur sa culotte rose. Ça éclate de rire autour de nous. Certains ont sorti leurs téléphones.

Je ne suis plus la Starr de Williamson ni la Starr de Garden Heights. Je suis simplement hors de moi.

Je lui balance des coups de pied et de poing, je l'agonis d'insultes. Les gens se massent autour de nous en scandant : « Baston ! Baston ! » Et il y a même un crétin qui crie un jeu de mots foireux : « Star Internationale ! »

Merde. Je vais finir sur ce site où ils affichent toutes les cassos de la terre.

Quelqu'un me tire violemment sur le bras. En me retournant, je me retrouve nez à nez avec Remy, le frère aîné d'Hailey.

– Mais t'es mala…

Avant qu'il ait pu finir le « malade », une grosse masse de dreads se jette sur nous et repousse Remy.

– Touche pas à ma sœur ! dit Seven.

Et ils commencent à se battre. Seven le tabasse autant qu'il peut : uppercuts, *drops* en pleine tête. Avant, papa nous emmenait boxer après l'école.

Deux pionts accourent. Et M. Davis, le proviseur, fond à grands pas sur nous.

Une heure plus tard, je suis dans la voiture de maman. Seven nous suit dans sa Mustang.

Malgré la politique tolérance-zéro en vigueur à Williamson, on a tous les quatre seulement été exclus trois jours. Le père d'Hailey et de Remy, qui siège au conseil d'administration du lycée, a trouvé ça scandaleux. Selon lui, Seven et moi aurions dû être renvoyés parce qu'on a « lancé les hostilités » et Seven devrait être privé de diplôme.

« Au vu des circonstances, lui a répondu M. Davis en me regardant, une exclusion provisoire suffira. »

Il sait que j'étais avec Khalil.

– C'est exactement à ça qu'ils s'attendent, eux, dit maman. Deux gamins de Garden Heights qui se comportent comme s'ils n'avaient pas de jugeote !

« Eux » avec un grand E. Il y a « Eux » et il y a « Nous ». Des fois, Eux, on dirait Nous, et ils ne se rendent pas compte qu'ils sont Nous.

– Mais elle arrêtait pas de jacasser, de dire que Khalil méritait de…

– Elle aurait pu dire que c'était elle qui l'avait tué, ça m'est égal. Les gens vont en dire, des choses, Starr. Ça ne te donne pas le droit de les frapper. Parfois, il faut savoir s'éloigner la tête haute.

– Et se laisser descendre comme Khalil, tu veux dire ?

Elle soupire.

– Bébé, je comprends.

– Non, tu comprends pas ! je m'écrie. Personne comprend ! J'ai vu les balles le traverser. J'étais là, dans la rue, impuissante, quand il a rendu son dernier souffle. J'ai dû écouter des gens essayer de faire croire que ce n'est pas grave s'il a été tué. Comme s'il le méritait. Mais il ne méritait pas de mourir et moi, je méritais pas de voir ça !

Sur les sites médicaux en ligne, on dit que c'est une des étapes du deuil – la colère. Mais je ne suis pas sûre d'arriver un jour aux autres stades. Celui-là me met en miettes, en millions de miettes. Chaque fois que je me sens un peu normale et en un seul morceau, quelque chose vient me remettre en lambeaux et je repars de zéro.

Le temps s'éclaircit, il ne pleut plus. Le diable a fini de battre sa femme, mais moi je roue de coups le tableau de bord, inlassablement, sans ressentir de douleur. Je ne veux plus ressentir aucune douleur.

– Laisse sortir, Miam, dit ma mère en me frottant le dos. Laisse sortir.

Je tire mon polo sur ma bouche et crie jusqu'à ce qu'il n'y ait plus un seul cri en moi. S'il en reste, en tout cas, je n'ai plus la force de les laisser sortir. Je crie pour Khalil, pour Natasha et même pour Hailey, parce que je crois bien que je l'ai perdue pour de bon, elle aussi.

Quand on tourne dans notre rue, j'ai la morve au nez et les yeux pleins de larmes. Enfin, je ne ressens plus rien.

Un pick-up gris et une Chrysler 300 verte sont garés derrière le 4x4 de papa dans l'allée. Maman et Seven sont obligés de se ranger le long du trottoir.

– Qu'est-ce qu'il manigance encore ? (Elle se tourne vers moi.) Tu te sens mieux ?

Je lui fais signe que oui. J'ai quel autre choix ?

Elle se penche et m'embrasse sur la tempe.

– On va surmonter tout ça, je te le promets.

On descend. Je suis à cent pour cent sûre que les voitures dans l'allée appartiennent aux King Lords et aux Garden Disciples. À Garden Heights, impossible d'avoir une voiture grise ou verte à moins d'être dans un camp ou dans l'autre. Je m'attends à entendre des cris et des insultes en entrant, mais tout ce que j'entends, c'est papa :

– Ça a pas de sens, mec. Sérieux, ça a pas de sens.

La cuisine est encore plus bondée que l'autre jour. Tellement qu'on ne peut pas entrer, à cause des types debout dans l'encadrement de la porte. La moitié ont un truc vert quelque part dans leur tenue. Des Garden Disciples. Les autres ont du gris clair. Des King Lords de Cedar Grove. Le neveu de M. Reuben, Tim, est assis à côté de papa. Je n'avais jamais remarqué le GD en lettres cursives tatoué sur son bras.

– On sait pas quand le grand jury va rendre sa décision, dit papa. Mais s'ils décident de pas inculper le flic, vous allez tous dire à ces gamins de pas foutre le quartier à feu et à sang.

– Et tu veux qu'ils fassent quoi, alors ? demande un Garden

Disciple à la table. Les gens en ont marre qu'on les prenne pour des cons, Mav.

– Yo, bien parlé ! fait le King Lord qui s'appelle Goon, aussi assis à la table.

Il a les mêmes élastiques au bout de ses tresses que ceux que je portais quand j'étais gamine.

– Mais y'a rien qu'on peut faire, ajoute-t-il.

– C'est des conneries, ça, dit Tim. Si, on peut faire des trucs.

– On peut tous reconnaître que les émeutes sont devenues incontrôlables, non ? demande papa.

Il récolte quelques « ouais » et quelques « d'accord ».

– Alors faut pas que ça recommence. Faut parler à ces gamins. Leur mettre un peu de raison dans le crâne. Ouais, ils sont fumasses. On est tous fumasses, mais foutre notre quartier à feu et à sang, ça va rien arranger.

– *Notre* ? relève le Garden Disciple à la table. *Nigga*, t'as dit que tu te barrais.

– Dans une jolie banlieue, se moque Goon. Tu vas aussi te payer un minivan, Mav ?

Tout le monde éclate de rire.

Sauf papa.

– Je me barre et alors ? J'aurai encore l'épicerie et je m'intéresserai pas moins à ce qui se passe ici. Qui va y trouver son compte si tout le quartier crame ? Pas nous, ça c'est sûr.

– Faudra qu'on s'organise mieux la prochaine fois, remarque Tim. Déjà, faudra qu'on s'assure que nos frères et nos sœurs comprennent bien qu'on peut pas s'en prendre à des commerces tenus par des Noirs. On a tous à y perdre.

– Carrément, approuve papa. Et je sais, Tim et moi on est plus de la partie, alors on peut pas s'exprimer sur certains trucs, mais faut oublier toutes ces guerres de territoire d'une façon ou d'une autre. Tout ça, ça dépasse les histoires de rue. Et puis, honnêtement, avec toutes ces guerres à la con, maintenant, les keufs croient qu'ils peuvent faire tout ce qu'ils veulent.

– Ouais, je te rejoins là-dessus, dit Goon.

– Faut tous vous unir, les gars, ajoute papa. Pour le bien du quartier. Si y'a bien un truc à quoi ils s'attendent pas, c'est l'unité. D'accord ?

Papa fait claquer sa paume contre celle de Goon et du Garden Disciple. Puis Goon et le Garden Disciple font pareil.

– Wow, siffle Seven.

C'est énorme de voir ces deux gangs réunis dans la même pièce. Et tout ça à l'initiative de mon père ? C'est ouf.

Il nous aperçoit sur le pas de la porte.

– Qu'est-ce que vous faites là ?

Maman fait un petit pas dans la cuisine et regarde autour d'elle.

– Les enfants ont été exclus.

– Exclus ? répète papa. Pourquoi ?

Seven lui tend son téléphone.

– Quelqu'un a posté la vidéo ?

– Ouais, je suis même taggué dessus.

Papa appuie sur « play » et j'entends Hailey jacasser sur Khalil, puis un coup.

Des mecs des gangs regardent par-dessus l'épaule de papa.

– Merde, petite mère, t'as un sacré *jab*.

« Mais t'es mala… » s'exclame Remy dans le téléphone.

Suit une série de coups et de « oooh ».

– Matez un peu mon fils ! dit papa. Matez ça !

– Yo, le geek, je savais pas que t'avais ça en toi ! lance un King Lord, taquin.

Maman s'éclaircit la voix. Papa arrête la vidéo.

– OK, tout le monde, dit-il, soudain sérieux. J'ai des affaires de famille à régler. On se voit demain.

Tim et tous les membres des deux gangs quittent la maison. Dehors, les voitures démarrent. Toujours pas de coups de feu ni d'éclats de voix. Ils auraient pu nous faire une version gangsta rap du negro spiritual *Kumbaya* que ça ne m'aurait pas plus étonnée que ça.

– Comment t'as fait pour garder la maison en un seul morceau en les ayant tous ici ? demande maman.

– J'assure, c'est tout.

Maman l'embrasse sur la bouche.

– Ça c'est clair. Mon homme à moi, le militant.

– Eh ouais.

Il lui rend son baiser.

– Ton homme à toi.

Seven se racle la gorge.

– Yo, on est là, nous.

– Oh, vous allez pas vous plaindre en plus ! dit papa. Si vous vous étiez pas bastonnés, vous auriez pas eu à voir ça.

Il tend le bras vers moi et me pince gentiment la joue.

– Ça va, toi ?

J'ai encore les yeux humides et je n'ai pas exactement le sourire. Mais je marmonne :

– Ouais.

Papa me tire sur ses genoux. Il me berce et alterne entre un pincement de joue et un bisou, sans s'arrêter de dire d'une voix très grave :

– Qu'est-ce qui va pas ? Hein ? Qu'est-ce qui va pas ?

Et je ne peux pas m'empêcher de me mettre à glousser.

Il me libère avec un dernier bisou baveux.

– Je savais que j'arriverais à te faire rire. Bon, maintenant raconte-moi, il s'est passé quoi ?

– T'as vu la vidéo. Hailey a dit des saloperies, alors je l'ai frappée. C'est tout.

– C'est ta fille, Maverick, commente maman. Quand elle n'aime pas ce qu'elle entend, elle cogne.

– Ma fille ? Bébé, c'est tout toi.

Il regarde Seven.

– Et toi, pourquoi tu t'es battu ?

– Le mec s'en est pris à ma sœur, explique Seven. J'allais pas le laisser faire.

Seven parle tellement tout le temps de protéger Kenya et Lyric que je suis plutôt fière qu'il me mette aussi dans le lot.

Papa se repasse la vidéo, qui commence par Hailey disant : « Il serait sans doute mort bientôt de toute façon. »

– Purée, commente maman. Elle manque pas de culot cette garce.

– Une gâtée pourrie qui connaît rien à rien et qui ouvre sa grande gueule, dit papa.

– Alors, c'est quoi la punition ? demande Seven.

– Allez faire vos devoirs, dit maman.

– C'est tout ? je demande.

– Vous passerez vos trois jours d'exclusion à aider votre père à l'épicerie, dit-elle.

Elle se serre contre le dos de papa.

Il lui fait un bisou sur le bras.

– Ça me paraît bien.

Pour ceux qui ne parleraient pas la langue des parents, voilà ce qu'ils ont vraiment dit :

Maman : Je n'excuse pas ton comportement et je ne dis pas qu'il est justifié, mais à ta place, j'aurais probablement fait pareil. Et toi, bébé ?

Papa : Tu m'étonnes que j'aurais fait pareil.

Et c'est pour ça que je les adore.

QUATRIÈME PARTIE

DIX SEMAINES APRÈS LES FAITS

VINGT ET UN

Toujours pas de décision du grand jury, alors on continue à vivre.

On est samedi et ma famille est chez oncle Carlos pour le barbecue du week-end de Memorial Day, qui fait aussi office de fête d'anniversaire et de fête de fin de lycée pour Seven. Il aura dix-huit ans demain et il est officiellement diplômé depuis hier. Je n'avais jamais vu papa pleurer comme il l'a fait au moment où le docteur Davis a remis son diplôme à Seven.

Le jardin sent le barbecue et il fait assez bon pour que les copains de Seven puissent profiter de la piscine. Sekani et Daniel courent partout en maillot de bain et envoient à l'eau les moins méfiants. Ils chopent Jess qui se met à rire et les menace de se venger. Avec Kenya et moi, ils essaient une fois mais pas deux. Quelques coups de pied au cul bien envoyés suffisent à les calmer.

Par contre, DeVante, qui s'est approché en loucedé, réussit son coup. En me voyant disparaître sous l'eau avec mes nouvelles tresses *cornrow* et mes Jordan aux pieds, Kenya pousse un cri aigu. Mon short de bain et mon tankini tout neufs n'étaient pas faits pour être mouillés, juste admirés.

Je remonte à la surface et prends une grosse goulée d'air.

– Starr, ça va ? crie Kenya.

Elle a reculé à plus d'un mètre de la piscine.

– Tu vas pas m'aider à sortir ? je lui lance.

– Et ruiner mes fringues ? Nan, meuf. T'as l'air de bien te démerder toute seule.

Sekani et Daniel sautent de joie et acclament DeVante comme s'il n'y avait eu personne d'aussi fabuleux depuis Spiderman. Saletés ! Je sors en vitesse de la piscine.

– Oh oh, fait DeVante, et tous les trois détalent dans toutes les directions.

Kenya court après DeVante pendant que je me charge de Sekani : petit frère, il ne faut jamais dire piscine je ne boirai pas de ton eau.

– Maman ! glapit-il.

Je t'attrape par l'élastique du maillot et le remonte sous ses bras, jusqu'à ce qu'il lui scie la raie des fesses. Il pousse un cri aigu. Je le lâche. Il retombe dans l'herbe, le maillot tellement tendu qu'on dirait qu'il porte un string-ficelle. Fallait pas me chercher.

Kenya me livre DeVante, les bras dans le dos comme s'il était en état d'arrestation.

– Excuse-toi, ordonne-t-elle.

– Non !

Kenya lui tire sur les bras.

– OK, OK ! Pardon !

Elle le lâche.

– Ouais, j'aime mieux ça.

DeVante se frotte le bras avec un sourire bête.

– Brutasse.

– Bouffon, elle rétorque, du tac au tac.

Il lui tire la langue et elle répond :

– Allez *ciao*, mec !

Croyez-le ou pas, ils se draguent. J'en oublie presque que si DeVante se planque, c'est pour échapper au père de Kenya. Eux aussi ils ont oublié, apparemment.

DeVante va me chercher une serviette. Je la lui arrache des mains et m'essuie le visage en me dirigeant avec Kenya vers les transats au bord de la piscine. DeVante en prend un et s'assied à côté d'elle.

Ava approche avec sa poupée et un peigne. Évidemment, je m'attends à ce qu'elle me les fourre entre les mains, mais elle les tend à DeVante.

– Tiens, elle lui dit avant de filer.

Et il se met à peigner la poupée ! Kenya et moi, on le regarde, scotchées.

– Quoi ? fait-il.

On explose de rire.

– Elle t'a bien dressé ! je m'exclame.

– C'est bon, grogne-t-il. Elle est mignonne, d'accord ? J'arrive pas à lui dire non.

Il fait une tresse à la poupée. Ses doigts longs et fins bougent tellement vite qu'on dirait qu'ils vont s'emmêler.

– Je me faisais tout le temps avoir pareil par mes sœurs.

Sa voix faiblit quand il les mentionne.

– T'as eu de leurs nouvelles ou des nouvelles de ta mère ? je demande.

– Ouais, y'a à peu près une semaine. Elles sont chez ma cousine. Elle crèche genre au milieu de nulle part. Maman était en panique parce qu'elle savait pas si j'allais bien. Elle s'est excusée de m'avoir laissé tomber et de s'être mise vénère. Elle veut que je les rejoigne.

Kenya fronce les sourcils.

– Tu te casses ?

– Chais pas. M. Carlos et Mme Pam ont dit que je pouvais rester chez eux toute l'année prochaine, le temps que je finisse le lycée. Ma reum dit qu'elle est d'accord si ça veut dire que je vais plus chercher les embrouilles.

Il examine son travail. La poupée a une tresse parfaite.

– Faut que je réfléchisse. J'aime bien ici.

Push it de Salt-N-Pepa hurle dans les enceintes. Ça, c'est un morceau que papa devrait s'abstenir de passer. Il n'y en a qu'un de pire, ce vieux morceau qui s'appelle *Bang That Thang Up*. Maman perd la boule quand il passe. Il suffit qu'elle entende l'intro pour virer cassos en moins de deux.

En entendant Salt-N-Pepa, tante Pam et elle lancent un grand « Yeah ! » avant de se mettre à exécuter de vieux pas de danse. J'aime bien les émissions et les films des années 1990, mais je n'ai pas envie de voir ma mère et ma tante nous refaire la décennie en dansant. Seven et ses potes forment un cercle autour d'elles pour les encourager.

C'est Seven qu'on entend le plus.

– Vas-y, maman, ouais ! Vazy, tante Pam, ouais !

D'un bond, papa est au milieu du cercle à son tour, dans le dos de maman. Les mains derrière la tête, il se met à rouler des hanches.

« Nooon ! Stooop ! » crie Seven en le poussant. Mais papa le contourne et se remet à danser derrière maman.

Kenya se marre.

– Wesh, ils me tuent, là !

DeVante les regarde en souriant.

– T'avais raison sur ton oncle et ta tante, Starr. Ils sont cool. Ta grand-mère aussi.

– Qui ? Naaan, Grandma ?

– Ben ouais, grave. Elle a appris que je jouais aux cartes. L'autre jour, on a fait une partie après les cours qu'elle me donne. Elle a décrété que c'était une activité périscolaire. Depuis, on est potes.

Allez comprendre…

En voyant Chris et Maya passer le portail, je sens mon ventre se nouer. Je devrais m'habituer à voir mes deux univers se rencontrer, mais je ne sais toujours pas quelle Starr je suis censée être. Je peux parler un peu argot, mais pas trop quand même ; je peux avoir de la repartie, mais pas trop quand même, pour ne pas passer pour la harpie noire de service. Il faut que je fasse attention à ce que je dis et à la manière dont je le dis, mais je ne peux pas non plus parler comme une Blanche.

Putain, c'est épuisant.

Chris et son nouveau « poto » DeVante se tapent dans la main, puis Chris m'embrasse sur la joue. Maya et moi, on se fait notre petit check rien qu'à nous. DeVante la salue d'un hochement du menton. Ils se sont rencontrés il y a quelques semaines.

Maya s'assied à côté de moi sur le transat. Chris nous pousse un peu pour caler ses grosses fesses entre nous.

Maya le regarde salement.

– Chris, t'arrêtes ?

– Eh, c'est mon amoureuse. C'est ma place, à côté d'elle.

– Euh… non, je crois pas ! Les copines avant les mecs.

On se met à glousser, Kenya et moi.

– Les boulets, fait DeVante.

On se calme un peu.

– Donc c'est toi, Chris ? dit Kenya.

Elle a vu des photos sur mon Instagram.

– Ouaip. Et toi, t'es Kenya, c'est ça ?

Lui aussi, il a vu des photos sur mon Instagram.

– La seule et unique, je lui réponds.

Kenya me jette un regard et articule en silence *BG !* Comme si je n'étais pas déjà au courant.

Kenya et Maya se regardent. La dernière fois qu'elles se sont croisées, c'était il y a presque un an, pour mes seize ans, si on peut appeler ça se croiser. Hailey et Maya étaient à une table, Kenya et Khalil à une autre avec Seven. Elles ne se sont pas adressé la parole.

– Maya, c'est ça ? dit Kenya.

Maya confirme d'un signe de tête.

– La seule et unique.

– Cool, les pompes, fait Kenya avec une moue connaisseuse.

– Merci, répond Maya en les contemplant.

Des Nike Air Max 95.

– C'est censé être des chaussures de running. Mais je cours jamais avec.

– Moi non plus, je cours pas avec les miennes, dit Kenya. Je connais que mon frère qui court avec.

Maya se marre.

OK. Jusqu'ici tout va bien. Pas de raison de s'inquiéter.

Jusqu'à ce que Kenya lance :

– Et blondie, elle est où ?

Chris renifle. Maya écarquille les yeux.

– Kenya, c'est pas… c'est pas comme ça qu'elle s'appelle, je dis.

– Ouais mais t'as compris de qui je parlais, nan ?

– Ouaip, enchaîne Maya. Elle est sans doute quelque part en train de panser ses blessures après ce que Starr lui a mis.

– Quoi ? s'écrie Kenya. Yo, Starr, tu m'as pas raconté !

– C'était genre y'a deux semaines, je dis. Ça méritait pas qu'on en parle. Je l'ai frappée, c'est tout.

– *C'est tout ?* fait Maya. Tu l'as boxée façon Floyd Mayweather !

Chris et DeVante se mettent à rire.

– Attendez, attendez, fait Kenya. Il s'est passé quoi, wesh ?

Du coup, je lui raconte, sans trop réfléchir à ce que je dis ni à l'image que je donne. Je parle, c'est tout. Maya en rajoute une couche, elle exagère et Kenya boit nos paroles. On lui parle des coups de poing de Seven à Remy. Kenya rayonne. « Il assure trop mon frère », dit-elle. *Son* frère, pff. Mais bon, bref. Maya lui glisse même l'histoire du chat à Thanksgiving.

– J'ai dit à Starr que nous, les minorités, il fallait qu'on se serre les coudes, dit Maya.

– C'est tellement vrai, dit Kenya. Les Blancs, ils se serrent les coudes depuis toujours.

– Euh… rougit Chris. C'est… bizarre, là.

– Tu vas t'en remettre, chouchou, je dis.

Maya et Kenya explosent de rire.

Mes deux mondes viennent de se rencontrer. Et étonnamment, tout roule.

Le morceau change. Maintenant, c'est *Wobble*, de V.I.C. Maman accourt et me tire par le bras.

– Miam, viens danser !

Je n'ai pas le temps d'enfoncer mes pieds dans l'herbe pour lui résister.

– Arrêêête… je gémis.

– Allez, ma fille. Et les autres aussi ! braille-t-elle à mes copains.

Tout le monde s'aligne sur la pelouse transformée pour l'occasion en piste de danse.

Maman me tire au premier rang.

– Vas-y, montre-leur comment ça se danse, mon bébé ! dit-elle. Montre-leur.

Je ne bouge pas, exprès. Dictateur ou pas, elle ne me forcera pas à danser. Kenya et Maya l'encouragent à m'encourager. Jamais je n'aurais pensé qu'elles iraient jusqu'à se liguer contre moi.

Avant même de m'en rendre compte, je suis partie pour un wobble. Et vu la *duckface* que je fais, ça veut dire en plus que je suis à fond.

J'apprends les pas à Chris. Il me suit. Je l'adore d'essayer comme ça. Grandma nous rejoint, en dansant un shimmy avec les épaules qui n'a rien à voir avec le wobble, mais je doute que ça lui pose problème.

Puis vient le tour du Cupid Shuffle et c'est ma famille qui mène la danse au premier rang. On mélange parfois notre gauche et notre droite, ce qui déclenche de grands éclats de rire. Si on laisse de côté les danses ridicules et quelques autres anomalies, ma famille n'est pas si mal.

Tous ces pas de danse en ligne m'ont ouvert l'appétit. J'abandonne les autres à leur Bikers Shuffle – un *shuffle* d'un tout autre niveau – et aussitôt la plupart de nos invités sont complètement paumés.

Le plan de travail de la cuisine est couvert de barquettes en aluminium. Je me prends une assiette que je remplis de ribs, d'ailes de poulet, d'épis de maïs grillés. Et d'une bonne louchée de haricots blancs à la tomate. Pas de salade de pommes de terre. Trop diabolique, avec toute cette mayonnaise. Je m'en fiche que ce soit maman qui l'ait faite, je ne touche pas à cette saleté.

Je ne veux pas manger dehors, trop de bestioles qui pourraient finir dans mon assiette. Je me laisse tomber à la table de la salle à manger et je m'apprête à m'attaquer au repas.

Mais le maudit téléphone sonne.

Comme tout le monde est dehors, il n'y a que moi pour répondre. Je fourre une aile de poulet dans ma bouche.

– Allô ? je dis la bouche pleine.

Est-ce que je suis malpolie ? Clairement. Est-ce que je meurs de faim ? Carrément.

– Bonjour, c'est le service de sécurité du lotissement. Iesha Robinson demande à vous voir.

J'arrête de mâcher. Iesha n'était nulle part à la remise de diplôme de Seven, alors qu'elle était invitée, alors qu'est-ce qu'elle vient faire à une fête où personne ne l'attend ? Comment est-elle au courant d'ailleurs ? Seven ne lui a pas dit et Kenya a juré qu'elle se tairait aussi. À la place, elle a menti : elle a dit à ses parents qu'elle traînait avec des amis aujourd'hui.

J'apporte le téléphone à papa parce que, merde, je ne sais pas quoi faire, moi. J'arrive au bon moment, en plus. Il essaie de danser le Nae Nae. Une catastrophe. Je dois crier son nom deux fois avant qu'il arrête le massacre et vienne jusqu'à moi.

Il sourit.

– Tu savais pas que ton daron avait le groove comme ça, hein ?

– Je sais toujours pas. Tiens. C'est la sécurité. Iesha est à l'entrée du lotissement.

Son sourire s'efface. Il se bouche une oreille, le téléphone sur l'autre.

– Allô ?

Le vigile lui parle un petit moment. Papa fait signe à Seven de le rejoindre sur la terrasse.

– Une minute.

Il pose sa main sur le combiné.

– Ta mère est là. Elle veut te voir.

Seven fronce les sourcils.

– Comment elle sait qu'on est là ?

– Ta grand-mère est avec elle. Tu ne l'as pas invitée ?

– Si, mais pas Iesha.

– Écoute, mec, si tu veux qu'elle vienne un petit moment, y'a pas de souci, dit papa. Je vais dire à DeVante de rentrer, histoire qu'elle le voie pas. Tu veux faire quoi ?

– Papa, tu peux lui dire...

– Non, mon grand. C'est ta mère. Tu te débrouilles.

Mon frère se mord la lèvre un instant. Il soupire.

– D'accord.

Iesha se gare devant la maison. J'emboîte le pas à Seven, Kenya et mes parents dans l'allée. Seven a toujours été là pour moi. Du coup, ça me semble normal d'être là pour lui.

Seven dit à Kenya de rester avec nous et s'avance vers la BMW rose de Iesha.

Lyric descend d'un bond.

– Sevvie !

Elle court vers lui, faisant sauter les petites boules en plastique qui ornent sa queue-de-cheval. J'ai toujours détesté porter ces trucs. Lyric se jette dans les bras de Seven et il la fait tourner.

Je ne vais pas mentir, ça me rend toujours un peu jalouse de voir Seven avec ses autres sœurs. C'est bête, je sais. Mais ils ont la même mère, ce qui fait qu'entre eux, c'est différent. Leurs liens sont peut-être plus solides, je ne sais pas.

Mais jamais de la vie je n'échangerais maman pour Iesha. Non.

Seven cale Lyric sur sa hanche et serre sa grand-mère contre lui de l'autre bras.

Iesha descend à son tour de voiture. Elle a troqué ses extensions pour une coupe au carré. Elle n'essaie même pas de tirer sur sa robe rose vif qui est visiblement remontée pendant le trajet. À moins qu'elle ait toujours été comme ça.

Non, décidément, je n'échangerais maman pour rien au monde.

– Et alors, Seven, tu fais une fête et tu m'invites même pas ? demande Iesha. Une fête d'*anniversaire*, en plus ? C'est de mon ventre à moi que t'es sorti !

Seven jette des regards autour de lui. Au moins un des voisins d'oncle Carlos nous regarde.

– S'il te plaît, pas maintenant…

– Oh, si, maintenant ! J'ai dû m'informer auprès de ma mère parce que mon propre fils a pas daigné m'inviter.

Elle décoche un regard mauvais à Kenya.

– Et toi, petite garce, là, tu m'as menti ! Je devrais te défoncer.

Kenya tressaille comme si Iesha l'avait déjà frappée.

– Maman…

– T'en prends pas à Kenya, dit Seven en posant Lyric par terre. C'est moi qui lui avais dit de pas t'en parler, Iesha.

– Iesha ? répète-t-elle en se collant sous son nez. À qui tu crois que tu t'adresses comme ça ?

Ce qui se passe ensuite, c'est comme quand on secoue de toutes ses forces une canette de soda. De l'extérieur, on dirait qu'il ne se passe rien. Mais quand on ouvre, ça gicle.

– C'est pour ça que je t'ai pas invitée ! crie Seven. Ça ! Ça là ! Tu sais pas te tenir !

– Alors comme ça t'as honte de moi, Seven ?

– Tu m'étonnes que j'ai honte de toi, putain !

– Holà ! dit papa.

Il s'interpose et pose la main sur le torse de Seven.

– Seven, calme-toi.

– Non, papa ! Laisse-moi lui dire que je l'ai pas invitée parce que je voulais pas expliquer à mes potes que ma belle-mère est pas ma mère contrairement à ce qu'ils croient tous. Et comment j'ai jamais corrigé personne à Williamson quand ils croyaient que c'était le cas. C'est pas comme si elle s'intéressait à ce que je faisais, alors pourquoi me faire chier, hein ? T'as même pas été foutue de te pointer à ma remise de diplôme, hier !

– Seven, supplie Kenya. Arrête.

– Non, Kenya ! dit-il sans quitter leur mère des yeux. J'étais sûr qu'elle en avait rien à foutre de mon anniversaire, et tu sais pourquoi ? Parce que ça a toujours été comme ça ! « Tu m'as pas invitée, tu m'as pas invitée », raille-t-il. Putain mais pourquoi je l'aurais fait ?

Iesha cligne des yeux plusieurs fois et dit, la voix comme du verre cassé :

– Après tout ce que j'ai fait pour toi.

– Tout ce que t'as fait pour quoi ? T'as fait quoi pour moi ? Me foutre dehors ? Préférer un homme à moi chaque fois que t'as eu l'occasion ? Tu te souviens quand j'ai essayé d'empêcher King de te foutre sur la tronche, Iesha ? C'est à qui que t'en as mis plein la gueule, après ?

– Seven, fait papa.

– À moi ! C'est moi qui en ai pris plein la gueule ! Tu m'as dit que c'était ma faute s'il était parti ! C'est ça que tu as « fait » pour moi ?(Il lève le bras vers maman.) Cette femme, là, elle a fait tout ce que t'étais censée faire et même plus. Comment t'oses t'attribuer le mérite ? Alors que moi, tout ce que j'ai fait, c'est t'aimer. (Sa voix se brise.) C'est tout. Et t'as jamais été foutue de m'aimer en retour.

La musique s'arrête et des têtes apparaissent au-dessus de la clôture du jardin.

Layla s'approche de lui. Elle le prend par le bras. Il la laisse l'entraîner à l'intérieur. Iesha tourne les talons et part vers sa voiture.

– Attends, dit papa.

– Y'a rien à attendre. (Elle ouvre sa portière d'un geste brusque.) T'es content, Maverick ? Toi et cette poufiasse que t'as épousée, vous avez réussi à monter mon fils contre moi. Il me tarde que King vous démolisse tous pour avoir laissé cette fille le balancer à la télé.

Mon ventre se serre.

– Qu'il essaie seulement et on verra ce qui se passe ! dit papa.

C'est une chose d'avoir vent de rumeurs selon lesquelles on a en projet de vous « démolir », mais c'en est une autre de l'entendre de la bouche de quelqu'un qu'on connaît.

Mais je ne peux pas m'inquiéter de King maintenant. Il faut que j'aille voir mon frère.

Kenya m'accompagne. On le trouve en bas de l'escalier. Il sanglote comme un bébé. Layla a la tête contre son épaule.

Le voir pleurer comme ça… ça me donne envie de pleurer.

– Seven ?

Il lève la tête. Je ne l'avais jamais vu avec des yeux pareils.

Maman entre. Layla lui laisse sa place sur la marche.

– Viens là, mon bébé, dit-elle et ils s'enlacent comme ils peuvent.

Papa me donne une petite tape sur l'épaule, puis sur celle de Kenya.

– Allez, dehors, les filles.

Kenya fait une grimace qui donne l'impression qu'elle va pleurer. Je la prends par le bras et l'emmène à la cuisine. Elle s'assied au bar et fourre son visage dans ses mains. Je grimpe sur le tabouret sans un mot. Parfois, les mots sont inutiles.

Une minute s'écoule, puis elle dit :

– Je suis désolée que mon père soit après toi.

C'est la situation la plus délicate que j'ai connue : le père de ma pote veut peut-être me tuer.

– C'est pas ta faute, je marmonne.

– Je comprends pourquoi mon frère a pas invité ma mère, mais… (Sa voix se brise.) C'est pas facile, pour elle, Starr. Avec lui.

Kenya s'essuie les joues contre son bras.

– J'aimerais trop qu'elle le quitte.

– Peut-être qu'elle a peur ? je dis. Regarde, moi. J'avais peur de parler pour défendre Khalil et tu m'as bien engueulée.

– Je t'ai pas engueulée.

– Si.

– Crois-moi, non. Quand je t'engueulerai, tu le sentiras passer.

– Bref ! Je sais que c'est pas pareil, mais…

Mon Dieu, je ne pensais pas dire ça un jour.

– … je crois que je comprends Iesha. C'est difficile de se défendre, des fois. Elle a peut-être besoin qu'on la secoue un peu, elle aussi.

– Donc, tu veux que je l'engueule ? dit Kenya. Je peux pas croire que t'as l'impression que je t'ai engueulée. Petite chochotte.

Je suis bouche bée.

– Tu sais quoi ? Je vais laisser passer ça. Nan, je dis pas qu'il faut que tu l'engueules, ce serait débile. Juste… (Soupir.) Je sais pas.

– Moi non plus.

On se tait toutes les deux.

Kenya s'essuie de nouveau les joues.

– Ça va… Ça va, dit-elle en se levant.

– T'es sûre ?

– Ouais ! Arrête de me demander ça. Allez viens, on retourne là-bas et on les empêche de parler de mon frère, parce que c'est ça qu'ils font, je le sais.

Elle se dirige vers la porte, mais je lui dis :

– *Notre* frère.

Kenya se retourne.

– Quoi ?

– *Notre* frère. C'est aussi le mien.

Je ne voulais pas être méchante, ni même agressive, je le

jure. Elle ne répond rien. Pas même « d'accord ». Évidemment, je ne m'attendais pas à ce que tout d'un coup, elle me dise : « Bien sûr que c'est notre frère, je suis vraiment désolée d'avoir donné l'impression que ce n'était pas aussi le tien. »

Mais j'espérais quand même quelque chose.

Kenya sort.

La fête s'est arrêtée. Sans le savoir, Seven et Iesha ont appuyé sur le bouton « pause ». Il n'y a plus de musique et les potes de Seven, désœuvrés, discutent à mi-voix.

Chris et Maya viennent me trouver.

– Ça va, Seven ? demande Maya.

– Qui a arrêté la musique ? je demande.

Chris hausse les épaules.

J'attrape l'iPod de papa sur la table de jardin, notre DJ pour l'après-midi. En faisant défiler la playlist, je trouve cette chanson de Kendrick Lamar que Seven m'avait fait écouter un jour, juste après la mort de Khalil. Seven avait dit que c'était pour nous deux.

J'appuie sur « play », en espérant qu'il va l'entendre. Elle est aussi pour Kenya.

Au milieu du morceau, Seven et Layla ressortent. Il a les yeux gonflés mais il ne pleure plus. Il m'adresse un petit sourire et un rapide hochement du menton. Je fais pareil.

Maman entraîne papa dehors. Ils ont tous les deux des chapeaux pointus en carton sur la tête et papa porte un énorme gâteau rectangulaire orné de bougies.

– *Happy birthday to youuu* ! entonnent-ils.

Maman accompagne la chanson d'un petit mouvement d'épaule pas trop ridicule.

– *Happy birthday to youuu ! Happy birthday to youuu !*

Le visage de Seven s'illumine d'un immense sourire. Je baisse la musique.

Papa pose le gâteau sur la table et tout le monde s'agglutine autour. Notre famille, Kenya, DeVante et Layla – tous les Noirs en gros – entonnent le *Happy Birthday* de Stevie Wonder. Maya a l'air de connaître. Une bonne partie des amis de Seven, en revanche, sont visiblement paumés. Chris aussi. Les différences culturelles, c'est ouf, des fois.

Grandma s'égosille, emmenant la chanson beaucoup trop dans les aigus.

– Les bougies vont bientôt s'éteindre, maman ! lui dit ma mère.

Grandma en fait vraiment trop des tonnes.

Seven se penche pour les souffler.

– Attends ! l'interrompt papa. Tu sais que tu peux pas souffler avant que j'aie dit quelque chose, bordel !

– Oh, Pap's !

– C'est pas à lui de te dire quoi faire, Seven, intervient Sekani. T'es grand maintenant !

Papa le regarde de bas en haut d'un air de dire : t'es qui toi, morpion ?

Il se tourne vers Seven.

– Je suis fier de toi, mon grand. Comme je t'ai dit, moi, j'ai jamais eu de diplôme. Beaucoup de frères en ont jamais. Et là d'où on vient, y'en a aussi beaucoup qui arrivent pas à dix-huit ans. Y'en a qui y arrivent, mais faut voir dans quel état. Pas toi. Toi, t'iras loin. Je l'ai toujours su. Tu vois, je crois que c'est important de donner aux gosses des prénoms qui veulent dire quelque chose. Sekani, ça veut dire joie et gaieté.

Je renifle bruyamment. Sekani me jette un regard oblique.

– J'ai appelé ta sœur Starr parce qu'elle était ma lumière dans les ténèbres. Seven, c'est le sept, un chiffre sacré. Le chiffre de la perfection. Je dis pas que t'es parfait, personne l'est, mais t'es le cadeau parfait que Dieu m'a fait. Je t'aime, fiston. Joyeux anniversaire et félicitations.

Papa prend Seven par le cou avec affection. Le sourire de Seven s'agrandit encore.

– Moi aussi je t'aime, Pap's.

C'est Mme Rooks qui a fait le gâteau, un Red Velvet. Il est tellement bon que tout le monde s'extasie. Oncle Carlos s'en sert au moins trois parts. Puis on danse et on rit encore. L'un dans l'autre, finalement, c'est une chouette journée.

Mais les chouettes journées ne durent qu'un temps.

CINQUIÈME PARTIE

TREIZE SEMAINES APRÈS LES FAITS : LA DÉCISION

VINGT-DEUX

Dans notre nouveau quartier, je peux me contenter de dire à mes parents que je vais me promener.

On vient d'avoir Mme Ofrah au téléphone, qui nous a appris que le grand jury annoncerait sa décision dans quelques heures. D'après ce qu'elle dit, les jurés sont pour l'instant les seuls à la connaître, mais j'ai le mauvais pressentiment que je la connais aussi. C'est toujours la même.

Je fourre les mains dans les poches de mon sweat sans manches. Je croise des enfants à vélo ou en trottinette qui manquent de me déquiller. Je doute que la décision les inquiète. Ils ne foncent pas se mettre à l'abri dans leur maison comme les gamins chez nous sont sans doute en train de le faire, eux.

Chez nous.

On a commencé à s'installer le week-end dernier. Ça fait cinq jours et je ne me sens pas encore chez moi. Peut-être à cause de tous les cartons et des noms de rues que je ne connais pas. Et c'est presque trop calme. Ici, pas de Fo'ty Ounce avec son caddie qui grince, ni de Mme Pearl qui nous braille son « bonjour » de l'autre côté de la rue.

J'ai besoin de normalité.

J'envoie un message à Chris. Moins de dix minutes plus tard, il vient me chercher dans la Mercedes de son père.

Les Bryant habitent la seule maison dans leur rue équipée d'un logement pour un majordome. M. Bryant est propriétaire de huit voitures, de collection pour la plupart, qui tiennent toutes dans son garage.

Chris se gare sur l'une des deux places vides.

– Tes parents ne sont pas là ? je demande.

– Non. Dîner en amoureux au country club.

Chez Chris, tout est presque trop chic pour y vivre. Les statues, les peintures à l'huile, les lustres. Un musée plus qu'une maison. La suite de Chris au deuxième étage est plus normale. Il y a un canapé en cuir dans sa chambre, juste devant l'écran plat et les consoles de jeux vidéo. Un demi-terrain de basket est dessiné sur le plancher et il peut mettre des tirs dans un vrai panier sur son mur.

Son lit est fait – chose rare. C'est un California King Size, encore plus grand qu'un lit King Size « ordinaire ». Avant de rencontrer Chris, je ne savais même pas que ça existait. J'enlève mes Timberland et attrape la télécommande sur sa table de nuit. Je me jette sur son lit et allume la télé d'un même mouvement.

Chris se débarrasse de ses Converse et s'assied à son bureau. Un *drum pad*, un clavier et des platines sont branchés à son Mac.

– Écoute un peu ça, dit-il en me jouant un rythme.

Dressée sur mes coudes, je hoche la tête en mesure. Ça a un petit côté *old-school*, le genre de truc que Dre et Snoop auraient pu faire à leur époque.

– Cool, je dis.

– Merci. Je crois qu'il faut quand même que j'enlève un peu de basses.

Il se retourne et se met au boulot.

Je lisse les plis de sa couette.

– Tu crois qu'ils vont l'inculper ? je dis.

– Et toi ?

– Non…

Chris pivote sur sa chaise pour me regarder. Je me tourne sur le côté, les yeux pleins de larmes. Il vient s'allonger face à moi.

Il appuie son front contre le mien.

– Je suis désolé.

– T'y es pour rien.

– Mais j'ai l'impression que je devrais m'excuser au nom de tous les Blancs.

– T'as pas à faire ça.

– Mais j'en ai envie.

Alors que je suis allongée là, sur son California King Size, dans la suite de son immense villa, la vérité m'assomme. Elle a toujours été là, je veux dire, mais tout d'un coup, elle clignote de partout.

– On n'a rien à faire ensemble, je dis.

– Pourquoi ?

– Ma maison de Garden Heights pourrait tenir dans ton salon.

– Et alors ?

– Mon père appartenait à un gang.

– Mon père est accro au jeu.

– J'ai grandi dans une cité.

– Oui, Starr, moi aussi, j'ai grandi quelque part.

Je soupire et m'apprête à lui tourner le dos.

Il me retient par l'épaule pour m'en empêcher.

– Laisse pas ces trucs te pourrir la tête.

– Tu as déjà remarqué comment les gens nous regardent ?

– Quels gens ?

– Les gens, je réponds. Il leur faut toujours une seconde pour réaliser qu'on est en couple.

– Et qu'est-ce qu'on en a à foutre ?

– Ben moi, j'en ai quelque chose à foutre.

– Pourquoi ?

– Parce que c'est avec Hailey que tu devrais être.

Il recule.

– Quoi ? Pourquoi ?

– Pas Hailey, Hailey. Mais tu sais. Une blonde. Riche. Blanche.

– Je préfère une belle. Et fabuleuse. Starr.

Il ne pige pas, mais je n'ai plus envie d'en parler. Je veux qu'il me fasse tellement décoller que la décision du grand jury ne représentera plus rien du tout. J'embrasse ses lèvres, qui ont toujours été et seront toujours parfaites. Il me rend mon baiser et on commence à s'embrasser comme si on ne savait rien faire d'autre.

Ça ne suffit pas. Mes mains descendent le long de son torse. Il n'y a pas que ses biceps qui sont gonflés. Je commence à baisser sa braguette.

Il me prend la main.

– Houla ! Tu fais quoi, là ?

– À ton avis ?

Il cherche mon regard.

– Starr, j'ai envie, vraiment...

– Je sais. Alors profites-en. (Je dépose de petits baisers le long de son cou, sur chacune de ses taches de rousseur tellement bien placées.) On n'est que tous les deux.

– Mais on ne peut pas, dit-il d'une voix lasse. Pas comme ça.

– Pourquoi ?

Je glisse la main dans son pantalon, en direction de la bosse qui s'y est formée.

– Parce que tu n'es pas dans ton état normal.

Je m'arrête.

Il me regarde, et je le regarde. Ma vision se brouille. Chris me prend dans ses bras et me tire vers lui. Je fourre le nez dans son tee-shirt. Il sent bon, un mélange parfait de savon et d'eau de toilette. Son cœur qui bat vaut tous les *beats* qu'il a jamais créés. Ma normalité, incarnée.

Chris pose le menton sur le dessus de ma tête.

– Starr...

Il me laisse pleurer aussi longtemps que j'en ai besoin.

Mon téléphone qui vibre contre ma cuisse me réveille. Il fait presque complètement nuit dans la chambre de Chris – le ciel rouge fait entrer un peu de lumière par la fenêtre. Il dort profondément et me tient dans ses bras avec tellement de naturel qu'on dirait qu'il dort toujours comme ça.

Mon portable continue de vibrer. Je me dégage de l'étreinte de Chris et rampe jusqu'au pied du lit. J'attrape le téléphone dans ma poche. La tête de Seven apparaît sur mon écran.

J'essaie de ne pas avoir l'air trop endormi.

– Allô ?

– T'es où, bordel ?

– On connaît la décision ?

– Non. Réponds à ma question.

– Chez Chris.

Seven tchipe.

– Je veux même pas savoir. DeVante est avec vous ?

– Non, pourquoi ?

– Oncle Carlos dit qu'il est sorti il y a un moment. Personne ne l'a vu depuis.

Mon ventre se noue.

– Quoi ?

– Ouais. Si t'étais pas en train de glandouiller avec ton mec, tu serais au courant.

– T'essaies de me culpabiliser, là, sérieux ?

Il soupire.

– Je sais que t'en chies en ce moment, Starr, mais quand même. Tu peux pas juste disparaître comme ça. Maman te cherche. Elle est morte d'inquiétude. Et papa a dû partir surveiller l'épicerie, au cas où… tu sais.

Je rampe de nouveau jusqu'à Chris et le secoue par l'épaule.

– Viens nous chercher, je dis à Seven. On va vous aider à retrouver DeVante.

J'envoie un message à maman pour lui dire où je suis, où je vais, et que tout va bien. Je n'ai pas le courage de l'appeler. Pour qu'elle me passe un savon ? Sans façon.

Seven s'engage dans l'allée, le téléphone collé à l'oreille. Vu sa tête, quelqu'un doit être mort.

J'ouvre précipitamment la portière côté passager.

– Qu'est-ce qu'y a ? je demande.

– Kenya, calme-toi, dit-il au téléphone. Il s'est passé quoi ?

Seven écoute la réponse. Il a l'air plus horrifié de seconde en seconde. Et puis brusquement, il dit :

– J'arrive !

Et il jette son portable sur la banquette arrière.

– C'est DeVante.

– Wow, attends !

Il enclenche la marche arrière alors que je n'ai pas encore lâché la portière.

– Qu'est-ce qui se passe ? j'insiste.

– Je sais pas. Chris, raccompagne Starr chez nous…

– Et on te laisse aller à Garden Heights tout seul ? je fais.

Mais merde, les actions parlent mieux que les mots : je saute dans la voiture.

– Moi aussi, je viens, dit Chris.

J'avance mon siège pour le laisser passer derrière.

Heureusement, ou malheureusement, Seven n'a pas le temps de répliquer.

Seven avale les quarante-cinq minutes de trajet jusqu'à Garden Heights en une demi-heure. Du début à la fin, je prie pour qu'il ne soit rien arrivé à DeVante.

Quand on quitte l'autoroute, le soleil s'est déjà couché. J'ai trop envie de demander à Seven de faire demi-tour mais je me retiens. C'est la première fois que Chris vient dans mon quartier.

Mais je dois lui faire confiance. Il veut que je lui ouvre mon cœur et je ne peux pas le lui ouvrir plus en grand que ça.

Dans la cité Cedar Grove, les murs sont couverts de graffitis et des épaves de voitures traînent au pied des immeubles. À la clinique, sous la fresque représentant Jésus Noir, l'herbe pousse dans les fissures du trottoir. Les ordures jonchent tous les caniveaux. Deux junkies se disputent dans un coin. Il y a des vieilles guimbardes partout, des épaves qui auraient dû partir à la casse depuis des lustres. Les maisons sont vieilles, petites.

Quoi qu'il en pense, Chris le garde pour lui.

Seven se gare devant chez Iesha. La peinture s'écaille et des draps pendent aux fenêtres, à la place des rideaux ou des stores. Les deux BMW, la rose de Iesha et la grise de King, sont garées en L dans le jardinet de devant. Les années passées à s'en servir de parking ont réglé son compte à la pelouse. Il n'y a plus un brin d'herbe. Des voitures grises avec des jantes en alu sont garées dans l'allée et le long de la rue.

Seven coupe le moteur.

– Kenya dit qu'ils sont tous derrière la maison. Je devrais pouvoir me débrouiller. Restez là.

Vu le nombre de voitures, il doit y avoir une bonne cinquantaine de King Lords pour un seul Seven. Je m'en fiche de savoir si King m'a dans le collimateur ou pas, je ne vais pas laisser mon frère aller là-bas tout seul.

– Je viens.

– Non.

– J'ai dit, je viens.

– Starr, j'ai pas le temps de...

Je croise les bras.

– Essaie de me forcer à rester pour voir.

Il ne peut pas et ne le fera pas.

Seven soupire.

– D'accord. Chris, toi tu restes là.

– Certainement pas ! Je vais pas rester ici tout seul !

On sort tous les trois. De la musique nous arrive de l'arrière de la maison, avec de temps en temps des éclats de rire et des cris. Une paire de baskets montantes grises pend par les lacets à la ligne électrique devant la maison, annonçant à tous ceux qui connaissent le code, qu'ici on vend de la drogue.

Seven monte les marches quatre à quatre et pousse la porte d'un geste brusque.

– Kenya !

Comparé à l'extérieur, l'intérieur est classe comme un hôtel cinq étoiles. Ils ont un putain de lustre dans le salon et des canapés en cuir flambant neufs. Un écran plat occupe tout un pan de mur et un poisson tropical nage dans un aquarium sur le mur opposé. La définition même de « friqué du ghetto ».

– Kenya, répète Seven en avançant dans le couloir.

De l'entrée, je vois la porte du fond. Un bon paquet de King Lords dansent avec des femmes dans le jardin. Assis au milieu sur un fauteuil à dossier haut – son trône –, King fume un cigare. Le cul posé sur un accoudoir, Iesha danse avec les épaules, un gobelet à la main. À travers la porte moustiquaire, je peux voir dehors sans qu'eux puissent sans doute voir dedans.

Kenya sort la tête d'une chambre qui donne sur le couloir.

– Je suis là.

DeVante est allongé au pied du lit King Size, en position fœtale. Du sang qui goutte de son nez et de sa bouche tache la luxueuse moquette blanche. Il y a une serviette à côté de lui, mais il ne va rien en faire. Il a un coquart à un œil. Il gémit en se tenant les côtes.

Seven regarde Chris.

– Aide-moi à le relever.

Chris est tout pâle.

– Peut-être qu'on devrait appeler…

– Mec, allez !

Chris avance un peu et ils joignent leurs forces pour asseoir DeVante contre le lit. Il a le nez gonflé et contusionné et une sale entaille à la lèvre supérieure.

Chris lui tend la serviette.

– Il s'est passé quoi, gros ?

– J'ai foncé dans le poing de King, tu crois quoi ? Ils m'ont explosé la tronche !

– J'ai pas pu les empêcher, raconte Kenya qui parle du nez comme si elle avait pleuré. Je suis tellement désolée, DeVante.

– C'est pas ta faute, répond-il. Ça va, toi ?

Elle renifle et s'essuie le nez avec son bras.

– Ça va. Moi, il m'a juste poussée.

Tout d'un coup, Seven voit rouge.

– Qui t'a poussée ?

– Elle a essayé de les empêcher de me foutre sur la gueule, dit DeVante. King s'est vénère et l'a poussée hors de…

Seven part vers la porte d'un pas décidé. Je l'attrape par le bras, les pieds bien plantés dans la moquette pour l'empêcher d'avancer, mais il finit par m'entraîner avec lui. Kenya l'attrape par l'autre bras. Là, tout de suite, c'est *notre* frère, pas juste le mien ou le sien.

– Seven, non, je dis.

Il essaie de se dégager mais on n'a pas l'intention de lâcher.

– Si tu vas là-bas, t'es mort.

Il a la mâchoire serrée, les épaules tendues. Il fixe la porte, les yeux plissés.

– Lâchez. Moi.

– Seven, je vais bien, promis, dit Kenya. Mais Starr a raison. Il faut qu'on emmène DeVante loin d'ici avant qu'ils le tuent. Ils attendent juste que la nuit tombe.

– Il a levé la main sur toi, rugit Seven. J'ai dit que je le laisserais pas faire.

– On sait, je lui dis, mais s'il te plaît, ne va pas là-bas… s'il te plaît.

Je déteste l'arrêter comme ça, je le jure, parce que j'ai vraiment envie que quelqu'un mette une bonne raclée à King. Mais pas Seven. Impossible. Je ne peux pas le perdre lui aussi. Sinon, je ne serai plus jamais normale.

Quand il finit par se dégager, je ne ressens pas la douleur qui devrait normalement accompagner son geste. Je comprends sa frustration comme si c'était la mienne.

La porte de derrière grince puis claque.

Merde.

On se fige. Des bruits de talons contre le sol, qui se rapprochent. Iesha apparaît dans l'encadrement de la porte.

Personne ne parle.

Elle nous fixe, en buvant de petites gorgées dans son gobelet en plastique rouge. Elle prend tout son temps pour parler, la lèvre légèrement retroussée, comme si notre peur la faisait kiffer.

Tout en croquant dans un glaçon, elle se tourne vers Chris et dit :

– C'est qui ce petit Blanc que vous avez ramené chez moi ?

Elle pose les yeux sur moi, avec un sourire narquois.

– Je parie qu'il est à toi, pas vrai ? C'est ça qui se passe quand on va dans les écoles de Blancs.

Elle s'appuie contre le chambranle de la porte. Ses bracelets en or tintent quand elle porte de nouveau le gobelet à ses lèvres.

– J'aurais payé cher pour voir la tronche à Maverick le jour où tu l'as ramené à la maison, celui-là. Ça m'étonne même que Seven ait choisi une Noire !

En entendant son nom, Seven émerge de sa transe.

– Tu peux nous aider ?

– Vous aider ? répète-t-elle en riant. Quoi ? Avec DeVante ? Je ressemblerais à quoi si je l'aidais ?

– Maman…

– Ah tiens, « maman » maintenant ? Il est passé où le « Iesha » de l'autre jour ? Hein, Seven ? Tu vois, bébé, tu comprends pas comment ça marche. Laisse-moi t'expliquer un petit truc, d'accord ? En volant King, DeVante méritait sa branlée. Il l'a eue. Tous ceux qui l'aident cherchent à prendre la même et ils feraient mieux d'être prêts à l'encaisser.

Elle me regarde.

– Et ça marche aussi pour les balances.

Il suffirait qu'elle appelle King…

Elle pose un court instant le regard sur la porte de derrière. La musique et les rires emplissent l'atmosphère.

– Vous savez quoi ? dit-elle en se retournant vers nous. Vous feriez bien de faire dégager DeVante de ma chambre. Surtout qu'il pisse le sang sur ma moquette ! Et vous avez eu le culot de me piquer une serviette, en plus ? Foutez-les-moi dehors, d'ailleurs, lui et cette petite balance.

– Quoi ? fait Seven.

– T'es sourd en plus ? dit-elle. J'ai dit, fous-les dehors. Et embarque aussi tes sœurs.

– Pourquoi ? dit Seven.

– Parce que je te le demande ! Emmène-le chez ta grand-mère ou ailleurs, je m'en fous. Je veux plus les voir. J'essaie de faire la fête, moi.

Comme personne ne bouge, elle dit :

– Barrez-vous !

– Je vais chercher Lyric, dit Kenya avant de sortir de la pièce.

Chris et Seven prennent chacun DeVante par une main et le relèvent. DeVante grimace et jure non-stop. Une fois sur ses deux pieds, il se penche en se tenant le flanc, puis se redresse lentement et prend plusieurs grandes inspirations.

– Je vais bien, dit-il avec un hochement du menton. J'ai juste mal partout.

– Magnez-vous, fait Iesha. Bordel. J'en ai marre de voir vos tronches.

Seven lui dit tout ce qu'il a à lui dire en un seul regard.

DeVante insiste pour marcher seul, mais Seven et Chris lui offrent quand même leur épaule. Kenya est déjà à la porte d'entrée, Lyric juchée sur sa hanche. Je leur tiens la porte ouverte sans quitter l'arrière de la maison des yeux.

Merde. King se lève de son trône.

Iesha sort par la porte de derrière et lui cache la vue avant qu'il ait eu le temps de se relever complètement. Elle le prend par les épaules et le fait rasseoir, tout en lui murmurant quelque chose à l'oreille. Il se laisse retomber contre le dossier avec un grand sourire. Elle pivote sur ses talons et lui tourne le dos, histoire de lui offrir la vue qu'il a vraiment envie d'avoir, et elle se met à onduler. Il lui embrasse le cul. Elle regarde dans ma direction.

Je doute qu'elle puisse me voir, mais de toute façon, je ne crois pas que c'est moi qu'elle cherche. Les autres ont déjà tous filé à la voiture.

Et tout d'un coup, j'ai une illumination.

– Allez, Starr ! me lance Seven.

D'un bond, je saute de la véranda. Seven tient son siège relevé, le temps que Chris, ses sœurs et moi nous faufilions sur la banquette arrière. Puis il démarre.

– Faut qu'on t'emmène à l'hôpital, Vante, dit-il.

DeVante plaque la serviette contre son nez puis regarde le sang.

– Ça va aller, assure-t-il, comme si cette observation rapide pouvait tout lui dire en l'absence d'un médecin. On a du bol que Iesha nous ait aidés, mec. Sérieux.

Seven renifle bruyamment.

– Elle nous aidait pas. Quelqu'un se vide de son sang chez elle et le seul truc qui l'inquiète, c'est sa fête et sa moquette.

Mon frère est intelligent. Tellement intelligent qu'il en devient con. Sa mère lui a fait tellement de mal que même quand elle fait quelque chose de bien, il ne voit rien.

– Seven, elle nous a aidés pour de vrai, je dis. Réfléchis deux minutes. Pourquoi elle t'a demandé d'emmener aussi tes sœurs ?

– Parce qu'elle voulait pas être emmerdée. Comme d'hab.

– Non. Elle sait que King va péter un câble en voyant que DeVante s'est cassé, je dis. Si Kenya est pas là, ni Lyric, tu crois qu'il va s'en prendre à qui ?

Il ne répond rien. Puis :

– Merde !

Un grand coup de frein nous projette vers l'avant, puis sur le côté quand il fait brusquement demi-tour. Il appuie sur l'accélérateur à tel point que toutes les voitures autour de nous deviennent floues.

– Seven, non ! s'exclame Kenya. On peut pas y retourner !

– Je suis censé la protéger !

– Non, je lui dis. C'est elle qui est censée te protéger et c'est ce qu'elle essaie de faire.

Il ralentit. Et s'arrête à quelques maisons de chez Iesha.

– S'il… (Il déglutit). Si elle… Il la tuera.

– Non, dit Kenya. Elle a tenu bon jusqu'ici. Laisse-la faire, Seven.

Un morceau de Tupac à la radio emplit le silence. Il rappe sur ce qu'il veut changer. Khalil avait raison. Tupac est encore d'actualité.

– OK, dit Seven avant de rebrousser chemin. OK.

Le morceau se termine. « Vous êtes sur Hot 105, la radio où il fait chaud, lance l'animateur. L'information du jour si vous venez de nous rejoindre : le jury a décidé de ne pas inculper l'agent Brian Cruise Jr. dans la mort de Khalil Harris. Nos pensées et nos prières vont à la famille Harris. Soyez prudents, tout le monde. »

VINGT-TROIS

Personne ne parle dans la voiture qui nous emmène chez la grand-mère de Seven.

J'ai dit la vérité. J'ai fait tout ce que j'étais censée faire, et ça n'a pas suffi, putain. La mort de Khalil n'était pas assez horrible pour être considérée comme un crime.

Mais merde, et sa vie alors ? Avant, il marchait, il parlait, il était vivant. Il avait une famille. Des copains. Des rêves. Rien de tout ça n'a compté, putain. C'était juste un voyou qui méritait de mourir.

Autour de nous, ça klaxonne. Les conducteurs crient la décision au reste du quartier. Des jeunes d'à peu près mon âge juchés sur le toit d'une voiture, hurlent : « Justice pour Khalil ! »

Seven se faufile au milieu de tout ça et se gare devant chez sa grand-mère. D'abord il ne dit rien, il ne bouge pas. Et puis brusquement, il balance un grand coup de poing dans le volant.

– Putain !

DeVante secoue la tête.

– J'ai le seum.

– Putain ! répète Seven d'une voix rauque. Les mains sur les yeux, il se balance d'avant en arrière. Putain, putain, putain !

Moi aussi, j'ai envie de pleurer. Mais je n'y arrive pas.

– Je pige pas, dit Chris. Il a tué Khalil. Il devrait être en taule.

– Ils vont pas en taule, eux, marmonne Kenya.

Seven s'essuie rapidement le visage.

– Qu'ils aillent se faire foutre ! Starr, quoi que t'aies envie de faire, je te suis. Tu veux foutre le feu ? On foutra le feu.

– Mec, t'es dingue ou quoi ? dit Chris.

Seven se retourne.

– Toi, tu piges rien, toi, alors tais-toi. Starr, qu'est-ce que tu veux faire ?

Tout. N'importe quoi. Crier. Pleurer. Vomir. Frapper quelqu'un. Foutre le feu.

Ils m'ont donné la haine, et maintenant j'ai envie de foutre tout le monde en l'air.

– Je veux faire quelque chose, je dis. Sortir, gueuler, tout casser, je m'en fous…

– Tout casser ? répète Chris.

– Grave ! fait DeVante en frappant dans ma paume. C'est ce que j'aime entendre !

– Starr, réfléchis, dit Chris. Ça résoudra rien.

Je perds tout mon sang-froid.

– Parler non plus, ça n'a rien résolu ! J'ai fait tout comme il fallait et ça a fait aucune différence, putain ! On m'a menacée de mort, les flics ont harcelé ma famille, quelqu'un a tiré sur ma maison, et je sais pas quoi encore ! Et pour quoi, au final ? Une justice que Khalil n'obtiendra jamais ? Ils en ont rien à foutre de nos gueules. Alors moi non plus, j'en ai plus rien à foutre.

– Mais…

– J'ai pas besoin de ton accord, Chris, je dis, la gorge serrée. Essaie juste de comprendre ce que je ressens, d'accord ?

Il ouvre et ferme la bouche deux ou trois fois, comme s'il allait parler. Mais il ne dit rien.

Seven sort et fait basculer vers l'avant le dossier de son siège.

– Allez Lyric, viens. Et toi, Kenya, tu restes ici ou tu nous suis ?

– Je reste ici, dit Kenya, les yeux encore pleins de larmes. Au cas où maman viendrait.

Seven approuve vigoureusement de la tête.

– Bonne idée. Elle aura besoin de quelqu'un.

Lyric descend des genoux de Kenya et se précipite dans l'allée. Kenya hésite. Elle se retourne vers moi.

– Je suis désolée, Starr, dit-elle. Ça aurait pas dû se passer comme ça.

Elle rejoint Lyric et leur grand-mère les fait entrer.

Seven retourne derrière le volant.

– Chris, tu veux que je te raccompagne chez toi ?

– Je reste, répond-il avec un mouvement de tête qui donne l'impression qu'il vient de peser le pour et le contre et de trancher. Ouais : je reste.

– T'es sûr? demande DeVante. Ça va chauffer sévère là, dehors.

– Ouais, je suis sûr. (Il jette un regard dans ma direction.)

Je veux que tout le monde sache que cette décision, c'est n'importe quoi.

Il pose sa main sur le siège, paume vers le haut. Je mets la mienne par-dessus.

Seven démarre et sort de l'allée.

– Quelqu'un peut regarder sur Twitter pour savoir où ça se passe ?

– Ouais, dit DeVante en sortant son téléphone. Les gens vont vers Magnolia. Y'a déjà eu pas mal de trucs la dernière…

Il grimace et se serre le flanc.

– T'es sûr que *toi* tu veux venir, Vante ? demande Chris.

DeVante se redresse.

– Ouais, ça ira, t'inquiète. Le gang m'a mis grave plus cher le jour de mon initiation.

– Comment ils t'ont chopé, d'abord ? je demande.

– Oncle Carlos nous a dit que tu t'étais barré, renchérit Seven. Ça fait une trotte, à pied.

– Yo, grogne DeVante comme lui seul sait grogner. Je voulais aller voir Dalvin, d'accord ? J'ai pris le bus jusqu'au cimetière. Je supporte pas l'idée qu'il est tout seul dans le quartier. Je voulais pas le laisser comme ça, OK ?

J'essaie de ne pas penser à Khalil qui va rester seul à Garden Heights, maintenant que Mme Rosalie et Cameron partent vivre à New York chez Tammy, et que moi aussi je déménage.

– Bien sûr, je lui dis.

DeVante plaque la serviette contre son nez et sa lèvre. Le saignement a ralenti.

– Les mecs à King m'ont cueilli avant que j'aie pu

prendre le bus pour rentrer. J'ai cru que j'allais mourir. Sans déconner.

– Ben, je suis content que ça soit pas le cas, dit Chris. Ça me donne un peu plus de temps pour te mettre la pâtée sur Madden.

DeVante a un petit sourire en coin.

– Yo, babtou, tu crois que je vais laisser faire ça ? T'es barge ou quoi ?

Il y a autant de voitures qu'un samedi matin sur Magnolia Avenue et les dealers friment. Ils sont assis sur les portières des voitures ou debout sur les capots. Les basses font vibrer les enceintes, ça klaxonne. Les trottoirs aussi sont bondés. Des flammes lèchent le ciel dans l'air brumeux à l'horizon.

Je dis à Seven de se garer devant chez Juste la Justice. Les fenêtres sont barricadées, avec un « Propriétaire noir » peint à la bombe sur les planches. Mme Ofrah avait dit qu'ils organiseraient des manifs partout en ville si le grand jury ne faisait rien.

On rejoint le trottoir et on se met à marcher, sans destination particulière. Il y a plus de monde que ce que je croyais. La moitié du quartier doit être là. Je mets ma capuche et baisse la tête. Peu importe la décision du grand jury, je suis encore la « Starr qui était avec Khalil » et ce soir, je n'ai pas envie d'être vue. Juste entendue.

Il y en a quelques-uns qui jettent à Chris des regards qui disent « qu'est-ce qu'il fout là, ce Blanc ? ». Il fourre les mains dans ses poches.

– Je suis facile à repérer, on dirait, hein ? dit-il.

– T'es sûr que tu veux rester ? je lui demande.

– C'est un peu l'effet que ça vous fait à Seven et à toi quand vous êtes à Williamson, pas vrai ?

– Un peu, beaucoup, corrige Seven.

– Alors c'est bon, je vais gérer.

La foule est trop dense. À un arrêt de bus, on grimpe sur un banc pour mieux voir tout ce qui se passe. Des King Lords en bandanas gris et des Garden Disciples en bandanas verts scandent « Justice pour Khalil ! » debout sur une voiture de police. Les gens qui se sont massés autour enregistrent la scène avec leur téléphone et jettent des cailloux contre les vitres.

– Ce flic on l'encule ! gueule un type en brandissant une batte de base-ball. Il l'a buté sans raison !

Il envoie la batte dans la vitre côté passager et le verre explose.

Et c'est parti.

Les King Lords et les Garden Disciples piétinent le pare-brise. Puis quelqu'un crie : « On la retourne ! »

Les membres des gangs descendent d'un bond. Les gens s'alignent d'un côté de la voiture. Les gyrophares me rappellent ceux qui tournaient dans la nuit derrière Khalil et moi. Je les regarde disparaître quand la voiture bascule sur le toit.

Quelqu'un crie :

– Faites gaffe !

Un cocktail Molotov vole vers la voiture. Et *wouf* ! Il prend feu.

La foule lance des hourrahs.

On dit qu'un malheur n'arrive jamais seul, mais je crois que c'est pareil avec la colère. Je ne suis pas la seule à être hors de moi – c'est le cas de tout le monde ici. Ils n'avaient pas besoin d'être assis sur le siège passager quand ça s'est passé. Ma colère est la leur, et inversement.

Un bruit de vinyle qu'on scratche jaillit d'une voiture, puis Ice Cube lance « *Fuck the police, coming straight from the underground. A young nigga got it bad 'cause I'm brown.* » – Nique la police, je viens tout droit de l'underground. Je suis un jeune négro qui l'a mauvaise d'être marron.

On se croirait à un concert, vu la réaction des gens, qui rappent avec Ice Cube et sautent en rythme avec la musique. DeVante et Seven crient les paroles. Chris hoche le menton et marmonne. Il se tait chaque fois qu'Ice Cube dit « *nigga* ». Il fait bien.

Quand le refrain arrive, un « *Fuck the police* » collectif tonne dans Magnolia Avenue, sans doute assez fort pour monter jusqu'aux cieux.

Moi aussi, je le hurle. Quelque chose en moi se dit : « Et oncle Carlos ? C'est la police, lui aussi… » Mais ça n'a rien à voir avec lui ni avec ses collègues qui font bien leur boulot. C'est à Cent-Quinze que ça s'adresse, à ces inspecteurs et leurs questions à la con, et aussi à ces flics qui ont forcé papa à se mettre à plat ventre par terre. Qu'ils aillent tous se faire foutre !

Un bruit de verre brisé. J'arrête de rapper.

À un pâté de maisons d'ici, des gens jettent des pierres et des poubelles sur les vitrines du McDo et de la pharmacie voisine.

Un jour, j'ai eu une crise d'asthme très violente qui m'a conduite aux urgences. Mes parents et moi ne sommes pas sortis de l'hôpital avant le lendemain matin. Notre ventre criait famine. Maman et moi, on est allées dans ce McDo commander des hamburgers qu'on a mangés pendant que papa récupérait mes médicaments à côté.

La porte vitrée de la pharmacie explose en mille morceaux. Les gens se ruent à l'intérieur et en ressortent les bras chargés.

– Arrêtez ! je crie avec d'autres.

Mais les pilleurs continuent à affluer.

Quand une explosion, accompagnée d'une lueur orange, retentit à l'intérieur, tout le monde se rue vers la sortie.

– Putain de merde ! fait Chris.

En un rien de temps, l'immeuble est en flammes.

– Ouais ! encourage DeVante. Cramez-la, cette merde, putain !

Je pense à la tête que faisait papa le jour où M. Wyatt lui a tendu les clés de l'épicerie. À M. Reuben avec toutes ces photos sur ses murs, témoins de l'héritage qu'il a passé des années à bâtir. À Mme Yvette qui entre dans son salon tous les matins en bâillant et même à M. Lewis le casse-couilles avec ses coupes de cheveux qui défoncent.

La vitrine explose chez le prêteur sur gages dans la rue voisine. Puis dans un magasin de produits de beauté.

Des flammes en sortent et les gens poussent des hourrahs. Un nouveau cri de guerre est lancé :

« The roof, the roof, the roof is on fire ! We don't need no water, let that mothafucka burn ! » – Le toit, le toit, le toit est en feu ! On a pas besoin d'eau, qu'il brûle ce fils de pute !

Je suis aussi en colère qu'eux, mais ça… non, pas ça. Ça, ce n'est pas moi.

DeVante est juste là qui crie et chante avec eux. Du dos de la main, je lui donne un coup sur le bras.

– Quoi ? dit-il.

Chris me flanque un coup de coude.

– Eh, regardez…

Quelques pâtés de maisons plus loin, une rangée de flics en tenue anti-émeutes avance vers nous, suivie de près par deux camions blindés équipés de projecteurs.

– Ceci n'est pas un rassemblement pacifique, dit un agent dans un haut-parleur. Dispersez-vous ou vous serez en état d'arrestation.

Et de nouveau : *« Fuck the police ! Fuck the police ! »*

Des gens balancent des pierres et des bouteilles en verre sur les flics.

– Yo ! fait Seven.

– Pas de projectiles sur les forces de l'ordre, tonne la voix de l'agent. Évacuez la chaussée immédiatement ou vous serez en état d'arrestation.

Les jets de pierres et de bouteilles se poursuivent.

Seven descend de son banc d'un bond.

– Allez, dit-il au moment où Chris et moi descendons aussi. Faut qu'on se tire d'ici.

– *Fuck the police ! Fuck the police !* hurle toujours DeVante.

– Vante, mec, raboule ! dit Seven.

– J'ai pas peur d'eux ! Nique la police !

Un grand *pop* retentit. Un objet vole dans les airs, atterrit au milieu de la rue et explose en une boule de feu.

– Merde ! fait DeVante.

Il saute du banc et on se met à courir. Sur le trottoir, c'est la débandade. Les voitures s'éloignent en trombe. Derrière nous, on dirait le 4 Juillet, les *pop* s'enchaînent comme des pétards de feu d'artifice.

Il y a de la fumée partout. Encore du verre brisé. Les tirs se rapprochent et la fumée épaissit.

Le bureau du prêteur sur gages disparaît dans les flammes. Juste la Justice est épargné, par contre. Comme le centre de lavage auto, avec son « Propriétaire noir » peint à la bombe sur l'un des murs.

On monte en vitesse dans la Mustang de Seven. Il fonce vers la sortie située au fond de l'ancien parking du Paradis des Tacos, pour rejoindre la rue voisine.

– Putain, c'était quoi tout ça ? dit-il.

Chris s'enfonce dans son siège.

– Je sais pas, mais j'ai pas envie que ça recommence.

– Les négros en ont marre qu'on se foute de leur gueule, dit DeVante, hors d'haleine. Comme Starr disait, s'ils en ont rien à battre de nos gueules, alors nous non plus. Brûlez tout, putain !

– Mais c'est pas là qu'ils habitent ! s'exclame Seven. Les Blancs, ils en ont rien à cirer de ce qui peut arriver dans ce quartier.

– On est censés faire quoi, alors ? s'énerve DeVante. Chanter *Kumbaya* et leurs autres trucs de pacifistes, ça marche pas, c'est clair. Tant qu'on casse rien, ils écoutent rien.

– Mais ces magasins, quand même… je dis.

– Quoi ces magasins ? demande DeVante. Ma mère bossait

dans ce McDo et ils la payaient que dalle. Le prêteur sur gages, là, il nous a arnaqués des tonnes de fois. Nan, rien à battre.

Je comprends. Papa a failli perdre son alliance chez ce prêteur une fois. Il avait même menacé d'y mettre le feu. Plutôt marrant qu'il brûle maintenant, en fait.

Mais si les casseurs décident de ne pas tenir compte des pancartes indiquant que des Noirs sont propriétaires, ils risquent de s'en prendre à notre épicerie.

– Il faut qu'on aille aider papa, je dis.

– Quoi ? dit Seven.

– Il faut qu'on aille aider papa à protéger le magasin ! Au cas où des pilleurs se pointeraient.

Seven s'essuie le visage.

– Merde, t'as raison.

– Personne s'en prendra à Big Mav, dit DeVante.

– T'en sais rien, je réponds. Les gens sont vénères, DeVante. Ils réfléchissent pas, là. Ils agissent.

DeVante finit par acquiescer.

– OK, d'accord. On va aller aider Big Mav.

– Vous croyez qu'il acceptera que je vienne aussi en renfort ? demande Chris. Il a pas eu l'air de m'apprécier beaucoup la dernière fois.

– Pas *l'air* de t'apprécier ? répète DeVante. T'as vu comment il te regardait mal ? Il voulait carrément t'intimider. J'étais là. Je me souviens.

Seven ricane. Je donne une grande tape à DeVante.

– Chut, je lui dis.

– Quoi ? C'est pas des conneries, si ? Ça l'a mis grave vénère que Chris soit blanc. Mais tu sais quoi ? Chante un peu de NWA comme tu viens de faire et peut-être qu'il changera d'avis sur toi.

– Un Blanc qui connaît les NWA ? Ça te troue le cul, ça, hein ? le taquine Chris.

– T'es pas blanc, mec. T'es noir à peau claire.

– Tout à fait d'accord ! je dis.

– Attendez, attendez, dit Seven alors qu'on est tous en train de rire. Faut qu'on le teste pour voir s'il est vraiment noir. Chris, tu manges de la fricassée de haricots verts ?

– T'es pas sérieux là. C'est dégueulasse, ce truc.

On est encore plus pliés de rire.

– Il est noir ! Il est noir !

– Attendez, encore une, je dis. Les macaronis au fromage : repas complet ou accompagnement ?

– Euh…

Chris passe rapidement d'un visage à l'autre.

DeVante imite la musique du jeu Jeopardy.

– Trois cents points et votre certificat de Noir à la clé, cher ami, dit Seven avec une voix d'animateur télé.

Chris finit par répondre.

– Repas complet.

– Naaan ! on grogne alors tous en chœur.

– Poh poh poh ! renchérit DeVante.

– Pourtant c'est vrai, se défend Chris. Réfléchissez un peu : vous avez vos protéines, votre calcium…

– Yo, les protéines, c'est dans la viande, dit DeVante. Pas dans le fromage, gros. J'aimerais bien que quelqu'un me donne des macaronis en me disant que j'ai besoin de rien bouffer d'autre !

– Ben c'est le repas complet le plus simple et le plus facile de la terre, dit Chris. T'ouvres ton sachet et t'es…

– C'est bien le problème, je le coupe. Les vrais macaronis au fromage sortent pas tout prêts d'un sachet. Ça sort d'un four avec une jolie croûte frémissante sur le dessus.

– Graaave ! fait Seven en frappant son poing contre le mien.

– Ah, dit Chris. Tu parles de ceux vendus avec de la chapelure ?

– Quoi ?! s'offusque DeVante.

Puis Seven ajoute :

– De la cha-pe-lu-re ?

– Non, j'explique à Chris. Je veux dire qu'il y a une couche de fromage grillé sur le dessus. Va falloir qu'on t'emmène dans un restaurant de *Soul Food*, bébé. Pour que tu goûtes les vrais plats afro.

– Il a parlé de chapelure, ce crétin, gémit DeVante qui a l'air vexé pour de vrai. Des miettes de pain, putain !

La voiture s'arrête. Un panneau « route barrée » est dressé face à nous sur la chaussée, devant une voiture de police.

– Merde, dit Seven en reculant pour faire demi-tour. Va falloir qu'on trouve un autre chemin pour arriver au magasin.

– Ils ont dû installer des barrages partout autour du quartier ce soir, je lui dis.

– Des miettes de pain, putain…

DeVante ne s'en remet décidément pas.

– Je pige rien aux babtous, je te jure. Ils mettent des miettes de pain sur les macaronis, ils embrassent les clébards sur la bouche…

– Ils traitent leurs chiens comme si c'étaient leurs gosses, j'ajoute.

– Ouais ! fait DeVante. Et ils font exprès des trucs qui pourraient les tuer, comme du saut à l'élastique.

– Ils disent McDonald's en entier au lieu de juste McDo, comme si ça allait en faire un truc plus chic, dit Seven.

– Putain, marmonne Chris. C'est ce que fait ma mère.

Seven et moi éclatons de rire.

– Ils disent des trucs débiles à leurs parents, continue DeVante. Ils se séparent dans des situations où ils feraient clairement mieux de rester ensemble.

– Hein ? fait Chris.

– C'est vrai, bébé, je dis. Les Blancs veulent toujours se séparer et quand ils le font, y'a toujours un truc qui tourne mal.

– Juste dans les films d'horreur, objecte-t-il.

– Nan ! Y'a toujours des histoires comme asse aux infos, dit DeVante. Ils vont faire de la randonnée, ils se séparent et y'en a un qui se fait bouffer par un ours.

– Leur voiture tombe en rade, ils se séparent pour aller chercher de l'aide et un des deux croise un tueur en série, ajoute Seven.

– Et genre, vous avez jamais entendu que les nombres avaient un pouvoir ? demande DeVante. Pour de vrai, quoi !

– OK, d'accord, dit Chris. Puisque vous voulez jouer à ça, je peux vous poser une question sur les Noirs ?

Oups. Sans mentir, on se retourne tous les trois vers lui en même temps, Seven inclus. La voiture fait une embardée, va racler contre la margelle du trottoir. Seven laisse échapper un juron et rectifie la trajectoire.

– C'est la moindre des choses quand même, non ? marmonne Chris.

– Il a raison, les mecs, je dis. Il devrait avoir le droit.

– OK, fait Seven. Vas-y Chris, pose ta question.

– D'accord. Pourquoi certains Noirs donnent à leurs gamins des prénoms bizarres ? Regardez vos noms, les gars, je veux dire. Ils sont pas normaux.

– Il est normal, mon nom ! proteste DeVante, très sûr de lui. Je sais pas de quoi vous parlez.

– Tu portes le nom d'un des mecs des Jodeci, mon pote, remarque Seven.

– Et toi, t'es un nombre. C'est quoi ton deuxième prénom ? *Eight* ?

– Ouais, bon, bref. Chris, dit Seven. DeVante a pas tort. Pourquoi son nom ou nos noms seraient moins normaux que le tien ? C'est qui et c'est quoi qui définit la normalité pour toi ? Si mon père était là, il dirait que t'es tombé dans le piège des standards blancs.

Le rouge monte aux joues de Chris.

– Je voulais pas dire… d'accord, « normal », c'est peut-être pas le bon terme.

– Non, en effet, je lui dis.

– Plutôt « pas communs » alors ? Vous avez des noms pas communs, les gars.

– Pourtant, je connais à peu près trois autres DeVante dans le quartier, dit DeVante.

– Ouais. C'est une question de perspective, dit Seven. En plus, la plupart des prénoms que les Blancs trouvent insolites ont un sens dans différentes langues africaines.

– Bon, faut être réaliste, c'est vrai qu'il y a des gens qui donnent des noms « pas communs » à leurs enfants, je dis. Ce n'est pas limité aux Noirs. Et ce n'est pas parce qu'ils ne commencent pas par « De » ou « La » qu'ils sont « communs ».

Chris acquiesce d'un signe de tête.

– Pas faux.

– Sauf que pourquoi t'as pris « De » comme exemple, alors ? demande DeVante.

La voiture s'arrête. Encore un barrage.

– Merde, siffle Seven. Faut je fasse le détour par l'East Side.

– L'East Side ? fait DeVante. Mais c'est chez les Garden Disciples, ça !

– Et c'est là qu'il y a eu le plus d'émeutes la dernière fois, je leur rappelle.

Chris secoue la tête.

– Alors non, je peux pas aller là-bas, moi.

– Personne ne pense aux gangs ce soir, dit Seven. Et tant que je reste à distance des rues principales, il nous arrivera rien.

Des coups de feu retentissent pas loin – pas assez loin – qui nous font tous sursauter. Chris laisse carrément échapper un glapissement.

Seven déglutit et répète :

– Il nous arrivera rien.

VINGT-QUATRE

Comme Seven a dit qu'il ne nous arriverait rien, tout tourne mal.

La plupart des itinéraires pour traverser l'East Side sont bloqués par la police, et Seven met un temps fou pour en trouver un qui ne l'est pas. À peu près à mi-chemin, le moteur se met à toussoter et la voiture ralentit.

– Allez ! l'encourage-t-il en caressant le tableau de bord et en appuyant sur l'accélérateur. Allez, bébé, avance.

Mais son bébé lui répond plus ou moins « Va te faire » et s'arrête.

Et merde !

Seven pose la tête sur le volant.

– On a plus d'essence.

– Tu déconnes, hein dit ? dit Chris.

– J'aimerais bien, mec. Il en restait pas bezef quand on est partis de chez toi, mais je croyais que ça pouvait attendre un peu. Je connais ma bagnole.

– Visiblement, non, je remarque.

On est arrêtés dans une rue de maisons mitoyennes à un étage. Je ne sais pas laquelle, je ne connais pas assez l'East Side. Des sirènes retentissent, et l'air est aussi brumeux et chargé de fumée que dans le reste du quartier.

– Il y a une station-service pas très loin, dit Seven. Chris, tu m'aides à pousser ?

– « Chris, tu descends à découvert et tu m'aides à pousser », c'est ça que tu veux dire ?

– Ouais, c'est ça. Ça craint rien, t'inquiète, dit Seven en sortant de la voiture.

– Ouais, c'est déjà ce que t'as dit tout à l'heure, marmonne Chris qui descend quand même.

– Je peux pousser aussi, dit DeVante.

– Non, mec. Toi, faut que tu restes tranquille, lui répond Seven. Starr, prends le volant.

C'est la première fois qu'il laisse quelqu'un conduire son « bébé ». Il me demande de mettre la voiture au point mort et de la guider avec le volant. Il pousse à côté de moi et Chris, qui n'arrête pas de regarder derrière lui, côté passager.

Les sirènes se rapprochent et la fumée devient plus épaisse. Seven et Chris toussent et fourrent le nez dans leur tee-shirt. Un pick-up bourré de monde et de matelas passe en trombe à côté de nous.

On arrive en haut d'une légère descente. Seven et Chris se mettent à trotter pour se caler sur la vitesse de la voiture.

– Doucement, doucement ! crie Seven.

J'appuie sur la pédale de frein. La voiture s'arrête en bas.

Seven tousse dans son tee-shirt.

– Attendez. Laissez-moi une minute.

Je tire sur le frein à main. Plié en deux, les mains sur les genoux, Chris essaie de reprendre haleine.

– Cette fumée me tue, crache-t-il.

Seven se redresse et expire lentement par la bouche.

– Merde, on arrivera plus vite à la pompe si on laisse la voiture là. On n'arrivera pas à la pousser si longtemps juste à deux.

Quoi ? Moi, je bouge pas d'ici !

– Moi aussi, je peux pousser, je dis.

– Je sais, Starr. Mais on ira de toute façon plus vite sans elle. En même temps, j'ai pas du tout envie de la laisser là…

– Et si on se séparait ? propose Chris. Deux restent ici et deux vont chercher de l'essence – tout à fait le truc de Blancs dont vous parliez tout à l'heure, pas vrai ?

– Oui ! on lui confirme tous en chœur.

– Ah ah, tu vois ! fait DeVante.

Seven croise les mains et les pose sur ses dreads.

– *Putain, putain, putain*. Faut qu'on la laisse.

Je prends les clés sur le contact pendant qu'il va récupérer un jerrican dans le coffre. Il caresse la voiture et lui murmure quelque chose. Il lui dit qu'il l'aime, je crois, et lui promet de revenir. Mon Dieu !

On se met tous les quatre en route sur le trottoir, le tee-shirt sur le nez. DeVante boite mais nous jure qu'il va bien.

Une voix au loin dit quelque chose que je n'arrive pas

à entendre et une clameur s'élève en réponse, comme s'il y avait une foule.

Chris et moi marchons derrière les deux autres. Son bras me frôle – comme s'il essayait de me prendre la main en loucedé. Je le laisse faire.

– Donc, c'est ici que t'habitais, avant ?

J'avais oublié que c'était son premier jour à Garden Heights.

– Ouais, non, pas de ce côté du quartier. Je suis de l'ouest.

– West Siiiide ! lance fièrement Seven pendant que DeVante fait un W avec ses doigts. Les meilleurs !

– Sur la tête de ma mère ! ajoute DeVante.

Je lève les yeux au ciel. Ils en font trop, sérieux, avec leur guéguerre West side East side.

– T'as vu ces gros immeubles qu'on vient de longer ?(Chris acquiesce d'un signe de tête.) C'est la cité où j'habitais quand j'étais petite.

– Et cet endroit où on s'est garés, c'était le Paradis des Tacos ou ton père vous emmenait Seven et toi ?

– Ouais. Ils en ont ouvert un neuf plus près de l'autoroute il y a quelques années.

– Peut-être qu'on pourra y aller ensemble un de ces jours, dit-il.

– Yo, gros, fait DeVante en s'incrustant dans la conversation, s'il te plaît me dis pas que tu penses à emmener ta copine au Paradis des Tacos pour une petite soirée romantique. Le Paradis des Tacos ?! Sérieux ?

Seven est mort de rire.

– Pardon mais on vous a causé à vous deux ? je demande.

– Eh, t'es ma pote, j'essaie juste de t'aider, dit DeVante. Il a aucune classe ton keum.

– Tu rigoles ! dit Chris. Je dis juste à ma copine que je suis content d'être avec elle n'importe où, dans n'importe quel quartier. Tant qu'elle est là, tout me va.

Il me sourit sans desserrer les lèvres et j'en fais autant.

– Pff ! Ouais mais c'est quand même le Paradis des Tacos, dit DeVante. Et à la fin de la soirée, ça sera l'Enfer des Tacos, tellement t'auras le bide en vrac, mon poto.

La voix est un peu plus forte, maintenant, mais pas encore distincte. On croise un homme et une femme en train de courir en poussant des caddies pleins de téléviseurs à écran plat.

– Ils sont déchaînés là-bas, commente DeVante avec un gloussement.

La douleur l'oblige encore à se tenir le flanc.

– King y est allé à coups de pompes, pas vrai ? dit Seven. Avec ses grosses Timberland ?

DeVante confirme avec un long soupir :

– Ouais, il avait déjà fait ça à ma reum, une fois. Il lui avait cassé presque toutes les côtes.

Un rottweiler dans une cour clôturée tire sur sa laisse en aboyant. Je fais claquer ma semelle contre le trottoir pour qu'il recule.

– Elle va bien, dit Seven, même si on dirait qu'il essaie de s'en convaincre lui-même. Ouais, elle va bien.

Quelques mètres plus loin, des gens massés au carrefour regardent ce qui se passe dans une rue adjacente.

– Évacuez la chaussée immédiatement, annonce une voix dans un haut-parleur. Vous bloquez la circulation illégalement.

– Une brosse, pas un flingue ! Une brosse, pas un flingue ! scande une voix dans un autre haut-parleur.

Le slogan est repris par la foule.

Nous arrivons au carrefour. Un bus scolaire rouge, vert et jaune, le côté orné d'un grand « Juste la Justice », est garé dans la rue sur notre droite. Une foule importante s'est rassemblée dans la rue de gauche. Ils brandissent des brosses à cheveux noires au-dessus de leurs têtes.

Les manifestants sont rassemblés dans Carnation Street, là où ça s'est passé.

Je n'y étais pas retournée. Savoir que c'est là que Khalil est… Je fixe l'endroit à tel point que la foule disparaît. Je le vois étendu, dans la rue. Toute la scène se déroule de nouveau sous mes yeux comme la rediffusion d'un film d'horreur. Il me regarde une dernière fois et…

– Une brosse, pas un flingue !

La voix me ramène sur terre.

Devant la foule, une femme avec des tresses vanille est debout sur le toit d'une voiture de police, armée d'un mégaphone. Elle se tourne vers nous, le poing levé façon *black power*, un Khalil souriant sur son tee-shirt.

– C'est pas ton avocate, Starr ? demande Seven.

– Si.

Je savais que Mme Ofrah était révolutionnaire, mais quand on pense « avocat », on ne pense pas vraiment « individu se tenant sur une voiture de flics avec un mégaphone », vous voyez ?

– Dispersez-vous immédiatement, répète l'agent.

Avec la foule, je ne le vois pas.

Mme Ofrah relance le slogan.

– Une brosse, pas un flingue ! Une brosse, pas un flingue !

C'est contagieux et ça se répand partout autour de nous. Seven, DeVante et Chris le scandent à leur tour.

– Une brosse, pas un flingue, je marmonne.

Khalil laisse tomber la brosse dans la portière.

– Une brosse, pas un flingue.

Il ouvre la portière pour demander si je vais bien.

Pow… pow…

– Une brosse, pas un flingue ! je crie aussi fort que je peux, le poing haut dans les airs, des larmes plein les yeux.

– Je voudrais inviter Sister Freeman à venir nous parler de l'injustice qui a eu lieu ce soir, dit Mme Ofrah.

Elle tend le mégaphone à une femme qui porte elle aussi un tee-shirt à l'effigie de Khalil, avant de sauter au sol. La foule s'écarte pour la laisser passer et Mme Ofrah se dirige vers un collègue à côté du bus stationné au carrefour. Puis elle marque un temps d'arrêt pour s'assurer que c'est bien moi.

– Starr ? dit-elle en s'approchant. Qu'est-ce que tu fais là ?

– On… je… Quand ils ont annoncé la décision, je voulais faire quelque chose. Alors on est venus dans le quartier.

Son regard se pose sur DeVante amoché.

– Oh mon Dieu, tu t'es retrouvé coincé dans les émeutes ?

DeVante se touche le visage.

– J'ai une sale gueule à ce point ?

– Ça n'a rien à voir, je dis à Mme Ofrah. Mais on s'est bien retrouvés coincés dans les émeutes de Magnolia Avenue. C'est la folie, là-bas. Les pillards ont pris le dessus.

Mme Ofrah se pince les lèvres.

– Oui, j'ai entendu dire ça.

– Juste La Justice n'avait pas été touché quand on est partis, dit Seven.

– Même dans le cas contraire, ce ne serait pas grave, répond-elle. On peut démolir des briques et du bois, mais pas un mouvement. Ta mère sait que tu es là, Starr ?

– Ouais.

Le ton ne me convainc même pas moi.

– C'est vrai ?

– Bon d'accord… Non elle sait pas. Lui dites rien, s'il vous plaît.

– Je ne vais pas avoir le choix, dit-elle. Je suis ton avocate, je dois faire ce qui est dans ton intérêt. Et il est dans ton intérêt que ta mère sache que tu es là.

Non, parce qu'elle me tuera.

– Ouais, mais vous êtes mon avocate à moi, pas la sienne. Ça ne peut pas être un truc de secret professionnel ?

– Starr…

– S'il vous plaît ? Pendant les autres manifs, j'ai regardé. Après j'ai parlé. Et maintenant, je veux agir.

– Qui a dit que parler, ce n'était pas déjà agir ? dit-elle. C'est plus productif que le silence. Tu te souviens de ce que je t'ai dit sur ta voix ?

– Que c'était ma plus belle arme.

– Et j'étais sérieuse.

Elle me fixe une seconde puis soupire par le nez.

– Tu veux combattre le système ce soir ?

Je fais signe que oui.

– Alors, allons-y.

Mme Ofrah me prend la main et m'emmène à travers la foule.

– Vire-moi, dit-elle.

– Hein ?

– Dis-moi que tu ne veux plus que je te représente.

– Je ne veux plus que vous me représentiez ?

– Bien. À partir de maintenant, je ne suis plus ton avocate. Donc si tes parents l'apprennent, je ne l'ai pas fait en tant qu'avocate mais en tant que militante. Tu as vu ce bus près du carrefour ?

– Ouais.

– Si la police bouge, fonce là-bas, d'accord ?

– Mais…

Elle m'emmène jusqu'à la voiture sur laquelle elle était et fait signe à sa collègue. Une fois descendue, la femme tend le mégaphone à Mme Ofrah qui me le met entre les mains.

– Sers-toi de ton arme, dit-elle.

Un autre de ses collègues me soulève et me pose sur le toit de la voiture.

À moins de deux mètres, un autel à la mémoire de Khalil est dressé au milieu de la rue : bougies, peluches, photos, ballons de baudruche. Il sépare les manifestants d'un groupe de policiers en tenues antiémeutes. Rien à voir avec le nombre de flics présents sur Magnolia Avenue, mais quand même… c'est des flics.

Je me tourne vers la foule. Tous me regardent avec impatience.

Le mégaphone pèse aussi lourd qu'un revolver. Quelle ironie, vu que Mme Ofrah m'a dit de me servir de mon arme. J'arrive à peine à le soulever. Merde, je ne sais absolument pas quoi dire. Je le place à hauteur de ma bouche et appuie sur le bouton.

– Je…

Un grand bruit s'en échappe, à déchirer les tympans.

– N'aie pas peur ! crie quelqu'un. Parle !

– Évacuez la chaussée immédiatement ! dit le flic.

Et puis merde !

– Je m'appelle Starr. C'est moi le témoin de ce qui est arrivé à Khalil, je dis dans le mégaphone. Et ce n'était pas juste.

J'ai droit à des « ouais » et des « amen ».

– On ne faisait rien de mal. L'agent Cruise est non seulement parti du principe qu'on manigançait quelque chose, mais en plus il nous a pris pour des criminels. Alors que le criminel, c'est lui.

La foule m'acclame et applaudit. Mme Ofrah m'encourage :

– Vas-y, parle !

Je suis gonflée à bloc.

Je me tourne vers les flics.

– J'en ai marre de tout ça ! Vous pensez qu'on est tous mauvais à cause de quelques-uns et nous on pense la même chose de vous. Tant que vous ne nous donnerez pas de raisons de voir les choses autrement, on ne se taira pas.

Encore des hourras, et je ne vais pas mentir, ça me donne

des ailes. Je ne suis pas une excitée de la gâchette… mais « excitée du mégaphone », en revanche, ça me va plutôt bien.

– Tout le monde veut parler de la façon dont Khalil est mort, je crie. Mais ce n'est pas le sujet. Le sujet, c'est qu'il a vécu. Que sa vie comptait. Khalil vivait !

Je pose de nouveau les yeux sur les flics.

– Vous m'entendez ? Khalil vivait !

– Vous avez trois secondes pour vous disperser, dit l'agent dans le haut-parleur.

– Khalil vivait ! on scande.

– Un.

– Khalil vivait !

– Deux.

– Khalil vivait !

– Trois.

– Khalil vivait !

La grenade lacrymogène vole vers nous. Elle atterrit à côté de la voiture sur laquelle je me trouve.

Je saute à terre et la ramasse. De la fumée en sort en chuintant. Dans quelques secondes, elle va exploser.

Je hurle à pleins poumons, en espérant que Khalil m'entend, et je la renvoie vers les flics. Elle explose et les fait disparaître dans un nuage de gaz.

Puis tout part en vrille.

Les flics chargent, piétinant l'autel pour Khalil. Et la foule se met à courir. Quelqu'un m'attrape par le bras. Mme Ofrah.

– Au bus ! elle me crie.

J'ai parcouru plus ou moins la moitié du chemin quand Chris et Seven m'empoignent à leur tour.

– Allez ! dit Seven.

Et ils m'entraînent avec eux.

J'essaie de leur dire pour le bus, mais des explosions retentissent et une épaisse fumée blanche nous engloutit. Mon nez et ma gorge me brûlent comme si j'avais avalé du feu. C'est comme si des flammes me léchaient les yeux.

Quelque chose passe en chuintant au-dessus de notre tête, avant d'exploser devant nous. Encore plus de fumée.

– DeVante ! hurle Chris d'une voix rauque. DeVante !

On le trouve appuyé contre un réverbère qui clignote, en train de cracher ses poumons. Seven me lâche et l'attrape par le bras.

– Merde, gros ! Mes yeux ! Je peux pas respirer.

On se remet à courir. Chris me prend la main et serre aussi fort que moi. Il y a des cris et des détonations dans toutes les directions. Dans la fumée, je ne distingue plus rien, pas même le bus de Juste la Justice.

– Je peux pas courir. J'ai mal ! dit DeVante. Putain !

– Allez, mec, lui dit Seven en le tirant. Continue !

Des phares fendent soudain la fumée. Un pick-up gris sur des roues surdimensionnées. Il freine à notre hauteur. La vitre descend et mon cœur s'arrête, prêt à voir apparaître un flingue avec l'aimable participation d'un King Lord.

Mais c'est Goon, le King Lord de Cedar Grove avec la queue-de-cheval, qui nous regarde derrière son volant, un bandana gris sur le nez et la bouche.

– Montez ! il nous dit.

Deux mecs et une fille d'à peu près notre âge, des bandanas blancs sur le visage, nous aident à grimper. D'autres nous rejoignent, comme ce Blanc en costard accompagné d'un Latino avec une caméra à l'épaule. Bizarrement, il me semble avoir déjà vu le Blanc quelque part. Goon démarre.

DeVante est allongé dans la remorque du pick-up. Il se tient les yeux et se tord de douleur.

– Merde, putain ! Merde.

– Bri, donne-lui du lait, dit Goon à travers la vitre arrière.

Du lait ?

– On en a plus, tonton, répond la fille avec le bandana.

– Putain... siffle Goon. DeVante, attend.

J'ai des larmes plein les joues et le nez plein de morve. Mes yeux me brûlent tellement que je ne les sens presque plus.

Le véhicule ralentit.

– Allez chercher le petit pote, ordonne Goon.

Les deux mecs avec les bandanas attrapent un gamin dans la rue par les bras et le hissent dans le pick-up. Il a l'air d'avoir dans les treize ans. Il a le tee-shirt couvert de suie et lui aussi, il crache ses poumons.

À mon tour, je suis prise d'une quinte de toux. J'ai l'impression de hacher des braises chaque fois que je renifle. Le type en costard me tend son mouchoir humide.

– Ça soulage un peu, dit-il. Plaque-le sur ton nez et respire à travers le tissu.

Ça m'offre un peu d'air pur. Je le passe à Chris, qui fait pareil avant de le passer à Seven à côté de lui. Et ainsi de suite.

– Comme vous pouvez le constater, Jim, dit le type en fixant la caméra, beaucoup de jeunes sont dehors pour manifester ce soir, Noirs comme Blancs.

– Je suis le Blanc de service, c'est ça ? me marmonne Chris avant de se mettre à tousser.

Si ça ne faisait pas mal, j'en rirais.

– Il y a aussi des gens, comme ce chauffeur, qui sillonnent le quartier pour rendre service où ils le peuvent, continue le Blanc. Quel est votre nom, monsieur ?

Le Latino tourne la caméra vers Goon.

– *Nunya,* répond Goon.

– Merci, Nunya, de nous avoir acceptés à bord.

OK, le mec a encore quelques progès à faire en argot, on dirait. Wow, par contre, je viens de comprendre pourquoi j'avais l'impression de le connaître. Je l'ai déjà vu à la télé, Brian quelque chose.

– Cette jeune femme ici s'est exprimée tout à l'heure sans mâcher ses mots, dit-il.

La caméra pivote vers moi.

– Êtes-vous vraiment le témoin ?

Je confirme d'un signe de tête. Se cacher ne rime plus à rien désormais.

– Nous avons tous entendu votre discours, là-bas. Y a-t-il autre chose que vous aimeriez dire à nos téléspectateurs ?

– Ouais. Tout ça n'a pas de sens.

Je me remets à tousser. Il me fiche la paix.

Quand je n'ai pas les yeux fermés, je vois ce que mon quartier est devenu. Des camions blindés partout, des flics en tenues antiémeutes, de la fumée et encore de la fumée. Des magasins saccagés. L'éclairage public coupé. Seuls les incendies préservent du noir complet. Des gens sortent en courant du Walmart les bras chargés d'articles, comme des fourmis qui désertent la fourmilière. Les devantures des magasins épargnés sont protégées par des planches barrées d'un « Propriétaire noir » inscrit à la bombe.

Bientôt, nous tournons dans Marigold Avenue et, malgré le feu dans mes poumons, je respire. Notre épicerie a été épargnée. Des planches protègent la vitrine et affichent ce même « Propriétaire noir », comme du sang d'agneau protégeant de l'Ange de la Mort. La rue est plutôt calme. La seule vitrine cassée est celle du magasin d'alcool, qui n'a pas la pancarte protectrice.

Goon s'arrête devant notre magasin. Il sort, contourne le camion et vient aider tout le monde à descendre.

– Starr, Seven vous avez une clé ?

Je me tâte les poches et jette le jeu de clés de Seven à Goon. Il les essaie toutes jusqu'à ce qu'il trouve la bonne.

– Entrez là-dedans ! dit-il.

Tout le monde, le cameraman et le journaliste inclus, pénètre dans l'épicerie. Goon et l'un des types en bandana portent DeVante. Aucun signe de papa.

Je me laisse tomber à plat ventre par terre, en battant furieusement des paupières. Mes yeux me brûlent.

Goon installe DeVante sur le banc des vieux avant de se précipiter vers le frigo.

Il revient en courant avec un bidon de lait qu'il renverse sur le visage de DeVante. L'espace d'un instant, DeVante devient blanc. Il se met à tousser et à crachoter. Goon réitère son geste.

– Arrête ! gémit DeVante. Tu vas me noyer !

– Je parie que tes yeux te brûlent plus par contre, réplique Goon.

Moi aussi, du coup, je me rue vers les frigos, moitié en courant, moitié en rampant, pour aller m'en chercher un bidon. Je me le renverse sur le visage. Et en l'espace d'une seconde, le soulagement est là.

Tout le monde nous imite et le cameraman filme. Une femme plus âgée boit directement dans le bidon. Du lait se répand sur le sol et un jeune, sans doute un étudiant, s'allonge dedans la tête la première en suffoquant.

Quand ils se sentent mieux, les gens s'en vont. Goon attrape plusieurs briques et demande :

– On peut les emporter au cas où des gens dans la rue en auraient besoin ?

Seven fait signe que oui et en boit quelques gorgées.

– Merci, petit pote. Si je croise encore ton père, je lui dirai que vous êtes tous ici.

– Vous avez vu notre…

Je me mets à tousser et reprends une gorgée de lait, pour éteindre les flammes dans mes poumons.

– Vous avez vu notre père ?

– Ouais, y'a pas très longtemps. Il vous cherchait.

Oh merde.

– On peut vous accompagner, monsieur ? demande le journaliste. On aimerait voir un peu plus le quartier.

– Pas de problème, mon pote. Grimpez derrière.

Il se tourne vers la caméra et tord ses doigts pour former un K et L.

– Les Kings de Cedar Grove, bébé ! Haut les cœurs et la couronne ! Yo yo yo !

Le cri de ralliement des King Lords. Pas forcément la meilleure idée qu'ait eue Goon de montrer ça à la télé.

Ils nous laissent seuls au magasin. Seven, Chris et moi, assis dans la mare de lait, genoux collés contre la poitrine. DeVante sur le banc des vieux, jambes et bras ballants. En train de recracher du lait.

Seven sort son téléphone de sa poche.

– Merde, mon portable est mort. Starr, t'as le tien ?

– Ouais.

Ma boîte vocale explose et j'ai reçu trop de SMS, de maman pour la plupart.

J'écoute d'abord les messages vocaux. Ils commencent plutôt tranquilles par maman qui dit : « Starr, bébé, appelle-moi dès que tu as ce message, d'accord ? »

Mais bientôt, ça tourne en « Starr Amara, je sais que tu vois mes appels. Rappelle-moi. Ce n'est pas un jeu. »

Et l'escalade continue : « Laisse-moi te dire une chose. Tu as dépassé les bornes. Carlos et moi, on se met en route en ce moment même. Tu n'as plus qu'à prier qu'on ne te retrouve pas ! »

Et sur le dernier message, laissé il y a quelques minutes, maman me dit : « Oh tiens ! Pas le temps de me rappeler mais assez de temps pour les manifs, hein ? Maman m'a dit qu'elle t'avait vue en direct à la télé, en train de faire un discours et de jeter des grenades lacrymogènes sur la police ! Si tu ne me rappelles pas, je te jure que je vais te zigouiller ! »

– On est grave dans la merde, gros, dit DeVante. Grave dans la merde.

Seven jette un œil sur sa montre.

– Putain, ça va faire quatre heures qu'on s'est barrés.

– Grave dans la merde, répète DeVante.

– Peut-être qu'on peut tous les quatre se prendre un appart au Mexique ? suggère Chris.

Je secoue la tête.

– C'est pas assez loin de notre mère.

Seven se gratte le visage. En séchant, le lait a formé une croûte sur sa peau.

– Bon, faut qu'on les appelle, dit-il. Et si on appelle du bureau, maman reconnaîtra le numéro et verra qu'on ne ment pas quand on lui dira qu'on est là. Ça aidera, non ?

– C'est au moins trois heures trop tard pour qu'un truc puisse aider, je dis.

Seven se lève le premier et nous tend la main, à Chris et à moi. Il aide aussi DeVante à se relever du banc.

– Allez. Et faites bien gaffe d'avoir l'air pleins de remords, d'accord ?

On se dirige vers le bureau de papa.

La porte du magasin grince. Quelque chose heurte le sol avec un bruit sourd.

Je me retourne. Une bouteille avec un chiffon en flammes…

Wouf ! Le magasin est soudain noyé dans une lueur orange

vif. La chaleur s'engouffre partout, comme si le soleil venait de tomber à nos pieds. Des flammes s'élèvent jusqu'au plafond et bloquent la porte.

VINGT-CINQ

Toute une allée est déjà engloutie.

– La porte de derrière ! dit Seven en s'étranglant. La porte de derrière !

Chris et DeVante nous emboîtent le pas dans le couloir étroit à côté du bureau de papa. Il conduit aux toilettes et à l'accès livraisons. La fumée l'a déjà envahi.

Seven pousse la porte. Elle ne bouge pas. Chris et lui essaient de l'enfoncer à coups d'épaule, mais le verre est conçu pour résister aux balles, aux coups, à tout. Les barreaux anti-effraction vont de toute façon nous empêcher de sortir.

– Starr, mes clés, dit Seven d'une voix éraillée.

Je secoue la tête. Je les ai confiées à Goon et la dernière fois que je les ai vues, elles étaient sur la porte d'entrée.

DeVante tousse. Respirer est de plus en plus difficile avec toute la fumée.

– On peut pas mourir ici, mec. Je veux pas mourir, moi.

– Ferme-la ! lâche Chris. On va pas mourir.

Je tousse dans le creux de mon bras.

– Papa a peut-être un double, je dis d'une voix faible. Dans son bureau.

On rebrousse chemin et on fonce à son bureau. Mais cette porte-là aussi est verrouillée.

– Putain ! crie Seven.

M. Lewis s'avance en clopinant au milieu de la rue, une batte de base-ball dans chaque main. Il regarde autour de lui comme pour essayer de savoir d'où vient la fumée. Avec les planches sur la vitrine, il ne peut pas voir l'enfer qu'est devenu le magasin, sauf s'il jette un regard par la porte.

– M. Lewis, je crie, aussi fort que je peux.

Les garçons se joignent à moi. La fumée étrangle nos voix. Les flammes dansent à quelques dizaines de centimètres, mais juré, c'est comme si j'étais en plein milieu.

M. Lewis s'approche du magasin, sourcils froncés. Quand il nous voit à travers la porte de l'autre côté des flammes, il a l'air effaré.

– Seigneur Dieu !

Il se précipite dans la rue, je ne l'ai jamais vu marcher aussi vite.

– À l'aide ! Il y a des gamins coincés là ! À l'aide !

Un grand craquement retentit sur notre droite. Le feu emporte un autre rayonnage.

Le neveu de M. Reuben, Tim, accourt et ouvre la porte de devant, mais les flammes sont trop grandes.

– Allez derrière ! nous crie-t-il.

Tim y arrive presque avant nous. Il la tire de toutes ses forces, faisant trembler le verre. Vu l'ardeur qu'il y met, la porte finira par céder avec le temps. Mais on n'a pas le temps.

Des pneus crissent dehors.

En un battement de cils, papa est là, lui aussi.

– Attention, dit-il à Tim en l'écartant.

Papa attrape ses clés et en essaie plusieurs en marmonnant :

– Pitié, Seigneur, pitié.

Je vois à peine Seven, Chris ou DeVante, avec toute la fumée, alors qu'ils sont juste à côté, en train de tousser et de respirer bruyamment.

Un clic. La poignée tourne. Et brusquement, la porte s'ouvre. On se rue dehors. L'air m'emplit les poumons.

Papa nous attrape par le bras, Seven et moi, et nous tire par la ruelle jusque chez Reuben sur le trottoir d'en face. Tim se charge de DeVante et de Chris. Ils nous font asseoir sur le trottoir.

Un autre crissement de pneus. C'est maman.

– Oh mon Dieu ! s'écrie-t-elle.

Elle court vers nous. Oncle Carlos sur ses talons. Elle me prend par les épaules et m'aide à m'allonger sur le ciment.

– Respire, mon bébé, dit-elle. Respire.

Mais j'ai besoin de voir. Je m'assieds.

Papa se met à courir et essaie d'entrer dans l'épicerie pour je ne sais quelle raison. Les flammes le font aussitôt reculer. Tim sort du restaurant de son oncle avec un seau plein. Il se précipite dans notre magasin et jette l'eau sur les flammes, mais lui aussi est vite obligé de reculer.

Des gens se mettent à débarquer de partout avec des seaux remplis à ras bord qu'on vide dans le magasin. Mme Yvette en emmène un de son salon de beauté. Tim le jette sur les flammes qui s'attaquent déjà au toit. De la fumée sort par les fenêtres du salon de coiffure, à côté.

– Mon salon ! gémit M. Lewis.

Il veut y aller mais M. Reuben l'en empêche.

– Mon salon !

Debout au milieu de la rue, papa a du mal à respirer, il a l'air hagard. Il y a du monde dans la rue maintenant, qui contemple la scène, une main sur la bouche.

On entend des basses pas loin. Papa tourne lentement la tête.

King est adossé à la BMW grise garée au carrefour, près du magasin d'alcool. D'autres King Lords sont debout à côté de lui ou assis sur le capot. Ils nous montrent du doigt en rigolant.

King regarde fixement papa et sort son briquet. Il l'allume.

Iesha avait dit que King allait nous démolir parce que j'avais balancé. Ça incluait toute ma famille.

Et ben, on y est.

– Fils de pute !

Furieux, papa fonce vers King. Et les gars de King s'avancent vers papa. Oncle Carlos retient papa. Les King Lords posent la main sur leurs flingues et lui disent de s'amener. King se marre comme si c'était un sketch.

– Tu trouves ça drôle, connard ? crie papa. Toujours planqué derrière tes gars !

King ne se marre plus.

– Ouais, je l'ai dit ! J'ai pas peur de toi ! T'es rien ! Foutre le feu à des gamins, putain de lâche !

– Ouais, ouais, fait maman en s'avançant à son tour, si bien qu'oncle Carlos doit faire des heures sup pour les retenir tous les deux.

– Il a foutu le feu à l'épicerie de Maverick, annonce M. Lewis à tout le monde, au cas où on n'aurait pas entendu. King a foutu le feu à l'épicerie de Maverick !

L'information se répand dans la foule et tous les regards furieux se posent sur King.

Bien sûr, c'est à ce moment-là que les flics et les pompiers décident de faire leur apparition. Bien sûr. Parce que c'est comme ça que ça marche à Garden Heights.

Oncle Carlos convainc mes parents de reculer. King porte son cigare à ses lèvres, les yeux brillants de malice. J'ai envie de lui éclater la tête avec une des battes de M. Lewis.

Les pompiers se mettent au travail. Les flics ordonnent à la foule de reculer. Ce qui fait bien rire King et ses gars. Merde, c'est comme si les flics lui filaient un coup de main.

– Attrapez-les ! lance M. Lewis. C'est eux qui ont déclenché l'incendie !

– Ce vieil homme sait pas ce qu'il raconte, répond King. Toute cette fumée lui a embrumé le cerveau.

M. Lewis essaie de se ruer sur King mais un agent le retient.

– Chuis pas fou ! C'est toi qu'as mis le feu ! Tout le monde sait ça !

King grimace légèrement.

– Fais gaffe à ce que tu dis… c'est pas beau de mentir comme ça.

Papa jette un regard vers moi. Il a une expression que je ne lui ai jamais vue. Il se tourne vers l'agent qui retient M. Lewis et dit :

– Il ment pas. C'est King qu'a fait ça.

Putain de merde !

Papa a balancé.

– C'est mon épicerie, dit-il. Je sais que c'est lui le responsable.

– Vous l'avez vu faire ? demande le flic.

Non. Le problème est là. On sait tous que c'est King, mais si personne ne l'a vu…

– Moi, je l'ai vu, dit M. Reuben. C'est lui.

– Moi aussi, dit Tim.

– Et moi, ajoute Mme Yvette.

Merde, toute la foule se met à répéter cette même chose en désignant King et ses gars du doigt. Tout le monde balance, je veux dire. Les règles viennent de voler en éclats.

King se tourne vers sa portière, mais des policiers dégainent leur arme et lui ordonnent de se mettre à terre.

Une ambulance arrive. Maman leur explique qu'on a inhalé de la fumée. Je balance encore un peu plus en leur racontant ce qui est arrivé à DeVante, même si avec son œil au beurre noir, c'est évident qu'il a besoin d'aide. Ils nous laissent nous asseoir sur la margelle du trottoir et nous mettent des masques à oxygène. Je croyais que j'avais déjà pas mal récupéré, mais j'avais oublié à quel point l'air pur est agréable. Depuis que j'ai remis les pieds à Garden Heights, je n'ai respiré que de la fumée.

Ils examinent le flanc de DeVante. Il est violacé. Il va devoir passer une radio. Comme il refuse de monter dans l'ambulance, maman leur promet qu'elle le conduira elle-même à l'hôpital.

Je prends la main de Chris et pose la tête contre son épaule malgré nos masques à oxygène. Je ne vais pas prétendre que sa présence a adouci la soirée, ce serait un mensonge – franchement, rien n'aurait pu adoucir une soirée aussi pourrie – mais ce n'était pas plus mal qu'on ait traversé ça ensemble.

Mes parents viennent vers nous. Papa, les lèvres pincées, marmonne quelque chose à maman. Elle lui donne un petit coup de coude.

– Sois gentil, glisse-t-elle.

Elle s'assied entre Chris et Seven. Papa reste d'abord debout devant Chris et moi, comme s'il s'attendait à ce qu'on lui fasse une petite place.

– Maverick… lui fait maman d'un ton de reproche.

– Ça va, ça va.

Il s'assied de l'autre côté.

On regarde les pompiers éteindre l'incendie. Ça ne sert à rien cela dit : il ne reste plus que les murs.

Papa soupire et frotte son crâne chauve.

– Merde… Merde.

Mon cœur se serre. En vrai, c'est un membre de la famille qu'on perd. J'ai passé la plus grande partie de ma vie dans cette épicerie. Je décolle la tête de l'épaule de Chris et la pose sur celle de papa. Il passe le bras autour de moi et m'embrasse les cheveux. Je l'ai vu son petit air vainqueur, même s'il a déjà disparu. Mesquin.

– Attends. (Il recule.) Vous étiez passés où, bordel ?

– Oui, j'ai bien envie de le savoir, moi aussi, renchérit maman. À faire semblant de ne pas pouvoir répondre quand j'appelle ou quand j'envoie des messages !

Ils sont sérieux, là ? Seven et moi, on a failli mourir dans un incendie et ils nous engueulent parce qu'on ne les a pas appelés ? Je soulève mon masque.

– C'était une longue nuit, je dis.

– Ça, j'en doute pas, dit maman. On a une petite révolutionnaire dans la famille, on dirait, Maverick. Elle passe à la télé, en train de jeter du gaz lacrymo sur la police.

– Qu'ils nous avaient envoyé d'abord, je précise.

– Quoi ? fait papa d'un air quand même impressionné.

Maman lui lance un regard oblique qui le pousse à corriger, sur un ton plus sévère :

– Je veux dire : Pourquoi tu as fait ça ?

– J'avais la haine.

Je croise les bras sur mes genoux, les yeux sur mes Timberland entre mes deux jambes.

– Cette décision n'était pas juste.

Papa passe de nouveau le bras dans mon dos et pose la tête contre la mienne. Un câlin à la papa.

– Non, acquiesce-t-il. C'était pas juste.

– Eh ! fait maman pour me pousser à la regarder. La décision n'était peut-être pas juste, mais tu n'y es pour rien. Tu te souviens de ce que j'ai dit ? Parfois, les choses tournent mal…

– Mais la clé, c'est de continuer à les faire bien.

Je garde les yeux rivés sur mes Timberland.

– N'empêche que Khalil méritait mieux que ça.

– Oui… (Sa voix durcit.) Il méritait mieux.

Papa se penche pour regarder mon amoureux.

– Alors… fadasse ?

Seven renifle. DeVante ricane.

– Maverick, s'indigne maman, pile au moment où je dis « papa ! » sur le même ton.

– C'est moins pire que blanc-bec, observe Chris.

– Exactement, fait papa. C'est un cran au-dessus. Va falloir que tu gagnes mon respect par étapes si tu veux sortir avec ma fille.

– Seigneur ! fait maman en levant les yeux au ciel. Chris, bébé, tu as passé toute la soirée *par ici* ?

Vu le ton sur lequel elle le dit, je ne peux pas m'empêcher de rire. En gros, ce qu'elle lui demande c'est : « Tu réalises que c'est le ghetto, là, hein ? »

– Oui madame, répond-il. Toute la soirée.

– Peut-être que t'as des couilles, alors, grommelle papa.

J'en reste bouche bée.

– Maverick Carter ! le gronde maman.

Seven et DeVante explosent de rire.

Mais Chris, eh bien, Chris dit :

– Oui, monsieur, je l'espère.

– Bon, fadasse, dit papa, la salle de boxe, samedi prochain, toi et moi.

Chris lève son masque à oxygène à toute vitesse.

– Je suis désolé, monsieur, je n'aurais pas dû dire…

– Du calme, on va pas se battre, dit papa. On va s'entraîner. Apprendre à se connaître. Ça fait un petit moment que tu vois ma fille, maintenant. Faut qu'on fasse connaissance. Et on en apprend beaucoup sur un homme dans une salle de boxe.

– Oh… (Chris se détend.) D'accord.

Il remet son masque à oxygène.

Papa sourit de toutes ses dents. Un sourire un peu trop narquois à mon goût. Mon pauvre amoureux, il va finir par le tuer.

Les flics embarquent King et ses gars sous les applaudissements et les hourrahs de la foule. Enfin quelque chose à célébrer ce soir.

Oncle Carlos s'approche, nonchalant. Il est en short et en marcel, pas vraiment son genre, pourtant il a quand même, quelque part, l'air d'un inspecteur. Il est en mode flic depuis que ses collègues sont arrivés.

Il s'accroupit à hauteur de DeVante en poussant son grognement de vieux. Il le prend par la nuque comme papa fait avec Seven. Des câlins de mecs, j'appelle ça.

– Je suis content de te voir sain et sauf, fiston, dit-il. Même si on dirait que t'es passé deux fois sous un camion.

– Vous êtes pas fâché parce que je suis parti sans rien dire ?

– Bien sûr que si, je suis fâché. En vrai, je suis même fumasse. Mais je suis encore plus heureux que tu ailles bien. Ma mère et Pam, par contre, c'est une autre histoire. Je vais pas pouvoir t'épargner leur colère.

– Vous me virez de chez vous ?

– Non. Tu es puni, sans doute pour le restant de tes jours, mais c'est juste parce qu'on t'aime.

Le visage de DeVante se fend d'un grand sourire.

Oncle Carlos lui tapote le genou.

– Bon… avec tous ces témoins, on devrait pouvoir mettre King sous les verrous pour incendie volontaire.

– Sérieux ? fait papa.

– Ouaip. C'est un début, mais pas vraiment assez. Dans une semaine, il sera de nouveau dehors.

Et tout reprendra comme avant. Avec des nouvelles cibles.

– Si vous saviez où King avait sa planque, dit DeVante, ça aiderait ?

– Sans doute, oui, répond oncle Carlos.

– Si quelqu'un acceptait de balancer, ça aiderait ?

Oncle Carlos se tourne complètement vers lui.

– T'es en train de me dire que tu veux témoigner ?

– Ben… Ça aidera Kenya, sa mère et sa sœur ?

– Si King allait en taule ? dit Seven. Ouais. Grave !

– Honnêtement, ça aiderait tout le quartier, lâche papa.

– Je serai protégé ? demande DeVante à oncle Carlos.

– Je te le promets.

– Et oncle Carlos tient toujours ses promesses, je précise.

DeVante hoche la tête plusieurs fois, le temps de réfléchir.

– Alors, je vais témoigner, je crois.

Oh la vache.

– T'es sûr, là ? je demande.

– Ouais. Yo, de voir comment t'étais devant ces flics, chais pas, meuf, ça m'a fait un truc, dit-il. Et cette femme qu'a dit que nos voix sont des armes. Je devrais me servir de la mienne, du coup, non ?

– Donc t'es prêt à devenir une balance ?

– À balancer King ? insiste Seven.

DeVante hausse les épaules.

– Il a pas hésité à me défoncer, lui. Maintenant c'est à mon tour.

VINGT-SIX

Il est presque onze heures le lendemain matin et je suis encore au lit. Après la soirée la plus longue de ma vie, j'avais sérieusement besoin de refaire connaissance avec mon oreiller.

Ma mère allume la lumière – mon Dieu, cette nouvelle chambre est bien trop lumineuse.

– Starr, ta complice est au téléphone, dit-elle.

– Qui ? je marmonne.

– Ta complice. Maman m'a dit qu'elle l'avait vue te tendre ce mégaphone à la télé. Te mettre en danger comme ça, franchement…

– Mais elle voulait pas…

– Oh, je lui ai déjà dit ce que j'en pensais, t'en fais pas. Tiens. Elle veut te présenter ses excuses.

Mme Ofrah, en effet, me dit combien elle est désolée de m'avoir mise dans une telle situation et pour la façon dont les choses ont tourné vis-à-vis de Khalil. Mais elle est fière de moi.

Elle me dit aussi qu'elle pense que je suis faite pour le militantisme.

Maman s'en va avec le téléphone et je me tourne sur le flanc. Au mur, Tupac me regarde avec un sourire narquois. Le tatouage *Thug Life* sur son ventre a l'air plus éclatant que le reste de la photo. Cette affiche, c'est la première chose que j'ai installée dans ma nouvelle chambre. C'est un peu comme si j'emmenais Khalil avec moi.

Il disait que *Thug Life*, ça voulait dire : « *The Hate U Give Little Infants Fucks Everybody* ». La haine qu'on donne aux bébés fout tout le monde en l'air. On a fait tous ces trucs, hier soir parce qu'on avait la haine, et ça nous a tous foutus en l'air. Maintenant, il va falloir trouver un moyen de « défoutre en l'air » tout le monde.

Je m'assieds et attrape mon téléphone sur ma table de chevet. Il y a des messages de Maya, qui après m'avoir vue aux infos, me dit que je suis la reine des badass. Et des messages de Chris. Ses parents l'ont puni, mais il dit que ça valait la peine.

Et puis il y a un autre message. D'Hailey, j'y crois pas. Trois lettres, c'est tout :

DSL

C'est pas ce à quoi je m'attendais. Pas que je m'attendais à recevoir quoi que ce soit d'elle ; pas que j'aie non plus envie d'avoir affaire à elle. C'est la première fois qu'elle m'adresse la parole depuis notre dispute. Je ne m'en suis pas plainte. Pour moi non plus, elle n'existait plus. Je réponds quand même.

DSL pour quoi ?

Je ne me la joue pas indifférente. Indifférente, ça serait : « C'est qui ? »

Il y a tellement de choses pour lesquelles elle devrait s'excuser.

De la décision

Et parce que tu m'en veux

J'étais pas dans mon assiette dernièrement

Jvoudrais juste que tout redevienne comme avant

Qu'elle soit désolée pour l'affaire, c'est sympa, mais désolée que je lui en veuille ? Ce n'est pas comme s'excuser pour ses actes ou pour les saloperies qu'elle a dites. Elle est désolée de ma réaction.

Bizarrement, j'avais besoin de savoir ça.

C'est ce que disait ma mère, en fait – si le positif l'emporte sur le négatif, mieux vaut que je garde Hailey dans ma vie. Or, le négatif pèse une tonne maintenant, il déborde de partout. C'est dur de l'admettre, mais un tout petit truc en moi espérait qu'Hailey verrait à quel point elle avait tort, mais non. Peut-être qu'elle ne le verra jamais.

Et vous savez quoi ? C'est pas grave. D'accord, c'est peut-être un peu grave parce que ça fait d'elle une pauvre fille, mais je n'ai plus à attendre qu'elle change. Je peux juste lâcher prise. Je réponds :

Les choses ne seront plus jamais comme avant

J'appuie sur « envoyer », attends que le message soit distribué avant d'effacer la conversation. Et le numéro d'Hailey.

Je me traîne dans le couloir en m'étirant et en bâillant. Notre maison n'est pas du tout fichue pareil que l'ancienne, mais je pense que je vais m'y faire.

Papa est en train de tailler un rosier sur le plan de travail de la cuisine. À côté de lui, Sekani engloutit un sandwich, Brickz accroché à ses jambes, dressé sur ses pattes arrière, qui regarde son repas comme il regarde les écureuils.

Maman teste des interrupteurs sur le mur. Le premier déclenche un bruit de broyeur dans l'évier et le deuxième allume et éteint la lumière.

– Tous ces interrupteurs… grommelle-t-elle. Ah tiens ! Maverick, regarde qui voilà : notre petite révolutionnaire.

Brickz se précipite vers moi et se dresse contre mes jambes en remuant la langue.

– Salut, je lui fais en le grattant derrière les oreilles.

Il redescend pour retourner à Sekani et à son sandwich.

– Starr, tu veux bien me rendre service ? dit Seven en fouillant dans un carton sur lequel est écrit « Trucs de cuisine » avec mon écriture. La prochaine fois, essaie d'être plus précise sur ces « trucs » qu'il y a dans le carton. J'en ai ouvert trois pour essayer de retrouver les assiettes.

Je grimpe sur un tabouret au bar.

– Neuneu, c'est à ça que ça sert les serviettes en papier, non ?

Seven fronce les sourcils.

– Eh, papa, devine où je suis allé récupérer Starr hi…

– Les assiettes sont au fond de ce carton ! je dis.

– C'est bien ce que je pensais.

Mon majeur a trop envie de se dresser.

– Que j'entende pas que t'étais chez ce mec, en tout cas.

Je me force à sourire.

– Non, bien sûr que non, je dis.

Je vais le tuer.

Papa tchipe.

– C'est ça, ouais…

Il se reconcentre sur son rosier. Les fleurs ont séché et quelques pétales sont tombés. Il installe la plante dans un pot en argile et verse de la terre autour de la motte.

– Ils vont s'en sortir ? je demande.

– Ouais. Un peu abîmés, mais vivants. Je vais essayer un truc différent. Les changer de terre, ça peut remettre les compteurs à zéro.

– Starr, t'es dans le journal, dit Sekani, la bouche pleine de pain détrempé et de viande.

Dégueu.

– On parle pas la bouche pleine ! le gronde maman.

Papa désigne le journal d'un signe de tête.

– Ouais, regarde ça, petite Black Panther.

Je suis en première page. Le photographe m'a prise pile au moment où je lançais la grenade. On la voit fumer dans ma main. « Le témoin riposte » annonce le titre.

Maman pose le menton sur mon épaule.

– Ils parlaient de toi partout à la télé ce matin. Ta grand-mère appelle toutes les cinq minutes pour nous dire sur quelle chaîne zapper.

Elle me fait un bisou sur la joue.

– Tu sais que tu n'as pas intérêt à me refaire peur comme ça.

– Promis. Ils disent quoi aux infos ?

– Ils disent que tu es courageuse, répond papa. Mais tu sais, il a bien fallu une chaîne pour râler, pour balancer que t'as mis les flics en danger.

– Je n'avais rien contre ces flics. C'était la grenade lacrymogène mon problème et c'est eux qui l'ont envoyée.

– Je sais, bébé. T'en fais pas, va. Cette chaîne peut aller se faire…

– Un dollar, papa !

Sekani lève la tête vers lui avec un grand sourire.

– Offrir des fleurs. Ils peuvent aller se faire offrir des fleurs.

Il laisse une traînée de terre sur le nez de Sekani.

– Je te donnerai pas un dollar de plus.

– Il le sait, dit Seven en fusillant Sekani du regard.

Pour se faire pardonner, Sekani prend un air de chien battu qui pourrait faire concurrence à Brickz.

Maman décolle le menton de mon épaule.

– D'accord. Qu'est-ce que ça veut dire ?

– Rien. J'ai dit à Sekani qu'il fallait qu'on soit plus économes maintenant.

– Il a dit aussi que peut-être on allait devoir retourner à Garden Heights ! cafte Sekani. C'est vrai ?

– Non, bien sûr que non, dit maman. On va se débrouiller, les enfants.

– Exactement, dit papa. Même si je dois vendre des oranges sur le bord de la route comme les frères de la Nation Of Islam.

– Mais est-ce qu'on a bien fait de partir ? je demande. C'est le bazar dans le quartier. Les gens vont penser quoi de voir qu'on est partis au lieu d'aider à réparer ?

Jamais je n'aurais pensé dire un jour un truc comme ça.

Mais la soirée d'hier m'a fait voir les choses sous un angle complètement différent. Je n'ai plus la même image de moi, ni de Garden Heights.

– On peut quand même aider, objecte papa.

– C'est vrai. Je vais faire des heures sup à la clinique, dit maman.

– Et je vais réfléchir à ce qu'on pourrait faire du magasin avant qu'on le rénove, ajoute papa. On a pas besoin d'habiter là-bas pour changer les choses, bébé. Faut juste se sentir concerné. D'accord ?

– D'accord.

Maman m'embrasse sur la joue et passe la main dans mes cheveux.

– Regarde-toi. Citoyenne engagée tout d'un coup ! Maverick, l'agent d'assurance a dit qu'il venait à quelle heure ?

Papa ferme les yeux et se pince le haut du nez.

– Dans deux ou trois heures. J'ai même pas envie d'y aller.

– T'en fais pas, papa, dit Sekani, la bouche toujours pleine. T'iras pas tout seul. On va tous venir.

Et c'est ce qu'on fait. Il y a un barrage à l'entrée de Garden Heights. Papa leur montre sa carte d'identité et leur explique pourquoi on est là. J'arrive à tenir toute la conversation sans me sentir oppressée. Et ils nous laissent passer.

Wow, je comprends pourquoi ils empêchent les gens de venir. La fumée s'est installée et les rues sont jonchées de débris de verre et d'ordures en tout genre. On longe un nombre incalculable de devantures carbonisées.

L'image de l'épicerie est insoutenable. Le toit s'effondre

sur lui-même, à la merci du moindre coup de vent. Les briques et les barreaux antieffraction ne protègent plus qu'un tas de gravats carbonisés.

M. Lewis balaie le trottoir devant son salon. Ce n'est pas en aussi mauvais état que chez nous, mais un balai et une pelle ne vont pas suffire.

Papa se gare devant l'épicerie et on descend. Maman lui masse l'épaule pour le réconforter.

– Starr, murmure Sekani en se retournant vers moi. L'épicerie…

Ses yeux s'emplissent de larmes, et du coup, les miens aussi. Les bras sur ses épaules, je le serre contre moi.

– Je sais, mec.

Quelque chose approche en grinçant et quelqu'un sifflote. C'est Fo'ty Ounce, qui pousse son caddie sur le trottoir. Malgré la chaleur, il porte sa grosse veste militaire.

Arrivé devant le magasin, il s'arrête brusquement, comme s'il venait à peine de remarquer.

– Bordel, Maverick, dit-il de sa voix pressée où tout semble n'être qu'un seul long mot. Il s'est passé quoi dis donc ?

– T'étais où hier soir, mec ? demande papa. Ils ont foutu le feu chez moi.

– Je suis allé de l'autre côté de l'autoroute. Je pouvais pas rester ici, oh non ! Je savais que ces imbéciles allaient péter un câble. J'espère que t'as une assurance au moins. Moi, j'en ai une en tout cas.

Fo'ty Ounce a une assurance ? Sans déconner !

– Une assurance pour quoi ? je demande.

– Une assurance sur ma vie ! répond-il, comme si c'était une évidence. Tu vas reconstruire, Maverick ?

– Je sais pas, mec. Faut que j'y réfléchisse.

– Faut que tu le fasses, parce que si on a plus d'épicerie, nous, maintenant, ça va faire partir tout le monde.

– Je vais y réfléchir.

– D'accord. Et si t'as besoin de quelque chose, tu me fais signe, hein ?

Il se remet à pousser son caddie le long du trottoir, avant de s'arrêter brusquement de nouveau.

– Il a disparu aussi, le magasin d'alcool ? Oh noooon !

Je ricane. Sacré Fo'ty Ounce.

M. Lewis arrive en clopinant, son balai à la main.

– Il a raison l'imbécile, dit-il. Si y'a plus d'épicerie dans le coin, tout le monde va partir.

– Je sais, dit papa. C'est juste que… ça chiffre, M. Lewis.

– Je sais bien. Mais tu vas t'en sortir. J'ai raconté à Clarence ce qui s'était passé, dit-il en parlant de M. Wyatt, son ami, l'ancien propriétaire du magasin. Il pense que tu devrais rester. Et en discutant, je me suis dit qu'il était temps que je fasse comme lui. Que je m'assoie sur une plage pour regarder les jolies femmes.

– Vous fermez ? demande Seven.

– Qui va me couper les cheveux ? renchérit Sekani.

M. Lewis baisse les yeux sur lui.

– C'est pas mon problème ça, petit. Puisque tu seras la seule épicerie du coin, Maverick, va te falloir plus d'espace quand tu reconstruiras. Alors je veux te faire don du salon.

– Quoi ? bredouille maman.

– Je… Attendez un peu, M. Lewis, dit papa.

– J'attends rien du tout. J'aurai une petite retraite qui me suffira largement. Qu'est-ce que je vais faire d'un salon qu'a brûlé ? Toi, tu peux bâtir une belle épicerie, offrir aux gens un endroit où ils seront fiers de faire leurs courses. Tout ce que je te demande, c'est de mettre des photos de Martin Luther King à côté de ton Newey Je-sais-pas-qui.

Papa se marre.

– Huey Newton.

– Ouais, lui. Je sais que vous avez déménagé et je suis content pour vous, mais le quartier a besoin d'hommes de ta trempe. Même si tu fais que tenir un magasin.

Le type de l'assurance arrive un peu plus tard, et papa lui fait visiter ce qu'il reste des lieux. Maman va chercher des gants et des sacs-poubelle dans le pick-up et les tend à mes frères et moi en nous disant de nous mettre au boulot. Ce n'est pas simple avec tous les gens qui passent en klaxonnant. Ils nous crient des trucs du genre : « Gardez la tête haute ! » ou « On est avec vous ! »

Certains viennent nous aider, comme Mme Rooks et Tim. M. Reuben nous apporte des bouteilles d'eau glacée, parce que ce soleil, il ne fait pas semblant de taper. Je m'assieds sur le bord du trottoir, en nage, fatiguée et complètement prête à lâcher l'affaire. On est encore tellement loin du compte.

Une ombre surgit au-dessus de moi :

– Salut.

Une main en visière, je lève la tête. Kenya porte un tee-shirt XXL et un short de basket. On dirait celui de Seven.

– Salut.

Elle s'assied à côté de moi et remonte les genoux contre sa poitrine.

– Je t'ai vue à la télé, dit-elle. Je t'avais dit d'ouvrir ta gueule, mais merde, Starr, je m'attendais pas à ça.

– Ça a fait le buzz, n'empêche, non ?

– Ouais. Désolée pour le magasin. C'est mon père qu'a fait ça, on m'a dit.

– Ouais.

Aucune raison de prétendre le contraire.

– Et ta mère, comment elle va ?

Kenya serre encore plus ses genoux contre sa poitrine.

– Il l'a lattée. Elle a fini à l'hosto. Ils l'ont gardée pour la nuit. Elle a une commotion cérébrale et tout un tas d'autres trucs, mais elle va s'en sortir. On l'a vue tout à l'heure. Puis les flics se sont pointés et on a dû se barrer.

– Sérieux ?

– Ouais. Ils ont fait une descente chez nous ce matin et ils avaient des questions à lui poser. Là, moi et Lyric on doit habiter chez ma grand-mère.

DeVante n'en revient pas.

– Et toi, ça te va ? fait DeVante.

– Je suis soulagée en fait. C'est con, hein ?

– Nan, t'inquiète.

Elle gratte une de ses tresses, et bizarrement toutes se mettent à bouger d'avant en arrière.

– Je suis désolée d'avoir toujours fait comme si Seven c'était juste mon frère et pas le tien.

– Oh.

J'avais presque oublié. Ça paraît tellement futile maintenant.

– Pas grave, je lui dis.

– Je crois que je disais « mon frère » parce que… comme ça j'avais vraiment l'impression que c'était mon frère, tu vois ?

– Hum, *c'est* ton frère Kenya. Franchement, ça me rend jalouse de voir comment il a envie d'être avec Lyric et toi.

– Parce qu'il croit qu'il est obligé. En vrai, c'est avec vous qu'il veut être. Et ça, je peux piger. Papa et lui s'entendent pas. Mais j'aimerais que des fois, il ait envie d'être mon frère sans se sentir obligé. Il a honte de nous. À cause de notre mère et de mon père.

– N'importe quoi.

– Si, je t'assure. Toi aussi, t'as honte d'ailleurs.

– J'ai jamais dit ça.

– Pas besoin, Starr, dit-elle. Tu m'as jamais invitée quand t'étais avec ces filles, là. Elles sont jamais venues chez toi en même temps que moi. Comme si t'avais pas envie qu'elles sachent que j'étais aussi ta pote. T'avais honte de moi, de Khalil, et même du quartier et tu le sais.

Je ne réponds rien. Si je suis honnête, aussi moche que soit la vérité, elle a raison. J'avais honte de Garden Heights et de tout ce qui s'y trouvait. Ça me paraît débile, maintenant, cela dit. Je ne peux pas changer d'où je viens ni ce que j'ai vécu, alors pourquoi je devrais avoir honte de ce qui fait que je suis moi ? Ça revient à avoir honte de moi.

Mais c'est fini tout ça.

– Peut-être que j'avais honte, oui, je lui dis, mais plus maintenant. Et Seven n'a honte de personne, ni de toi, ni de ta mère, ni de Lyric. Il vous adore, toutes, Kenya. Alors comme je disais, notre frère. Pas juste le mien. Je suis ravie de partager si ça veut dire l'avoir moins sur le dos, promis.

– Il peut être grave chiant, hein ?

– Putain, ouais, meuf.

J'ai beaucoup perdu mais j'ai aussi gagné des trucs bien. Comme Kenya.

– Ouais, d'accord, dit-elle. Je crois qu'on peut le partager.

– Allez Starr, on s'active ! crie maman, en frappant dans ses mains comme si ça allait me faire bouger plus vite.

Toujours dans son délire de dictateur, je vous jure.

– On a du pain sur la planche, Kenya. J'ai un sac et des gants avec ton nom dessus si tu veux donner un coup de main.

Kenya se tourne vers moi, genre, *sérieux ?*

– Je peux la partager elle aussi, je dis à Kenya en parlant de ma mère. En fait, prends-la tout entière, je te l'offre.

On se met à rire et on se relève. Kenya balaie les décombres du regard. D'autres voisins sont venus nous prêter main-forte. Ils forment une chaîne, sortent les gravats du magasin pour les jeter dans les poubelles sur le trottoir.

– Alors, vous allez faire quoi, maintenant ? demande Kenya. Avec l'épicerie, je veux dire.

Une voiture klaxonne. L'inconnu au volant sort la tête par la vitre pour nous montrer son soutien. La réponse vient facilement.

– On va reconstruire !

Il était une fois un petit garçon aux yeux noisette avec des fossettes. Je l'appelais Khalil. Le monde disait que c'était un voyou.

Il a vécu, mais pas tout à fait assez longtemps, et je me souviendrai de sa mort pour le restant de mes jours.

Un conte de fées ? Non. Mais je m'accroche à l'idée que ça peut finir moins mal.

Si ça ne concernait que moi, Khalil, cette nuit-là, et ce flic, ce serait facile de laisser tomber. Mais il y a bien plus que ça. Il y a aussi Seven. Sekani. Kenya. DeVante.

Et Oscar.

Aiyana.

Trayvon.

Rekia.

Michael.

Eric.

Tamir.

John.

Ezell.

Sandra.

Freddie.

Alton.

Philando.

Il y a aussi ce petit garçon en 1955 que personne n'avait d'abord reconnu – Emmett.

Le plus pourri dans tout ça ? C'est qu'il y en a plein d'autres.

Pourtant, je crois qu'un jour ça changera. Comment ? Je ne sais pas. Quand ? Je le sais encore moins. Alors pourquoi ? Parce qu'il y aura toujours quelqu'un pour se battre. Et peut-être qu'à présent c'est mon tour.

D'autres se battent aussi, même à Garden Heights où on a pourtant parfois l'impression qu'il n'y a pas grand-chose à défendre. Les gens réalisent, crient, manifestent, exigent. Ils n'oublient pas. Je crois que c'est ça le plus important.

Khalil, je ne l'oublierai jamais.

Je n'abandonnerai jamais.

Je ne me tairai jamais.

Je le promets.

REMERCIEMENTS

Les lignes qui vont suivre risquent fort de ressembler au discours d'un rappeur recevant un trophée, alors pour faire vraiment comme les rappeurs, je me dois de commencer par mes remerciements à Jésus-Christ, mon Seigneur et mon Sauveur. Je ne mérite pas tout ce que tu as fait pour moi. Je te remercie de m'avoir donné de croiser tous ces gens qui ont contribué à faire de ce livre une réalité :

Brooks Sherman, agent et super-héros extraordinaire, ami, et plus grand « Gangster en col en V » de la terre : ma toute première pom-pom girl en version masculine, psychologue à ses heures et gangsta quand c'était nécessaire. Seul un vrai gangsta pouvait gérer avec une telle poigne une enchère de treize éditeurs. Brooks, tu es le Roi, avec un grand R. Starr a bien de la chance de t'avoir de son côté, et moi encore plus.

Donna Bray, quand les gens cherchent « badass » dans le dictionnaire, c'est sur ta photo qu'ils devraient tomber. Et ta photo devrait aussi figurer en illustration de « génial » et « formidable ». Ce livre est tellement plus puissant grâce à toi. Avoir une éditrice qui non seulement croit en Starr et en son histoire, mais qui croit aussi en moi, me touche énormément. Et merci d'avoir « pigé ».

La fantastique équipe de la Bent Agency, dont Jenny Bent, Victoria Cappello, Charlee Hoffman, John Bowers et tous mes agents à l'étranger, en particulier la fantastique Molly Ker Hawn en Grande-Bretagne – Cookie Lyon rêve d'être toi. Je t'offrirais, si je le pouvais, tout le gâteau au caramel du monde, assorti d'un million de mercis.

Un ÉNORME merci à tout le monde chez Balzer + Bray/ HarperCollins pour votre travail et votre enthousiasme. Vous êtes vraiment une équipe de rêve. Remerciements tout particuliers à Alessandra Balzer, Viana Siniscalchi, Caroline Sun, Jill Amack, Bethany Reis, Jenna Stempel, Alison Donalty, Nellie Kurtzman, Bess Braswell et Patty Rosati. Debra Cartwright, merci pour l'incroyable illustration de couverture. Grâce à elle, Starr et Khalil prennent encore un peu plus vie.

Mary Pender-Coplan, meilleure agent cinéma au monde. Je vous dois mon premier-né et ma gratitude éternelle. Nancy Taylor, meilleure assistante d'agent cinéma au monde, ainsi que toute l'équipe chez UTA.

Christy Garner, merci d'avoir souvent été ma lumière dans les ténèbres et d'avoir toujours vu le bon côté de mes récits (comme de ma personne), même quand c'était la pagaille sur le papier (comme dans ma tête). Ton amitié est un don du ciel.

L'équipe Double Stuf : Becky Albertalli, Stefani Sloma et Nic

Stone. Vous n'avez peut-être pas les meilleurs goûts du monde en matière d'Oreo, les filles, mais je vous adore sans l'ombre d'un doute. C'est un honneur que de vous appeler mes amies.

Tous mes frères et sœurs chez B-Team, et surtout Sarah Cannon, Adam Silvera – mon grand complice croqueur de Golden Oreo –, Lianne Oelke, Heidi Schulz, Jessica Cluess, Brad McLelland, Rita Meade, et Mercy Brown.

Toute l'équipe de We Need Diverse Books, et en particulier le comité d'attribution des bourses Walter Dean Myers. Ellen – oh, vous êtes une perle, tant pour la littérature jeunesse que pour moi.

Tupac Shakur, je ne t'ai jamais rencontré, mais ta sagesse et tes paroles m'inspirent jour après jour. Que tu sois maintenant dans la « Thugz Mansion » – le paradis des voyous – ou planqué à Cuba quelque part, j'espère que cette histoire rendra justice à ton message.

Toute ma famille de Belhaven University, et en particulier les professeurs Roger Parrot, Randy Smith et Don Hubele, « tonton » Howard Bahr, Mme Rose Mary Foncree, le professeur Tracy Ford et Mme Sheila Lyons.

Joe Maxwell, merci pour vos conseils et votre amour. Que Dieu vous bénisse mille fois.

Mes préparateurs de copie, bêta-lecteurs et amis, aussi phénoménaux les uns que les autres : Michelle Hulse, Chris Owens, Lana Wood Johnson, Linda Jackson, Dede Nesbitt, Katherine Webber, S.C., Ki-Wing Merlin, Melyssa Mercado, Bronwyn Deaver, Jeni Chappelle, Marty Mayberry (alias l'une des premières à avoir lu la lettre d'accompagnement de mon manuscrit), Jeff Zentner (Hov !), tous mes followers sur Twitter et tout le monde au Sub It Club, à Absolute Write et à Kidlit AOC. Toutes mes excuses si je n'ai pas inclus vos noms. Je vous aime tous.

Mes dames du Wakanda : Camryn Garrett, L.L. McKinney et Adrianne Russell. Vous êtes l'incarnation de la femme noire dans toute sa magie.

June Hardwick, merci pour tes remarques judicieuses et ton expertise. Merci tout simplement d'être toi. Tu m'as inspirée plus que tu ne l'imagines.

Christyl Rosewater et Laura Silverman, merci pour vos encouragements et pour votre soutien au mouvement. Vous êtes la preuve qu'un acte simple peut amener du changement !

Les reines de la Team Coffeehouse : Brenda Drake, Nikki Roberti et Kimberly Chase. Vous étiez parmi les premières hors de mon cercle proche à avoir aimé ce que j'écrivais. Je vous dois beaucoup. Brenda, merci à toi en particulier : tu es un pilier pour la communauté des écrivains.

Le gang #ownvoices (puisqu'on dit de nous, comme vous le savez, qu'on est un gang). Battez-vous, écrivez, continuez, n'abandonnez jamais. Vos voix comptent.

Ma bande à #WordSmiths, vous assurez tous !

Stephanie Dayton et Lisa « œil gauche » Lopes : par une petite action, vous avez changé le cours de la vie de la jeune Angie, quatorze ans, et d'une certaine manière, vous l'avez sauvée. Merci.

Bishop Crudup et la famille New Horizon, merci pour vos prières, votre soutien et votre amour.

Ma famille et tous mes proches, en particulier Hazel, LuSheila, ainsi que tous mes oncles, tantes et cousins. Même si nous ne sommes pas tous liés par le sang, nous le sommes par l'amour. Si je n'ai pas mentionné vos noms, n'en prenez pas ombrage. Merci à vous tous.

Oncle Charles pour tous ces billets de cinq dollars. J'aurais aimé que le monde lise tes mots et que tu aies pu lire les miens. Ce livre est pour toi.

À mon père, Charles R. Orr. Je sens tous les jours ta présence à mes côtés. Je te pardonne, et je t'aime. J'espère que tu es fier de moi.

À ma plus grande championne, Maman/Ma/Momma/Julia Thomas : tu es la plus grande des lumières dans les ténèbres, une vraie « Starr ». J'ai une chance infinie de t'avoir pour maman et j'espère un jour en tant que femme pouvoir t'arriver à la cheville. Lorsque Maya Angelou décrivait la « femme phénoménale », c'est de toi qu'elle parlait. Merci de m'aimer telle que je suis.

Et à tous les gamins de Georgetown et de tous les « Garden Heights » du monde : vos voix comptent, vos rêves comptent, vos vies comptent. Soyez les roses qui poussent dans le béton.

LA TRADUCTRICE

Avant d'être traductrice, Nathalie Bru a été journaliste et rédactrice en chef, dont sept ans aux États-Unis. Son goût pour l'écriture, la langue anglaise et la littérature l'ont amenée à se tourner vers la traduction, qu'elle exerce aujourd'hui à plein temps. Si elle traduit parfois de la littérature jeunesse, la majeure partie de son travail s'exerce en littérature adulte. Nathalie Bru est ainsi la traductrice de Paul Beatty, qui a obtenu en 2016 le prestigieux Man Booker Prize pour *Moi contre les États-Unis* (éditions Cambourakis).

Achevé d'imprimer sur Roto-Page en mars 2018
par l'Imprimerie Floch à Mayenne
N° d'éditeur : 10234174 – N° d'impression : 92435 – Imprimé en France